L'amour au temps d'une guerre

Tome 1

1939-1942

DU MÊME AUTEUR CHEZ LE MÊME ÉDITEUR:

L'amour au temps d'une guerre, tome 1: *1939-1942*, 2015
Les héritiers du fleuve, tome 1: *1887–1893*, 2013
Les héritiers du fleuve, tome 2: *1898–1914*, 2013
Les héritiers du fleuve, tome 3: *1918-1929*, 2014
Les héritiers du fleuve, tome 4: *1931-1939*, 2014
Les années du silence 1: *La tourmente* (1995) et *La délivrance* (1995), réédition 2014
Les années du silence 2: *La sérénité* (1998) et *La destinée* (2000), réédition 2014
Les années du silence 3: *Les bourrasques* (2001) et *L'oasis* (2002), réédition 2014
Mémoires d'un quartier, tome 1: *Laura*, 2008
Mémoires d'un quartier, tome 2: *Antoine*, 2008
Mémoires d'un quartier, tome 3: *Évangéline*, 2009
Mémoires d'un quartier, tome 4: *Bernadette*, 2009
Mémoires d'un quartier, tome 5: *Adrien*, 2010
Mémoires d'un quartier, tome 6: *Francine*, 2010
Mémoires d'un quartier, tome 7: *Marcel*, 2010
Mémoires d'un quartier, tome 8: *Laura, la suite*, 2011
Mémoires d'un quartier, tome 9: *Antoine, la suite*, 2011
Mémoires d'un quartier, tome 10: *Évangéline, la suite*, 2011
Mémoires d'un quartier, tome 11: *Bernadette, la suite*, 2012
Mémoires d'un quartier, tome 12: *Adrien, la suite*, 2012
La dernière saison, tome 1: *Jeanne*, 2006
La dernière saison, tome 2: *Thomas*, 2007
La dernière saison, tome 3: *Les enfants de Jeanne*, 2012
Les sœurs Deblois, tome 1: *Charlotte*, 2003
Les sœurs Deblois, tome 2: *Émilie*, 2004
Les sœurs Deblois, tome 3: *Anne*, 2005
Les sœurs Deblois, tome 4: *Le demi-frère*, 2005
Les demoiselles du quartier, nouvelles, 2003, réédition 2015
De l'autre côté du mur, récit-témoignage, 2001
Au-delà des mots, roman autobiographique, 1999
Boomerang, roman en collaboration avec Loui Sansfaçon, 1998
« *Queen Size* », 1997
L'infiltrateur, roman basé sur des faits vécus, 1996
La fille de Joseph, roman, 1994, 2006, 2014 (réédition du *Tournesol*, 1984)
Entre l'eau douce et la mer, 1994

Visitez le site web de l'auteur:
www.louisetremblaydessiambre.com

LOUISE TREMBLAY D'ESSIAMBRE

L'amour au temps d'une guerre

Tome 1

1939-1942

Guy Saint-Jean Éditeur
3440, boul. Industriel
Laval (Québec) Canada H7L 4R9
450 663-1777
info@saint-jeanediteur.com
www.saint-jeanediteur.com

• • • • • • • • • • • • • • • • •

Catalogage avant publication de Bibliothèque et Archives nationales du Québec et Bibliothèque et Archives Canada
Tremblay-D'Essiambre, Louise, 1953-
L'amour au temps d'une guerre
L'ouvrage complet comprendra 2 volumes.
Sommaire: t. 1. 1939-1942.
ISBN 978-2-89455-989-5 (vol. 1)
I. Titre.
PS8589.R476A62 2015 C843'.54 C2015-941706-6
PS9589.R476A62 2015

• • • • • • • • • • • • • • • • •

Nous reconnaissons l'aide financière du gouvernement du Canada par l'entremise du Fonds du livre du Canada (FLC) ainsi que celle de la SODEC pour nos activités d'édition. Nous remercions le Conseil des Arts du Canada de l'aide accordée à notre programme de publication.

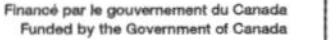

Canada

SODEC Québec

Conseil des Arts du Canada Canada Council for the Arts

Gouvernement du Québec — Programme de crédit d'impôt pour l'édition de livres — Gestion SODEC

Révision: Marie Desjardins
Conception graphique: Christiane Séguin
Photographie de la page couverture: Balazs Kovacs Images/Shutterstock.com

Dépôt légal – Bibliothèque et Archives nationales du Québec, Bibliothèque et Archives Canada, 2015
ISBN: 2-978-89455-989-5
ISBN ePub: 2-978-89455-990-1
ISBN PDF: 2-978-89455-991-8

Imprimé et relié au Canada
1re impression, octobre 2015

Guy Saint-Jean Éditeur est membre de
l'Association nationale des éditeurs de livres (ANEL).

À mon petit-fils Charles,
un bel amour tout rond et tout en sourires.
Il n'était pas encore des nôtres
lors des précédentes dédicaces écrites
pour cette troisième génération,
alors ce livre est pour lui.
Juste pour lui !

« Quand je veux lire un livre, je l'écris. »

Benjamin Disraeli

NOTE DE L'AUTEUR

Octobre 2014

Octobre est là depuis quelques jours. J'entends sonner six heures à l'horloge du salon et le soleil est en train de se lever. Un peu plus tôt, de ma fenêtre, j'ai vu le ciel se mettre à pâlir et, en ce moment, il passe lentement du rose au bleu. Depuis la rivière, de longs filaments de brume montent vers lui paresseusement. La journée sera sans doute magnifique et les outardes en bavardent joyeusement entre elles, tout en glissant sur l'eau. Les entendez-vous comme moi ? Elles cacardent à n'en plus finir.

J'aime le mois d'octobre, je crois vous l'avoir déjà dit, alors j'aime bien l'idée de reprendre le travail ce matin. C'est la période de l'année où je renoue avec mes habitudes de confort : lecture au coin du feu et tisane odorante ; longue discussion à refaire le monde et négociation pour rafraîchir la décoration d'un salon ; ragoût longuement mijoté et tarte aux pommes bien chaude, bien dorée…

L'écriture aussi fait partie de ces doux moments de confort, croyez-moi. Café et pyjama vont de pair, à l'aube, quand je retrouve tous ces personnages que j'aime tant. Alors, je suis heureuse de ces nombreuses heures arrachées au quotidien tandis que je plonge sans retenue dans un univers imprévu, autre que le mien. Je peux donc dire sans me tromper que je suis spécialement comblée, ce matin.

De l'autre côté de mon pupitre, en ce moment, il y a Célestin qui se tient bien droit. Regardez-le, assis bien sagement dans le petit fauteuil beige ! Il ne doit pas être tellement à l'aise, le pauvre homme, car ce fauteuil est particulièrement étroit, et lui, il dépasse facilement les six pieds alors qu'il fait osciller la balance à quelque deux cent vingt livres. Néanmoins, Célestin ne bouge pas d'un poil. Il reste là à m'observer attentivement, les deux mains posées bien à plat sur ses genoux. Sans prétention aucune, j'aurais envie de dire qu'il attend un geste de ma part pour se mettre à parler, et moi, sachez que je voudrais pouvoir lui faire signe, là, maintenant. Pourtant je vais me retenir. Malgré la tendresse toute particulière que je ressens pour ce grand gaillard attachant, et bien que j'aie grande hâte de reprendre la conversation avec lui, je vais tout de même l'ignorer un moment pour plutôt tenter d'apercevoir ce qu'il y a au-delà de sa présence, car, voyez-vous, ce livre ne sera pas vraiment le sien.

Ni celui d'aucun personnage des *Héritiers du fleuve,* d'ailleurs.

Les dates concordent, je l'admets, car j'ai donné en ce sens un petit coup de pouce au destin et je vais en profiter sans vergogne, n'ayez crainte. Gilberte, Lionel et quelques autres, dont cet Ernest Constantin arrivé à la toute fin du roman, au tome 4 des *Héritiers,* vont continuer de nous rendre visite de façon régulière. C'est indéniable. Ils ont encore bien des choses à raconter, et je vais leur laisser tout l'espace nécessaire pour le faire, je vous le promets. Mais au-delà de cette réalité qui touche

Pointe-à-la-Truite et l'Anse-aux-Morilles, cette histoire sera, en premier lieu, celle de Françoise.

Eh oui! L'héroïne de ce nouveau livre s'appelle Françoise Nicolas, fille de François Nicolas et de Madeleine Talon. Un peu plus tard, son amie Brigitte Lacroix prendra à son tour toute l'importance qui lui reviendra.

Les deux jeunes femmes habitent un joli village de Normandie et se connaissent depuis toujours. Elles n'ont pas encore vingt ans et, comme la plupart des jeunes de leur âge, elles ont l'espérance d'une belle et longue existence devant elles.

Françoise, toute menue et blonde, est celle qui bouffe la vie comme elle bouffe les pommes du verger de son père. Avec gourmandise. À dix-neuf ans, elle est déjà fiancée au beau Rémi, un compagnon d'enfance, le copain inconditionnel de son frère Jasmin, aujourd'hui décédé.

Quand Rémi est revenu de la caserne, après son service militaire, le grand jeune homme aux yeux clairs a fait battre le cœur de plus d'une au village. À sa défense, il faut dire que Rémi était beau comme un Adonis dans son uniforme. Françoise est donc particulièrement fière de voir que c'est elle entre toutes qu'il a choisie.

La date du mariage est arrêtée : ce sera au lendemain de la fête de Noël. Pourquoi attendre ? Les deux gamins n'en peuvent plus de se dévorer des yeux. Quant à Brigitte, la presque sœur, l'amie de toujours, elle n'est surtout pas pressée de se marier. Peut-être a-t-elle vu passer trop de bambins bruyants et agités autour de la table familiale ? Chose certaine, Brigitte n'a aucune envie de plonger tout de suite dans une routine familiale qui serait la sienne. Elle ne sait même pas si elle a envie de se marier. Elle hésite, en parle parfois, sans jamais se décider. Peut-être que oui, mais peut-être que non. « Le cours de secrétariat offert dans une école de Paris est bien tentant », déclare-t-elle à sa décharge... Allez donc savoir ce qu'elle pense vraiment, la grande Brigitte aux cheveux marron et aux yeux de braise ! Je les connais à peine, ces deux jeunes filles, et j'ai encore tout à apprendre d'elles.

Là-bas, en France, le jour tire à sa fin. La journée a été singulièrement chaude pour la saison. Nous sommes déjà le 3 septembre, mais il y a eu dans l'air une humidité de juillet. Après tout, l'été n'est pas encore terminé, n'est-ce pas ? Hier, en fin d'après-midi, à la TSF du Café de la Fontaine Victor-Hugo, en plein cœur du village, on a appris que l'Allemagne avait envahi la Pologne. Une obscure histoire de frontières non respectées, paraît-il. Mais quelle importance ? Quelle que soit la véritable raison ayant provoqué cette invasion, on s'attendait à cette déclaration de guerre. On en a abondamment parlé durant l'été, supputant les chances des uns et analysant les possibilités des autres. Finalement, c'était la Pologne qui était dans la mire d'Adolf Hitler, le chancelier de l'Allemagne. Alors, cette guerre n'est une surprise pour personne, on l'a vue venir. Le traité de Versailles, signé en 1919, n'aura été qu'une pincée de poudre aux yeux, difficilement tolérable pour l'Allemagne, on en convient.

Mais la Pologne, c'est loin de la Normandie, n'est-ce pas ? Des centaines et des centaines de kilomètres. Des milliers peut-être !

C'est ce que Françoise s'est dit, vaguement indifférente aux récents événements, quand, hier soir, au moment du dîner, ses parents en ont discuté devant elle d'une voix atterrée.

Puis, au réveil, Françoise a aperçu un rayon de soleil dansant sur le mur de sa chambre et, au même instant, elle a entendu la sonnette du vélo de Rémi qui approchait de chez elle, en route pour le travail. Françoise a donc vite oublié la mobilisation générale décrétée en France avant-hier soir, oubliant du même coup qu'ailleurs, il y avait peut-être la guerre. En fait, pour elle comme pour la plupart de ses amis, la guerre est une notion un peu abstraite et elle n'en sait pas grand-chose, sinon les bribes que ses parents veulent bien en livrer lorsque, parfois, ils font référence à celle de 1914. Françoise admet, cependant, que cette époque semblait bien terrible. Toutes ces privations, ces déchirements, ces morts, ces blessés... Oui, pour elle, la guerre semble être un moment de bien grande tristesse, mais ça reste uniquement une notion dont elle n'a pas envie de vérifier l'exactitude.

C'est donc là, en Normandie, en ce 3 septembre 1939, que l'histoire de Françoise va commencer, alors que de l'autre côté de l'Atlantique, un peu plus tard, le même jour, se terminait celle des *Héritiers du fleuve,* en compagnie de Gilberte qui profitait d'un moment de détente en se berçant sur la longue galerie de l'auberge de la mère Catherine. Vous vous en souvenez, n'est-ce pas? C'est sur cette galerie que Gilberte se tenait quand elle a rencontré Ernest Constantin, un homme de la ville venu à la Pointe pour son travail.

Ce que je peux dire, pour le moment, c'est que les deux femmes ne le savent pas encore, mais leurs destinées sont appelées à se croiser d'une façon ou d'une autre.

Gilberte, soixante ans, qui se remet d'une pénible intervention chirurgicale, à la suite d'une péritonite, et Françoise, dix-neuf ans, qui rêve à son mariage...

Comme dans plusieurs de mes romans, le village habité par mes personnages français sera fictif. Cela peut sembler un peu facile, j'en conviens, mais c'est vraiment par choix que j'agis parfois de la sorte. Cette façon de faire me permet une plus grande liberté, celle de ne pas me perdre dans des détails historiques assurément importants pour le cours de l'Histoire, mais souvent inutiles pour le déroulement de mon roman. En me permettant d'inventer un village, je peux donc consacrer le plus clair de mon temps et de mes pensées à ce qui me semble essentiel, à savoir les émotions au cœur des événements. Alors oui, j'ai inventé un village en France, comme j'ai déjà imaginé des villages sur les bords du fleuve ou construit des quartiers à Montréal. Ce qui va s'y passer, toutefois, sera teinté de réalisme, car, autant que faire se peut, je serai fidèle à l'Histoire. De la France à chez nous, en passant par l'Angleterre, et peut-être aussi par l'Allemagne ou l'Autriche, ou la Pologne, je ne le sais pas encore, je vais m'en remettre à la mémoire de ceux qui ont vécu la Seconde Guerre mondiale pour écrire ce nouveau roman.

Je profite donc de ce court préambule pour remercier madame M.R.S. d'avoir si gentiment partagé avec moi la correspondance de guerre de son père. Cette dame a déclenché chez moi l'irrésistible envie d'écrire de belles histoires d'amour et d'humanité sur fond d'hostilités.

Parce qu'après tout, d'hier à aujourd'hui, malgré les guerres et les conflits, la vie a toujours continué.

Parce que malgré tout, d'hier à aujourd'hui, la vie finit toujours par triompher. Et l'amour aussi…

Veuillez prendre note qu'en ce qui concerne la famille Reif, toute ressemblance avec des gens vivants ou décédés serait pure coïncidence. Les événements entourant le périple du transatlantique allemand le *Saint Louis* sont véridiques et les dates concordent puisque les journaux de l'époque en ont abondamment parlé. Mais le reste, la vie des Reif, avant, pendant et après la guerre n'est que pure fiction.

Veuillez aussi accepter mes excuses ! Je suis désolée d'avoir tant tardé à produire ce roman que vous attendez impatiemment. Je le sais, plusieurs d'entre vous me l'ont écrit ! Ce que je ne savais pas, quand j'avais promis un livre pour le printemps 2015, c'était que ce même livre demanderait une somme colossale d'heures de recherches. On ne parle pas à la légère d'un événement comme la Seconde Guerre, n'est-ce pas ? J'ai fait des découvertes étonnantes et, surtout, j'ai rencontré des gens plus grands que nature. Des héros qui, dans l'anonymat, ont fait en sorte que l'Humanité en est sortie plus forte et plus grande.

Dommage, cependant, que l'Homme soit un animal qui oublie.

Bonne lecture.

PREMIÈRE PARTIE

Septembre 1939 – Janvier 1940

La drôle de guerre...

« Même sans espoir, la lutte est encore un espoir. »

ROMAIN ROLLAND

CHAPITRE 1

En Normandie, le dimanche 3 septembre 1939

À la ferme de François Nicolas

Le réveil avait été agréable, comme chaque matin, quand Françoise, depuis la fenêtre de sa chambre, avait la chance de saluer son Rémi en route pour l'ouvrage. Quelques instants plus tôt, le tintement de la sonnette de sa bicyclette l'avait éveillée et, par réflexe, la jeune femme avait aussitôt sauté sur ses pieds pour se précipiter à la fenêtre, juste à temps pour voir passer son fiancé et lui envoyer un baiser du bout des doigts.

Il était mécanicien, Rémi, et il travaillait au village voisin, à Falaise, parce qu'il y avait là-bas un garage d'essence et de mécanique depuis quelques années déjà, et que, pour le jeune homme, la mécanique était devenue une véritable passion. C'était là, d'ailleurs, dans ce garage à l'odeur de cambouis qu'il avait appris son métier au retour de l'armée, sur le tas, avec le père Octave Talon, un vieux de la vieille qui savait apprécier les « choses modernes », comme il le déclarait à qui voulait bien l'entendre. Puis, mécanicien, c'était un bon métier tourné vers l'avenir, comme le répétait souvent Rémi, en bombant le torse avec fierté.

De toute évidence, il n'avait pas tort.

En effet, il fallait voir toutes les automobiles qui

faisaient la file sur la route menant à Trouville-sur-Mer, en août dernier, quand Rémi avait emmené sa fiancée passer un dimanche à la plage, conduisant l'automobile empruntée à son patron... Oui, avec toutes ces voitures sur les chemins, on avait indéniablement besoin de mécaniciens, de bons mécaniciens, et son Rémi était le meilleur, selon monsieur Octave.

De ce côté-là, l'avenir s'annonçait donc prometteur. Un homme qui aime son travail est un homme avenant.

Un vague sourire sur les lèvres, Françoise s'étira longuement devant la fenêtre grande ouverte, celle qui donnait sur la colline prise d'assaut par le verger de son père. Chaque matin quand la sonnette du vélo de Rémi arrivait à la tirer du lit, Françoise était de bonne humeur. Rémi aussi, apparemment, puisqu'il poursuivait toujours sa route en sifflotant. Même le coup de pied sur la pédale semblait plein d'entrain, selon Françoise. C'était de bon augure pour toutes les années à venir parce qu'après le mariage, la jeune femme les souhaitait très nombreux, ces réveils à deux.

Dans un peu moins de quatre mois, elle serait enfin mariée.

À cette pensée, le cœur de Françoise se mit à tressaillir de plaisir anticipé. Avec les délices que les mains baladeuses de Rémi lui avaient permis d'entrevoir...

Françoise ferma précipitamment les yeux sur quelque image un peu osée, elle inspira profondément pour se ressaisir, puis elle s'éloigna de la fenêtre. Pas le temps d'imaginer la bagatelle, ce matin, il y avait trop à faire.

Françoise avait promis à son père de se lever tôt pour passer toute la journée au verger avec lui.

En effet, aujourd'hui, tout comme hier et comme demain, serait jour de cueillette pour la fabrication du calvados, le « calva », comme l'appelait François Nicolas, son père, producteur de calvados et négociant à Caen. C'est pourquoi, chaque année à pareille date, toutes les bonnes volontés étaient mises à contribution, d'autant plus celle de Françoise, qui était devenue, au décès de son frère, la fille unique de François Nicolas, à qui elle ressemblait beaucoup, d'ailleurs, sinon que son père était particulièrement grand alors qu'elle-même était plutôt petite et délicate. Pour le reste, même chevelure dorée, même regard d'azur, même menton volontaire, un peu carré.

Dans quelques années, ce serait donc Françoise l'héritière du domaine familial et c'est pour cela que, dans moins d'une heure, elle verrait à organiser la cueillette avec les mains de ceux qui se seraient présentés à la grille du verger. Ces journées-là étaient toujours harassantes (courses à droite et à gauche), mais aussi combien satisfaisantes pour une femme comme Françoise qui aimait autant travailler physiquement que voir à la planification de la récolte. Les rouages de l'entreprise familiale avaient de moins en moins de secrets pour elle, et si l'approche du mariage lui faisait battre le cœur, la venue des enfants, du moins quelques-uns, ne serait pas pour tout de suite. Françoise avait encore trop à apprendre pour le moment, elle ne pouvait se permettre de dissiper ses énergies et son attention. C'était ce que sa mère, Madeleine, lui avait recommandé de faire, quelques conseils à l'appui pour retarder la famille, et la jeune femme était bien d'accord avec elle.

Après tout, la belle Françoise n'avait que dix-neuf ans et son Rémi tout juste vingt-trois ! La famille pouvait bien attendre un peu.

Ce matin-là, au verger, l'atmosphère fut particulière, malgré le soleil qui était de la partie et l'air tout habillé de douceur estivale. Si les jeunes semblaient y être sensibles en y allant d'une chansonnette à l'occasion, les vieux, eux, étaient taciturnes, et leurs rares conversations se faisaient à mi-voix. On ne parle pas de la guerre comme on le fait de la pluie et du beau temps, et c'était là ce dont ils parlaient, les vieux : l'invasion de la Pologne par l'Allemagne.

— Ça ressemble trop à ce qui s'est passé en 14, à la mort de l'archiduc François-Ferdinand.

— Ouais, je m'en souviens...

Hochements de tête à l'unisson et regards teintés de souvenirs s'égarant sur l'horizon durant un instant. Puis une voix s'éleva.

— Moi aussi, je m'en souviens. On aurait dit comme un incident sans fondement, ben loin de la France. Pour d'aucuns, ça semblait banal, mais pour d'autres...

Seconde pause remplie de souvenirs pour la plupart douloureux. Ce bref silence fut interrompu par une toux et suivi dans l'instant par une autre voix rocailleuse, une voix de gros fumeur.

— Comme tu dis, ouais... Pis après, en 14, on a vu ce que ça a donné...

— Même si la Serbie, l'Autriche pis la Pologne nous donnaient l'impression d'exister dans un autre univers, ça n'a pas empêché la dernière guerre de nous rejoindre de plein fouet. J'aime pas ça.

— Moi non plus !

Brève hésitation, comme si les mots une fois prononcés deviendraient inexorables, puis, sur un ton de confidence, un des vieux demanda, tout en continuant sa cueillette :

— Saviez-vous que l'Angleterre a posé un ultimatum ?

— Ouais... C'est lord Halifax, le ministre des Affaires extérieures qui l'a annoncé au nom de Chamberlain... L'Allemagne a jusqu'à onze heures, heure de Londres, pour commencer à retirer ses troupes de Pologne.

— En plein comme tu dis ! Londres a adressé un ultimatum à l'Allemagne. C'est Gontran en personne qui me l'a répété parce que lui, il l'a entendu à la TSF du café, hier soir.

Le vieil homme aux mains calleuses et tavelées qui venait de parler leva le nez pour humer l'air comme s'il pouvait ainsi lire l'heure. Puis il tendit le bras vers une branche lourde de fruits rouges tout en ajoutant :

— Ça va être vite arrivé, ça, onze heures.

— Pis si l'Angleterre s'en va en guerre, comme on s'y attend tous un peu, la France n'aura pas le choix de suivre la parade.

— C'est bien ce que je dis : ça me fait peur. J'ai pas envie de revivre ça.

— Moi non plus. Qu'est-ce que tu penses ? J'ai beau savoir que j'ai plus l'âge de tenir un fusil, pis que cette fois-ci, je serai pas appelé sous les drapeaux, c'est pas le cas pour mes fils.

— Laissez-moi vous dire que la mobilisation générale d'avant-hier ne me dit rien qui vaille... C'est pas parce que moi j'en suis revenu tout d'un morceau, en 18, que ça va être le cas à chaque...

— Tais-toi, Joachim. Fais pas ton oiseau de malheur.

— Comment veux-tu penser autrement?

Une question qui n'appelait aucune réponse, sinon un long regard sombre et inquiet qui passa de l'un à l'autre.

Cela faisait des mois, maintenant, que l'ombre de la guerre planait sur la France, alimentant les conversations et les appréhensions.

S'il fallait que le pays revive ce qu'il avait connu en 1914...

À des lieues de toutes ces considérations, Françoise veillait à la récolte aux côtés de son père. La saison s'annonçait fructueuse: les fruits étaient nombreux, rouges et parfumés, et le temps était beau, encore chaud, propice aux travaux extérieurs, ce qui leur apportait, jour après jour, une main-d'œuvre abondante.

Quand la cloche de l'église sonna midi au village, des centaines de mannes s'alignaient déjà dans la cour de la ferme.

Les poings sur les hanches et les cheveux balayés par la brise, Françoise s'était permis un moment de détente au son de l'angélus. Elle appréciait justement le travail accompli en quelques heures à peine lorsque, en écho aux cloches de l'église, elle entendit le grelottement d'une sonnette qu'elle aurait pu reconnaître entre mille.

Rémi!

Son Rémi avait décidé de venir casser la croûte avec elle.

Bien que rare, le fait de voir son fiancé se pointer chez elle au beau milieu de la journée n'était pas inusité, alors Françoise ne s'inquiéta pas le moins du monde de l'entendre approcher de la ferme familiale. Pas plus qu'elle n'avait été surprise, quelques minutes auparavant, d'apercevoir sa mère sortir en courant de la maison.

Il faut dire à sa défense que Madeleine Nicolas ne savait pas marcher! Elle passait son temps à courir d'un point à un autre, d'une pièce à une autre, de leur ferme au village, situé à moins d'un kilomètre de là. Du matin au soir, la mère de Françoise trottait sans relâche d'un bout à l'autre de son univers, utile « seconde » en tout, fidèle présence dans l'ombre de son mari. Elle touchait un peu à tout, connaissait à peu près tout. Autoritaire, elle ne pliait en apparence que devant son mari pour mieux se reprendre dès qu'il avait le dos tourné et n'en faire qu'à sa tête. Femme assez froide, au sourire fugace, elle s'était repliée sur elle-même au décès de son fils Jasmin, comme si ce départ l'avait brutalement retirée du monde, elle aussi, la cloîtrant sous une carapace dont elle n'avait nullement l'intention de ressortir. Seule sa fille Françoise, en de très rares occasions, arrivait encore à la faire sourire furtivement.

Madeleine Nicolas était ce que d'aucuns, au village, appelaient une maîtresse femme…

Ce fut cette même femme, délicate comme sa fille et belle à faire tourner les têtes, malgré ses cheveux gris, que

Françoise avait vu sortir de la maison à la fine épouvante pour se diriger sans hésiter vers son mari tandis qu'elle-même se précipitait toute souriante vers Rémi. Il venait d'appuyer sa bicyclette contre une perche de la clôture qui ceinturait le jardin potager.

Aujourd'hui, la détente de midi serait particulièrement agréable.

À l'ombre des murs de la ferme ou sous le feuillage des pommiers, de petits groupes s'étaient formés, invités à la détente par le son des cloches. On ouvrait avec appétit musettes et paniers pour se sustenter avant de reprendre l'ouvrage.

Cette détente fut cependant de courte durée car la nouvelle fila d'un groupe à l'autre à la vitesse de l'éclair, suspendant gestes et conversations.

Ça y était, la Grande-Bretagne venait de déclarer la guerre à l'Allemagne.

C'était ce que Madeleine venait d'annoncer à l'oreille de son mari. Elle avait entendu Chamberlain lui-même le déclarer à la TSF. François Nicolas l'avait aussitôt répété à son copain Roger qui, lui, dans l'instant, l'avait confié à son tour à son plus proche voisin.

Il ne fallait plus maintenant que quelques heures pour que la France en fasse autant, ils le savaient tous.

Brusquement, personne n'avait plus faim.

On reboucha les bouteilles, on remit la baguette à peine entamée dans la besace, on replia le papier sur le fromage qui fut rangé contre le pain.

Quelques vieux allumèrent une pipe, les jeunes une cigarette et, lentement, les conversations reprirent.

Dans l'immédiat, que faire d'autre que d'aligner des suppositions, des espérances, des constatations, des amertumes ?

Puis une voix s'éleva.

— On a gagné en 18, n'est-ce pas, alors pourquoi en serait-il autrement aujourd'hui ?

Un bref silence en guise de réponse, une pause soutenue par la brise frissonnant dans le feuillage des arbres, comme un rappel de la normalité du quotidien, puis une autre voix rétorqua :

— Mais à quel prix ?

Nul doute que l'inconnu faisait peur, une peur viscérale alimentée par le passé vécu quelque vingt ans plus tôt.

Rémi, lui, ne pensait qu'à cet appel de mobilisation générale, lancé avant-hier à tous les hommes que cela concernait.

Rémi Chaumette était justement de ceux à qui l'appel s'adressait, à titre de réserviste du troisième bataillon d'infanterie. Une déclaration de guerre en bonne et due forme, de la part de la France, ce qui ne saurait tarder, après quoi il devrait partir sans délai pour se présenter à la caserne.

En effet, si l'Allemagne avait choisi de tenir tête à l'Angleterre, pourquoi plierait-elle devant l'ultimatum de la France qui, lui, prendrait fin à cinq heures, cet après-midi ?

Rémi tendit sa cigarette à Françoise qui, pour la première fois peut-être, ne tourna pas les yeux vers sa mère avant de s'en emparer. Elle tira une longue bouffée les yeux mi-clos et la rejeta vers le ciel. Puis, elle en prit une seconde, tout aussi intense, avant de redonner le mégot à Rémi.

Impulsivement, Françoise glissa une main meurtrie par les travaux dans celle de son fiancé et s'y agrippa.

La réalité de la guerre venait de la frapper de plein fouet.

Un discours et le monde, son monde à elle, prévisible et rassurant, venait de basculer dans l'inconnu.

Ce matin encore, c'était l'été, c'était le temps des récoltes. Après, forcément, ce serait l'automne avec le pressage des pommes qu'on mettrait à bouillir et les tonneaux sentiraient bon le calva en préparation. Puis à l'hiver, elle se marierait enfin avec Rémi. Après la Noël, avait-on décidé. C'était à cela qu'elle avait pensé, Françoise, ce matin en s'habillant, son cœur battant la chamade. Elle avait imaginé les mois qui viendraient, rassurants de conformité, joyeux d'attente fiévreuse. Dieu qu'elle avait hâte d'être mariée !

Puis voilà que tout semblait remis en question.

Bien sûr, demain, ce serait toujours l'été et le temps des récoltes. Il y aurait évidemment le temps du calva qui s'ensuivrait. Pourquoi en irait-il autrement ? La Terre n'arrêterait pas de tourner à cause de la guerre. De toute façon, on ne pouvait gaspiller toutes ces belles pommes pendues aux arbres simplement parce que la France déciderait peut-être d'aller en guerre. Cependant, le prévisible s'arrêtait là, et Françoise ne savait plus si elle pourrait se marier à Noël.

À cette pensée, sa main se mit à trembler dans celle de Rémi et ses doigts s'emmêlèrent aux siens.

Les deux jeunes gens échangèrent un long regard rempli de tristesse et de désarroi. Dans leur cœur, l'amertume se joignait à l'inquiétude, laissant une lourdeur proche des larmes. Puis, au bout de ce long regard éperdu entre eux, aussi éloquent qu'une franche déclaration, Rémi effleura les lèvres de Françoise d'un doux baiser respectueux, à défaut de pouvoir l'enlacer fougueusement comme il en aurait eu envie.

— Je dois partir, soupira-t-il. Tu sais combien monsieur Octave n'aime pas que je sois en retard.

Françoise eut envie de retenir son fiancé. Tant pis pour monsieur Octave, la journée était tout de même un peu particulière. Malheureusement, Rémi était déjà debout.

— Tu reviens ce soir, n'est-ce pas ? demanda-t-elle en se relevant à son tour, sans dire un mot de ce qu'elle ressentait, époussetant le pantalon qu'elle s'entêtait à porter pour le travail, malgré les hauts cris de sa mère qui trouvait que sa fille manquait d'élégance.

— Qu'est-ce que tu crois ? Bien sûr que je serai là ce soir.

Pour rien au monde Rémi Chaumette n'aurait voulu passer la soirée ailleurs qu'auprès de Françoise. Il savait que les dés étaient lancés et qu'il n'aurait plus le choix. Si la France donnait suite à son ultimatum, Rémi devrait partir rapidement et, à cette pensée, il ressentit un curieux picotement au bord des narines.

Un second baiser fleurant bon le savon de Marseille se posa alors sur la joue de Françoise qui retenait ses larmes. Elle regarda son fiancé s'éloigner sur la route poussiéreuse, le cœur dans l'eau, puis le travail reprit, lui permettant d'oublier un peu.

Ce fut ainsi, vers vingt heures trente ce soir-là, assis aux côtés de Françoise, que Rémi entendit le président, Édouard Daladier, déclarer la guerre à l'Allemagne d'une voix solennelle.

« Nous avons toujours désiré et nous désirons toujours qu'une collaboration sincère et une entente loyale puissent être établies entre les peuples. Mais nous sommes résolus à ne pas nous soumettre aux diktats de la violence. Nous avons pris les armes contre l'agression, nous ne les reposerons que lorsque nous aurons les garanties certaines de sécurité, d'une sécurité qui ne soit pas mise en question tous les six mois… »

Désormais, et en dépit des accords de Munich, signés un an auparavant, l'espoir et la confiance n'étaient plus permis.

La voix calme et décidée de Daladier l'emporta aisément sur la friture encombrant les ondes, et ce fut à lui, Rémi Chaumette, que le message s'adressa de façon toute personnelle.

Demain, à l'aube, son père le conduirait à la gare de Falaise pour qu'il puisse regagner la caserne où il était affecté. Son barda était déjà prêt.

Ce soir-là, exceptionnellement, Madeleine accepta que sa fille aille se promener au verger, seule avec son fiancé. Elle se souvenait trop bien de ce qu'elle-même avait vécu en 1914, alors que, toute jeune femme, elle avait vu son promis partir pour le front. Finalement, ils s'étaient mariés lors d'une permission et leur fils Jasmin avait été conçu en pleine guerre, comme bien des jeunes Français qui, à leur tour, devraient partir, ce soir ou demain. La roue de la vie semblait vouloir toujours tourner dans le même sens.

Malheureusement.

Le lendemain, alors que le jour commençait à peine à se lever sur le quai de la gare, Françoise pétrissait nerveusement son carré de batiste détrempé de larmes tandis que Rémi Chaumette père faisait les cent pas derrière le jeune couple enlacé.

— Rien ne dit qu'on ne pourra pas se marier.

La voix de Rémi se voulait rassurante, mais Françoise n'était pas dupe.

— Non, Rémi... Ce que tu dis là, c'est que des paroles sans fondement. J'y croirai le jour venu, pas avant.

— Ben moi, j'ai envie d'y croire tout de suite, pas seulement au matin des noces. Ça va m'aider à attendre. Je t'aime Françoise, faut surtout pas l'oublier.

La jeune femme haussa les épaules avec une lenteur infinie, manifestation évidente d'une forme de résignation qui allait devenir sa façon d'être au cours des mois menant à Noël. Elle essayait de contenir les larmes brûlantes qui montaient à ses paupières alors qu'en même temps, elle prenait désagréablement conscience que chaque battement de son cœur était devenu douloureux.

— C'est sûr ça, que je l'oublierai pas que tu m'aimes, Rémi. Ça change rien à la situation. Moi aussi, je t'aime, tu sais, arriva-t-elle à murmurer.

— Dans ce cas, faut pas se faire de soucis, ma belle.

Tout va s'arranger, crois-moi. Pis au matin du 26 décembre, promis, tu vas t'appeler madame Françoise Chaumette, comme prévu.

Françoise renifla.

— Si tu le dis.

Rémi n'eut pas le temps de répondre qu'un sifflet se faisait entendre.

— En voiture !

Françoise sursauta. Déjà le départ ?

La jeune femme s'agrippa désespérément au bras de Rémi. Le temps avait passé trop vite. Le temps passait toujours trop vite quand elle était aux côtés de cet homme qu'elle aimait tant.

Maintenant, le soleil avait quitté la barre de l'horizon et il faisait briller les rails devant la locomotive. Encore une fois, la journée serait belle et, tout à l'heure, au verger de François Nicolas, la cueillette battrait son plein, exactement comme hier.

Les larmes péniblement retenues débordèrent aussitôt des paupières de Françoise tandis que le père de Rémi s'approchait de son fils.

— Allez, vous deux ! Un dernier baiser, c'est l'heure.

Malgré l'amour sincère ressenti pour sa Françoise, le beau Rémi avait aussi le cœur patriotique et l'âme prude. C'est pourquoi ce dernier baiser fut bref. Chez lui, à la tristesse de partir se greffait l'excitation du devoir à accomplir.

— Je t'écris dès ce soir.

Une poignée de main échangée avec son père, celle-ci accompagnée d'un long regard soutenu ; une dernière pression particulièrement intense sur le bras de Françoise, et Rémi sauta sur le marchepied.

Personne ne savait ce qui attendait le jeune homme à l'autre bout de cette voie ferrée qui se perdait dans la brume du jour qui se levait.

Aussitôt, la locomotive cracha un long panache de fumée grisâtre et, dans le grincement lugubre du fer contre le fer, le train se mit en branle. Au bruit des roues qui s'échauffaient, prenant peu à peu de la vitesse, s'ajouta un lancinant sifflement, comme un adieu déchirant entre ceux qui partaient et ceux qui restaient.

Les rails luisaient dans le soleil du petit matin et le souvenir de leur reflet embrouillé par ses larmes resterait longtemps gravé dans l'esprit et le cœur de Françoise.

Avec le temps, sans intention véritable de sa part, juste comme un réflexe, comme une évidence criante en elle, cette image embuée ressemblant à s'y méprendre à une vieille photo délavée, et le bruit grinçant d'un lourd train poussif prenant laborieusement son élan, deviendraient son emblème de guerre.

CHAPITRE 2

Pointe-à-la-Truite, le samedi 23 septembre 1939

Dans la cuisine de Gilberte

— Pourquoi t'as une barre comme ça entre les deux yeux, Gilberte ? J'aime pas ça, moi, quand t'as cette face-là. Non monsieur, j'aime donc pas ça ! On dirait que t'es fâchée, pis moi, ça me fait un peu peur. C'est-tu après moi que t'es fâchée, Gilberte ? J'ai-tu faite une bêtise ?

Au matin du 23 septembre, trois semaines après les événements ayant conduit la France à déclarer la guerre à l'Allemagne, de l'autre côté de l'Atlantique, Gilberte Bouchard était installée à un des bouts de la table de sa minuscule cuisine. Celle que d'aucuns appelaient depuis quelques années déjà « la vieille fille du village » lisait attentivement le journal arrivé durant la nuit et, en effet, elle avait les sourcils froncés.

À la suite de la construction du chemin de fer reliant Québec à Pointe-au-Pic, Gilberte trouvait bien agréable de prendre connaissance des nouvelles parvenant du monde entier en même temps que le reste de la province, et elle ne boudait pas son plaisir.

Par contre, ce matin, les nouvelles n'étaient pas très bonnes.

Malgré la présence d'un gros poste de radio trônant sur le réfrigérateur, comme elle l'avait déjà expliqué à sa belle-mère Prudence, Gilberte préférait, et de loin, la lecture du journal à l'écoute de la radio.

— Les nouvelles y sont plus détaillées, avait-elle expliqué.

— Comment ça plus détaillées ?

Selon une toute nouvelle habitude, Prudence ronchonnait encore.

— On a pas besoin d'avoir toutes les détails, voyons donc ! Ce qu'ils disent dans le radio est ben suffisant pour se tenir au courant, avait-elle rétorqué, sur un ton offusqué, comme si la préférence de Gilberte l'attaquait personnellement. Moi, tu sauras, je lis plus pantoute le journal depuis qu'on a installé un poste de radio dans ma cuisine ! Je trouve ça plus pratique pis ben moins fatigant. Ça ménage mes yeux.

Le tout déclaré par une vieille dame on ne peut plus catégorique, une pointe de suffisance se glissant maintenant de plus en plus souvent dans sa voix.

Gilberte avait laissé passer l'objection sans s'obstiner. Depuis le décès de son mari, survenu deux ans plus tôt, Prudence n'avait plus la même faconde, et les discussions avec elle se révélaient beaucoup moins agréables qu'auparavant. Elle se trompait, s'acharnait et contredisait à peu près tout. Et ça, c'était quand ces mêmes conversations ne tournaient pas tout simplement au vinaigre et aux accusations. À croire que le mauvais caractère de son père, Matthieu, avait choisi de ne pas suivre le vieux corps usé qui l'avait hébergé durant tant d'années et que, de but en blanc, il avait élu domicile dans celui de sa seconde épouse, Prudence, qui, jusque-là, avait toujours été d'un commerce agréable. Allez donc y comprendre quelque chose ! N'empêche que Gilberte, pour sa part, préférait lire le journal quoi qu'en dise sa belle-mère.

Encore affaiblie par la péritonite terriblement douloureuse qui l'avait terrassée au mois de juin précédent, et par l'intervention chirurgicale effectuée d'urgence le jour de l'anniversaire de ses soixante ans en plus, Gilberte profitait d'une dernière semaine de congé avant de reprendre son travail au presbytère. Elle entendait bien en profiter jusqu'au bout et la lecture de *l'Action catholique* faisait partie de ses petits plaisirs quotidiens qu'elle devrait reporter au soir dès qu'elle reprendrait l'ouvrage.

Gilberte termina donc l'article commencé tout de suite après le déjeuner avant de se décider à lever les yeux vers son frère Célestin.

Le gros homme, qui venait de fêter ses cinquante et un ans, espérait ce geste avec impatience : narines dilatées et regard acéré, il fixait intensément Gilberte.

Le physique de Célestin n'avait pas vraiment évolué depuis l'enfance : grand, costaud, parfois patibulaire. Il était lent, mais il affichait néanmoins une telle candeur au fond des prunelles qu'on ne pouvait faire autrement que de l'aimer. Comme le disait si bien leur mère Emma, de son vivant :

— Mon grand Célestin a en générosité pis en force ce que son frère jumeau Antonin a en délicatesse pis en intelligence. À eux deux, ma foi, ils sont presque parfaits !

Au souvenir de ces quelques mots entendus à moult reprises quand elle était enfant, Gilberte ravala le sourire à la fois nostalgique et moqueur qui lui vint machinalement.

En effet, la mauvaise humeur n'allait pas tellement bien au visage de Célestin et lui donnait un air plutôt rébarbatif. À un point tel que ça en devenait amusant. Toutefois, en ce moment, la plus infime moquerie n'aurait fait qu'attiser le feu de son impatience et Gilberte n'y tenait pas du tout, certaines crises de colère de Célestin étant proverbiales !

— J'ai fini, déclara-t-elle tout en refermant promptement le journal. Qu'est-ce que tu voulais me dire, Célestin ?

— Bon, enfin !

Quelques mots de la part de sa grande sœur, et le gros homme sembla se détendre un peu.

Depuis bien des années maintenant, en fait depuis presque toujours, Célestin s'en remettait à Gilberte pour l'essentiel de ses réflexions et de ses décisions. Il ne fallait pas oublier que c'était elle qui avait pris la relève auprès de lui et de toute la famille quand leur mère Emma était morte en couches. À cette époque, Célestin et son jumeau Antonin venaient tout juste d'avoir cinq ans. Aussi bien dire que c'était Gilberte qui les avait élevés tous les deux.

— Je voulais savoir pourquoi t'avais l'air fâché, expliqua enfin le grand gaillard, maintenant beaucoup plus calme.

Il s'appuya contre le dossier de sa chaise en poussant un long soupir de contentement et attendit la réponse. Il aimait bien les conversations avec Gilberte.

— J'aime pas ça quand t'es choquée, expliqua-t-il patiemment. Pis tu le sais, à part de ça.

— Fâchée? Moi? Ben voyons donc, mon homme... Pourquoi tu penses une affaire de même? Je suis pas fâchée pantoute.

— Ben pourquoi, d'abord, tout à l'heure, t'avais une barre comme ça entre tes deux yeux?

Et Célestin de mimer le geste, pour s'assurer d'être bien compris. Du coup, son regard à lui se résuma à une fente brillante, tellement il avait les sourcils broussailleux.

— Souvent, quand t'as cette face-là, c'est parce que t'es fâchée, conclut-il en reprenant son faciès habituel.

Cette fois, Gilberte ne retint pas le sourire qui lui monta spontanément aux lèvres. Tout empreinte d'affection, cette marque de tendresse ne faisait montre d'aucune moquerie et Célestin le comprit sans la moindre hésitation.

— Non, Célestin, je suis pas choquée pantoute. Ni après toi, ni après personne d'autre. C'est la guerre qui me fait peur, tout simplement.

— La guerre? Quelle guerre?

Célestin roula de grands yeux effarés et il tourna vivement la tête vers la porte donnant sur la cour, sans trop réfléchir, comme si, sans crier gare, militaires et fusils allaient s'inviter chez lui sans aucune forme de préambule.

— Il y a la guerre, Gilberte? Pourquoi tu me l'as pas dit? Depuis quand, Gilberte, il y a la guerre? demanda-t-il d'une voix effrayée en ramenant les yeux sur sa sœur.

— Depuis trois semaines, Célestin. Si tu voulais lire le

journal, aussi, comme je te le conseille, tu saurais que...

— Pas chez nous, toujours ben ? interrompit Célestin, visiblement épouvanté. La guerre est pas ici, hein Gilberte ? Parce que moi, ça me fait peur, des fusils, pis quand il y a la guerre, il y a des fusils partout. Je sais ça, moi. Oui monsieur ! J'ai déjà vu des images de la guerre dans un journal, pis sur les photos que j'ai vues, il y avait des tas de fusils. Tout le monde avait un fusil dans ses mains. Ça me fait pas mal peur les fusils, tu sauras, parce que ça fait trop de bruit. Pis ça je le sais parce que je suis allé à la chasse avec Antonin. Juste une fois, par exemple, parce que j'ai pas aimé ça, la chasse. Non monsieur. Ça m'a fait peur, le bruit des fusils.

— Crains pas, mon homme, la guerre qui vient de commencer est pas par ici. C'est en Europe, de l'autre bord de l'océan, que le monde veut se battre. Pis ces pays-là sont loin, pas mal loin de la Pointe pis de l'Anse. Il y a pas de danger pour nous autres... Ouais, quand j'y pense ben comme faut, je dirais même que la guerre pourra jamais venir jusque chez nous. C'est trop loin, observa Gilberte d'une voix très calme, après un bref moment d'introspection, espérant ainsi mettre un terme à l'inquiétude de son frère.

— Pourquoi d'abord, t'avais ton air fâché ?

— Je te l'ai dit : c'était pas un air fâché, c'était plutôt un air inquiet.

— Ben, je comprends pas.

— Qu'est-ce que tu comprends pas ?

Célestin s'agita sur sa chaise.

— Toute ! Me semble que c'est clair, non ? Pourquoi tu

t'inquiètes de même si la guerre est pas mal loin pis qu'elle viendra pas jusqu'ici ?

— Parce que si la guerre peut pas venir jusqu'ici parce qu'on demeure trop loin, probablement que si ça dure longtemps, les jeunes d'ici vont être obligés d'aller aider le monde de par là-bas, par exemple. Comme en 1914.

— Ah oui ? Il y a des jeunes d'ici qui sont déjà allés se battre loin de même ? De l'autre bord de l'océan ? Eh ben... Est-ce qu'on en connaît, nous autres, Gilberte, du monde qui est allé se battre de l'autre bord de l'océan ?

— Oui, on en connaît ! Très bien même...

— Qui ça ?

Tout en parlant, Célestin se trémoussait de plus belle sur sa chaise. Puis il soupira d'impatience.

— Moi, je vois pas, Gilberte. Je vois pas pantoute qui c'est qui est allé à la guerre. Tu te trompes, c'est ben certain. Ça se peut pas ce que tu dis là... Antonin est pas allé, pis Lionel non plus. C'est mes frères, je le saurais. Pis Paul de l'auberge non plus parce qu'il me l'aurait dit. Il me raconte plein de choses, Paul. Il est pas mal gentil avec moi, tu sauras. Pis il fait des bons gâteaux comme ceux de madame Victoire, avant. Il y a aussi monsieur le curé qui est pas allé parce qu'il l'aurait dit dans ses sermons. Il raconte plein d'affaires le dimanche à la messe, monsieur le curé. C'est sûr qu'il aurait parlé de la guerre. Pis...

Tout en énumérant ceux pour qui Célestin avait une affection particulière, il comptait sur ses doigts.

— Pis Léopold, lui ? suggéra Gilberte, interrompant son frère avant qu'il n'ait dénombré la paroisse au grand complet. As-tu pensé à Léopold ?

— Oh !

Une main devant lui, les sourcils de nouveau froncés en une ligne compacte au-dessus de son regard, ce qui dénotait chez lui une profonde réflexion, le grand gaillard resta un moment immobile avant de tourner lentement la tête vers Gilberte.

— C'est à cause de ça qu'il lui manque un bras, à Léopold ? demanda-t-il tout hésitant, revoyant sans difficulté le capitaine de goélette qui manœuvrait son bateau avec aisance malgré son lourd handicap.

— Ouais, c'est à cause de la guerre si Léopold a perdu un bras... Pis, il y a sa jambe qui est raide, aussi.

— Sa jambe... Ben oui, sa jambe ! Ça, je le savais qu'il avait une jambe raide rapport que ça paraît quand il marche. Oui monsieur. Mais je savais pas que c'était à cause de la guerre, par exemple. Pis pour son bras non plus.

Célestin secoua vigoureusement la tête dans un grand geste de déni avant d'échapper un bruyant soupir.

— C'est pas drôle la guerre, déclara-t-il sur un ton accablé. Non, pas drôle pantoute... Pourquoi il y a la guerre, Gilberte ?

— Ça, mon Célestin, je serais ben embêtée de te l'expliquer. Je le comprends pas moi-même... Si ça t'intéresse de tout savoir sur la guerre, t'en parleras à notre frère Lionel.

Célestin, secouant ses mèches grisâtres avec énergie, passa aussitôt de la négation à un grand geste d'accord.

— C'est vrai que Lionel est pas mal savant... C'est un docteur, pis les docteurs c'est toutes du monde savant.

Ouais, mon frère Lionel doit savoir pourquoi il y a la guerre de l'autre bord de l'océan, pis je vas lui en parler la prochaine fois que je vas le voir. C'est une bonne idée, ça.

— Merveilleux ! Une chose de réglée !

Manifestement, Gilberte était soulagée de voir que la discussion s'interromprait sur ces quelques mots. Parfois, avec Célestin, il y avait des questionnements interminables qui finissaient par l'exaspérer. Surtout quand elle n'avait pas de réponse probante à fournir à toutes ses interrogations.

— En attendant, poursuivit-elle en repliant soigneusement le journal pour le reprendre un peu plus tard dans la journée, moi, je vais faire la vaisselle. Pis toi, pendant ce temps-là, va donc voir ce que fait Germain. Je le trouve pas mal tranquille.

— C'est vrai que ça fait un boutte qu'on l'a pas entendu !

Gilberte se releva en grimaçant, la plaie de son intervention chirurgicale étant toujours un peu sensible, tandis que Célestin quittait la cuisine en s'époumonant, lançant aussitôt le nom de Germain vers le second plancher dès qu'il comprit que son neveu n'était pas au salon.

— Geeerrrmain ? T'es où, toi là ?

Célestin aimait bien Germain, ce neveu, fils de son beau-frère Romuald et de sa sœur Marie, aujourd'hui décédée.

Ce bébé-là était né avec un retard intellectuel visible dès la naissance et le médecin ayant assisté à l'accouchement avait d'emblée conseillé au père de ne pas le garder.

— Ces enfants-là apprennent même pas à parler ! Avec

la grosse famille que vous avez, mon pauvre Romuald, vous devriez le placer. Ça vous éviterait ben des tracas pis des tristesses.

Voyant que son beau-frère s'apprêtait à suivre les conseils du médecin sans plus d'explications et sans autre forme de discussion, Gilberte avait impulsivement pris le nouveau-né sous son aile.

— M'en vas y voir, avait-elle proposé à son beau-frère tandis que sa sœur Marie, la mère du bébé, dormait suite à l'accouchement. M'en vas demander à notre frère Lionel ce qu'il serait mieux de faire pour lui. Il est docteur, il doit connaître ça mieux que nous autres.

— C'est vrai, j'ai un beau-frère docteur... C'est une bonne idée que t'as eue là, Gilberte. Tu vas parler à ton frère Lionel pis selon son avis, tu décideras de ce qu'il y a de mieux à faire. Pis moi, ben, m'en vas respecter ta décision, avait conclu le père, les yeux dans l'eau. Ouais, c'est de même qu'on va faire ça. M'en vas quand même te signer une décharge. On sait jamais, ça pourrait servir.

Ce fut ainsi que Gilberte consulta son frère Lionel quant à la marche à suivre avec un bébé tel le petit Germain. Quelques jours plus tard, elle s'installait à l'Hospice de Baie-Saint-Paul avec le bébé. Elle y resta durant de nombreuses années, celles qui virent le jeune Germain grandir et se développer bien au-delà de toutes les prédictions faites à sa naissance.

Quand Germain atteignit l'adolescence et devant la relative autonomie qu'il avait atteinte, Gilberte quitta l'hospice pour s'installer à Pointe-à-la-Truite avec son protégé. Au cours des jours suivants, Célestin à son tour quittait sa famille de l'Anse-aux-Morilles, traversait le fleuve sur le bateau de Léopold et venait s'installer à la Pointe avec sa sœur et le jeune Germain.

En fait, c'était depuis leur première rencontre, alors que Germain n'était encore qu'un tout petit garçon et qu'il ne parlait presque pas, que Célestin s'était mis à aimer l'enfant comme jamais il n'avait aimé auparavant. Même son jumeau Antonin n'avait pas eu droit à un attachement aussi total et désintéressé. Si Célestin avait tant tardé à s'en approcher, c'était juste qu'il avait mis du temps à comprendre ce sentiment l'ayant envahi inopinément. Beaucoup de temps. Il était ainsi fait, le Célestin : le cœur grand comme le monde, mais l'esprit un peu lent.

Cependant, depuis qu'ils vivaient ensemble sous le même toit, Célestin s'était rattrapé et il traitait Germain comme un fils, avec une infinie tendresse et une patience toute paternelle. Entre les deux hommes, alors que Germain avait maintenant vingt-cinq ans, existait une indéniable complicité, sans doute née de leurs capacités intellectuelles respectives un peu réduites. Cependant, cette belle harmonie découlait surtout d'une sincère affection.

Quand Gilberte entendit un éclat de rire provenant de l'étage supérieur où logeaient deux petites chambres et une salle de bain exiguë, elle sentit son cœur se gonfler de joie. Les deux mains dans l'eau de vaisselle, elle leva les yeux vers le plafond, imaginant sans effort son grand Célestin, accroupi sur le prélart, installé tant bien que mal entre les deux lits, et jouant comme un enfant avec

Germain qui avait développé, depuis quelque temps, une véritable passion pour les autos de métal, toutes plus colorées les unes que les autres et que Lionel lui offrait à la moindre occasion.

Alors, à la joie ressentie se greffa un sourire sur le visage amaigri de Gilberte. Malgré le célibat que la vie lui avait imposé, elle qui rêvait d'un mari et d'une ribambelle d'enfants, Gilberte admettait qu'elle avait eu une belle part dans l'existence. Ses deux hommes, comme elle appelait affectueusement Célestin et Germain, avaient comblé son besoin de présence et d'amour, et aujourd'hui, à trois, ils menaient une belle vie tranquille au cœur du village de Pointe-à-la-Truite.

Un second éclat de rire venu de l'étage donna envie à Gilberte de rejoindre Célestin et Germain. Elle reporta les yeux sur l'évier et, d'une main énergique, elle frotta les quelques assiettes qui restaient à laver tout en laissant son regard s'évader par la fenêtre entrouverte.

C'était une belle journée d'automne. Dehors, la brise bruissait dans les arbres qui osaient enfin quelques parures d'ocre et de vermeil. Dans quelques semaines, toute la forêt environnante s'embraserait et Gilberte espérait ce moment avec impatience, elle qui préférait l'automne à toutes les autres saisons.

Aujourd'hui, la brise de cette matinée de soleil avait gardé des douceurs estivales et gonflait mollement le rideau de vichy bleu et blanc que sa belle-sœur Marguerite lui avait offert pour son retour à la maison, après le long séjour à la ville, lors de son intervention chirurgicale.

Gilberte poussa un long soupir de contentement.

Oui, nul doute, elle avait tout ce qu'une femme de son âge peut rêver d'avoir et elle était heureuse.

En quelques instants, la vaisselle fut lavée, essuyée et rangée. Il ne restait que le comptoir et l'évier à nettoyer, et Gilberte pourrait alors rejoindre Célestin et Germain. C'est à ce moment qu'elle entendit contre la porte le grattement caractéristique qui annonçait l'arrivée de son frère Lionel.

Le sourire que la femme aux boucles grisonnantes afficha spontanément était on ne peut plus sincère.

Malgré de longues années à vivre loin l'un de l'autre, lui poursuivant ses études à Montréal et elle vivant chez son père pour s'occuper de la famille, il y avait aujourd'hui une complicité toute naturelle entre Gilberte et Lionel, fruit de leur franc-parler respectif.

Sans attendre d'y avoir été invité, Lionel venait justement d'entrer dans la cuisine comme s'il était chez lui. Épaules voûtées et crâne dégarni, ce dernier affichait bien plus que ses soixante-cinq ans. La voix, cependant, avait un timbre vibrant engendré par l'assurance d'un homme en pleine possession de ses moyens.

— Salut la sœur, comment ça va ?

Le regard que Lionel darda vers Gilberte était à la fois celui du médecin soucieux de son état de santé mais aussi celui du frère qui se préoccupait toujours du bien-être général de sa petite sœur.

— Pas trop de douleur ?

— Un peu, mais ça s'endure… Le docteur Laliberté m'avait prévenue que ça serait long… Pis toi ? Quel bon vent t'amène ?

— Prudence.

— Prudence ?

Le plaisir évident ressenti et arboré par Gilberte se transforma aussitôt en inquiétude. Son regard s'assombrit et son sourire s'effaça. Comme elle tenait toujours le linge à vaisselle, elle se mit à s'essuyer les mains avec nervosité.

— Qu'est-ce qu'elle a Prudence ? Elle est malade ?

Lionel esquissa une moue qui avait tout d'une manifestation d'incertitude.

— Oui et non… Pas dans le sens d'une maladie virulente, mais…

— S'il vous plaît !

Gilberte lança le torchon sur le comptoir en bois d'érable, tout usé par le passage du temps.

— Laisse tomber tes grands mots de docteur, Lionel, pis parle pour que je comprenne. Elle est malade ou pas, notre Prudence ?

— Je ne le sais pas !

— Ben là !

— Disons que je suis inquiet… L'âge, probablement, rien de plus, mais à la façon qu'elle a de…

— L'âge ? interrompit Gilberte qui ne savait plus si elle devait continuer à s'en faire ou se sentir rassurée. Tu t'inquiètes de l'âge de Prudence ? C'est pas une maladie, ça, l'âge ! C'est juste normal de vieillir. Elle est plus tellement jeune, notre Prudence, et des tas de petits bobos peuvent apparaître. En fait, on a jamais su exactement quel âge elle avait quand elle a marié notre père, mais je dirais qu'aujourd'hui, elle doit ben dépasser les soixante-quinze ans. C'est pas aussi vieux pis important que notre Mamie qui s'est rendue à cent ans passés, mais quand même… Ça prend ben un docteur comme toi pour s'inquiéter de voir vieillir quelqu'un !

Si Lionel était d'une patience et d'une douceur exemplaires avec ses patients, il en allait tout autrement quand venait le temps d'une discussion où il était interrompu sans raison. Il haussa le ton.

— Laisse-moi parler, bon sang, pis tu vas comprendre.

— D'accord… Excuse-moi. Vas-y, explique ce qui t'inquiète parce que moi, je ne vois pas. Depuis le décès de papa, à part la mauvaise humeur chronique de Prudence, je…

— Et voilà ! Tu viens de le dire toi-même.

— Quoi ? Que Prudence est pas à prendre avec des pincettes depuis un boutte ? demanda Gilberte en haussant les épaules comme devant une évidence. Je le sais. Tout le monde s'en est aperçu… Pis ça ? Elle a le droit d'être de mauvaise humeur sans penser qu'elle est malade pour autant. À ce compte-là, la moitié de la paroisse serait malade, mon pauvre Lionel. Des mauvais caractères, il y en a à chaque porte ou quasiment !

— Bien d'accord avec toi, mais ici, je ne parle pas uniquement de mauvais caractère, Gilberte. Je parle d'une dame toujours bien avenante qui, en quelques mois à peine, s'est transformée en furie… Rien ne va jamais, elle doit toujours avoir le dernier mot, elle s'obstine sur tout et rien… Et en plus, elle oublie bien des choses. Tu n'as pas remarqué ?

— Bien sûr que j'ai remarqué. Ça se voit comme le nez au milieu de la face ! Mais ça m'inquiète pas plus que ça. Faut pas oublier, nous autres non plus, que c'est elle qui a réussi à s'occuper de Germain durant tout l'été pendant que j'étais à Québec.

— C'est ce que tu crois.

— Comment, ce que je crois ? Germain vivait bien sur la ferme, non ? Sauf quand il visitait sa famille au village, comme de raison.

— Disons qu'on ne voulait pas t'inquiéter... En fait, c'est surtout Hortense qui s'est occupée de Germain parce que seule, Prudence n'y arrivait pas.

— Ah oui ? Hé ben... N'empêche... C'est peut-être juste normal qu'Hortense s'en soye mêlée parce qu'elle est plus jeune que Prudence. C'est fatigant voir à quelqu'un comme Germain quand on a pas l'habitude... Non, moi, vois-tu, je suis pas vraiment inquiète. Je me dis que c'est la mort de papa qui a dû bouleverser Prudence plus qu'on pense pis ça la ralentit. Tu vois pas ça comme ça, toi ?

Lionel ne répondit pas tout de suite.

— D'être triste et désemparée après un décès, c'est une chose, expliqua-t-il enfin. De changer à ce point-là en est une autre.

— Tu penses vraiment ça, toi ?

— Oui, bien sincèrement et moi, vois-tu, ça m'inquiète.

— Ben voyons donc...

Gilberte fixa son frère durant un long moment. Une lueur perplexe teintait son regard.

— Et qu'est-ce qu'on peut faire ? demanda-t-elle

finalement, à l'instant précis où un troisième éclat de rire provenait de l'étage.

— D'abord lui rendre visite avant que la saison soit trop avancée. J'aimerais la voir en personne et pas simplement entendre sa voix au téléphone. Ça m'aiderait à me faire une bonne idée de sa condition. De là ma visite, ce matin : j'aimerais que tu m'accompagnes à l'Anse, si ta condition le permet, bien entendu.

— Elle se porte très bien ma condition, bougonna Gilberte, peu encline à s'épancher sur ses petits bobos, les yeux au sol et triturant l'ourlet de son tablier, comme elle le faisait depuis qu'elle était toute petite dès qu'elle était embarrassée.

Et comme elle n'était jamais à l'aise lorsqu'on parlait d'elle...

— La preuve que je vas mieux, ajouta-t-elle en se décidant à relever la tête et à lâcher le coin de son tablier, c'est que je recommence à travailler au presbytère lundi prochain. Ça fait que si tu veux traverser à l'Anse, c'est cette semaine qu'il va falloir le faire.

— C'est un peu ce que j'espérais. J'en parle donc à Léopold dès que je le vois et je te reviens là-dessus.

— C'est ben d'adon.

Visiblement Lionel était soulagé. Il s'apprêtait à repartir quand Gilberte le retint par le revers de sa veste.

— Deux minutes, toi là. Il y a quelqu'un qui veut te poser une question.

— Qui ça ?

— Célestin.

— À propos de quoi ?

— Il est ben capable de te le dire lui-même en personne pis je pense qu'il m'en voudrait pas mal si je le faisais à sa place. Assis-toi, je m'en vas le chercher. Il est avec Germain pis ses autos.

À ces mots, Lionel afficha un grand sourire satisfait.

— Comme ça, Germain aime les autos que je lui ai données ?

— Comme si tu le savais pas ! C'est pas de l'amour, son affaire, c'est de la rage ! Donne-moi deux minutes, pis...

— Laisse. Je connais les airs de la maison, n'est-ce pas ?

En effet, Lionel avait déjà habité cette minuscule maison lors de son arrivée au village, de nombreuses années auparavant.

— À les entendre discuter et rire, j'en déduis que Célestin et Germain sont en haut ! Je vais monter les rejoindre.

Gilberte répondit d'un sourire.

— Comme tu veux ! Le temps de finir ici, pis je vas aller vous retrouver dans la chambre des garçons.

À peine Gilberte eut-elle prononcé son dernier mot que Célestin, tout excité, faisait bruyamment irruption dans la cuisine.

— Me semblait aussi !

Le grand gaillard était tout sourire.

— J'avais reconnu ta voix, Lionel. J'ai des bonnes oreilles, moi ! Oui monsieur ! On parlait justement de toi, Gilberte pis moi, tantôt, avant que je monte en haut pour voir ce que Germain faisait.

— C'est ce qu'on m'a dit ! On m'a dit aussi que tu voulais me parler ?

— Ouais… J'ai une question pour toi.

— Ben pose-la, ta question. Je vais essayer d'y répondre du mieux que je le peux.

Tout en parlant, Lionel avait remis sa casquette. Il se tenait sur le pas de la porte, une main sur la poignée. Célestin tapa du pied.

— Ben là, Lionel, ça va pas. Non monsieur, ça va pas pantoute ! C'est une question importante, ma question, pis tu vas prendre le temps de t'asseoir pour me répondre.

Lionel échangea un regard amusé avec Gilberte et, beau joueur, il retira son couvre-chef et s'installa à la table.

— Est-ce que c'est mieux comme ça ?

— Ouais, là ça va.

Célestin s'installa à son tour de l'autre côté de la table, juste en face de son frère.

— Astheure, ma question… Tu le sais-tu, toi Lionel, pourquoi il y a la guerre de l'autre côté de l'océan ?

— Parce que tu sais ça, toi ?

— Oui monsieur !

Célestin bomba le torse comme si le fait de connaître l'actualité faisait de lui une personne plus importante.

— Ouais, je sais qu'il y a la guerre de l'autre côté de l'océan. Gilberte pis moi, on en a parlé, tout à l'heure. Mais je sais pas pourquoi il y a du monde qui veut faire la guerre, par exemple.

— C'est une grande question.

— C'est ça que je me disais. C'est pour ça que je voulais que tu t'assoies sur une chaise pour en parler. Tu vois que j'avais raison.

— Effectivement, tu avais raison. La guerre, c'est une chose très grave. Mais vois-tu, je ne sais pas comment répondre à ta question.

À ces mots, Célestin se frictionna frénétiquement la tête avant de pousser un long soupir de mécontentement.

— Ben là… T'es supposé être savant, toi, pis tu le sais pas ? C'est qui d'abord qui va me répondre ? Gilberte non plus sait pas quoi dire.

— Personne ne sait vraiment ce qui déclenche une guerre, Célestin. Souvent, c'est l'accumulation d'un tas de petites choses. Cette fois-ci, les Allemands disent que les Polonais ont forcé leurs frontières.

— Leur frontière ? C'est quoi au juste une frontière, Lionel ? J'ai déjà entendu le mot, c'est ben certain, mais je sais pas ce qu'il veut dire.

— La frontière, c'est la limite d'un pays… Comment expliquer pour que tu comprennes ? Tiens, j'ai une idée… Tu te souviens de la ferme chez notre père, n'est-ce pas ?

— Ben oui, voyons !

— Alors tu dois bien te souvenir aussi qu'il y avait une clôture entre son champ et celui du voisin ?

Pendant que Lionel parlait, Gilberte s'était approchée de la table et elle aussi, elle écoutait attentivement. L'image suggérée par son frère apparut clairement dans son esprit, pigée à travers ses nombreux souvenirs d'enfance.

— Oui, ça je m'en rappelle très bien parce que je l'ai déjà réparée, cette clôture-là, disait justement Célestin au même instant. Avec de la perche toute neuve. Oui monsieur !

— Alors on pourrait dire que la frontière de la terre des Bouchard, c'était la clôture.

— Ça, je comprends. D'un bord de la clôture, c'était chez nous, pis de l'autre bord, c'était chez le voisin. C'est ça que tu veux dire, Lionel ?

— Exactement... Ceci étant dit, si tu étais arrivé un bon matin et que tu avais trouvé les vaches du voisin de notre bord de la clôture, qu'est-ce que tu aurais dit ?

— Je le sais pas si j'aurais parlé, Lionel...

La réponse de Célestin avait surgi sans la moindre hésitation.

— Dans ce temps-là, ajouta-t-il, quand je demeurais encore à l'Anse chez notre père, c'est Antonin qui parlait pour nous deux... Mais j'aurais pas été content, par exemple. Ça, c'est sûr. Le foin de notre bord de la clôture, c'est pour nos vaches qu'on le fait pousser, pas pour les vaches du voisin. Non monsieur. Ça, je sais ça.

— Et si le voisin n'avait pas voulu ramener ses vaches chez lui, qu'est-ce qu'on aurait pu faire ?

— Comme je connais notre père, il se serait choqué ben noir ! Oh oui ! Comme le jour où Marius a mal fermé la clôture du poulailler pis qu'on a été obligés de courir comme des fous après les poules.

Se souvenant fort bien de cet incident, Gilberte égrena un petit rire moqueur. C'est que leur père n'avait pas été vraiment heureux de ce contretemps. Néanmoins, il avait bien été le seul à être de mauvaise humeur. Prudence et les enfants avaient bien ri de le voir s'emporter pour si peu.

Lionel poussa un soupir discret et, s'empressant

d'escamoter l'épisode des poules, il revint à l'idée première de l'utilité d'une clôture faisant figure de frontière. Il avait quelques visites à faire à ses patients et il n'avait nullement l'intention de s'éterniser à expliquer les tenants et les aboutissants d'une guerre qui ne faisait que commencer et dont on ne savait pas grand-chose.

— Laissons faire les poules pour l'instant et pense à ce que notre père aurait fait si jamais les vaches du voisin avaient traversé la clôture… Probablement qu'il aurait monté le ton, n'est-ce pas ? Et peut-être aussi, si le voisin n'avait pas voulu l'écouter, peut-être que notre père aurait pris les vaches du voisin pour les mettre dans le même pacage que les siennes et…

— Eh ! Ça aurait été une bonne idée, ça.

Célestin était tout sourire car il trouvait l'idée de Lionel particulièrement réjouissante.

— Les vaches du voisin mangent chez nous, expliqua-t-il, ben elles sont maintenant à nous autres, pis…

— Minute, Célestin ! coupa Lionel avant que la discussion ne dérape pour de bon et qu'elle s'enlise dans un dialogue sans fin. C'est ce qu'on aurait peut-être envie de dire, et je suis d'accord avec toi que ça semble drôle à première vue, mais ce n'est pas exactement ce qu'on aurait dû faire, n'est-ce pas ?

— Ouais… C'est vrai ce que tu dis là. Les vaches, elles sont toujours les vaches du voisin, ça, c'est ben certain.

— Tu as tout compris ! De bonnes chances que le voisin lui, n'aurait pas été content du tout de voir que notre père décide de garder ses vaches.

— Ben non, qu'il aurait pas été content. Moi non plus j'aurais pas aimé ça que le voisin prenne nos vaches pour les emmener chez lui. Non monsieur!

— Tu vois! C'est comme ça que la chicane aurait pu commencer entre notre père et le voisin. Il n'y aurait eu personne de vraiment méchant dans l'histoire, mais en même temps, personne n'aurait plus eu envie de se parler pis tout le monde aurait commencé à se surveiller. C'est un peu comme ça que les guerres sont déclenchées, mon Célestin. Par des petits détails qui sont souvent mal interprétés.

— Ouais... Je pense que je comprends un peu mieux... C'est difficile tout ça, mais je comprends un peu mieux, oui monsieur. Quand j'vas penser à la guerre pis que ça sera toute mêlé dans ma tête, m'en vas penser aux vaches. Merci Lionel... Pis je pense aussi que je vas faire comme Gilberte a dit: m'en vas commencer à lire le journal tous les matins. Comme ça, je vas peut-être mieux comprendre la guerre qui se passe de l'autre bord de l'océan. Pis si c'est trop compliqué, j'aurai juste à aller te voir... Ouais, c'est ça que je vas faire. Pis je vas prier, aussi, pour que personne que je connais soye obligé d'aller se battre pour aider ceux qui font la guerre, comme Léopold a déjà fait... Ouais, maintenant, je vas avoir quelque chose à demander au bon Dieu quand je vas aller à la messe, le dimanche, parce que jusqu'à date, j'avais pas grand-chose à dire comme prière vu que toute va bien pour nous autres. Mais astheure, c'est plus pareil pantoute. M'en vas dire au bon Dieu de s'arranger pour que la guerre finisse une bonne fois pour toutes! À partir de pas plus tard qu'astheure, c'est ça que je vas faire, le dimanche à la messe. Oui monsieur !

CHAPITRE 3

En Normandie, le mardi 26 décembre 1939

Dans la cuisine de la ferme des Nicolas

Madame Rémi Chaumette…

Françoise en était fébrile, presque tremblante. Quand elle murmurait ces trois mots, elle sentait le rouge lui monter aux joues et quelques larmes de bonheur embuaient son regard.

Madame Rémi Chaumette…

Depuis leur sortie de l'église, Françoise et Rémi ne se quittaient plus, ni des yeux ni des mains, comme soudés l'un à l'autre malgré la présence de nombreux parents et amis.

Le rêve, leur rêve, était devenu réalité malgré la guerre.

Pourtant, Dieu sait que Françoise n'y croyait plus tellement quand elle avait vu disparaître le train emportant Rémi dans la lumière dorée du petit matin, le 4 septembre dernier.

Cependant, et heureusement pour elle, à partir de ce jour-là, Françoise n'avait plus eu vraiment le temps de penser à un mariage qui semblait de plus en plus hypothétique. Malgré les apparences trompeuses d'un automne presque normal, en France, c'était la guerre, et ce fut ainsi que, du jour au lendemain, la main-d'œuvre s'était faite beaucoup plus rare. Les hommes, jeunes et moins jeunes, avaient été appelés sous les drapeaux et des femmes de tous âges avaient migré en bonne partie vers la ville pour être engagées dans les usines d'armement qui payaient mieux qu'un simple paysan, tout producteur de calvados soit-il. Même Brigitte, l'amie de toujours, l'inconditionnelle des bons comme des mauvais coups, n'avait pu résister à l'appât du gain et à l'attrait d'une ville d'importance. À peine un mois après le départ de Rémi, la jeune femme partait à son tour. Pour Argenteuil.

— D'accord, ce n'est pas tout à fait Paris, avait-elle concédé, ni le cours de secrétariat que je voulais suivre, mais quand même... Un peu de changement, ça ne fera pas de tort. Pis avec la paye qu'on nous promet, je vais pouvoir en mettre de côté. Pour le cours, justement. Promis, Françoise, je vais t'écrire. Tous les jours, si tu veux.

Ladite Françoise avait alors poussé un long soupir contrarié. Une autre raison, si besoin en était, de se rendre quotidiennement à la poste du village.

Au bout du compte, pour les aider, son père, sa mère et elle, n'étaient restés en Normandie que les vieillards habituels et quelques vieilles femmes qui s'étaient joints à eux et travaillaient à leur rythme de vieux.

Jamais récolte n'avait été aussi laborieuse et longue à terminer. Au final, pour Françoise, le seul côté positif à cette débandade au verger avait été justement de ne pas avoir le temps de trop penser, car autrement, le travail débordait.

Ajoutez à cela que ça grognait fort dans les villages français car on manquait de bras pour tout faire et l'image serait assez juste de l'automne que Françoise venait de passer.

À la maison, au Café de la Fontaine Victor-Hugo, à la poste, à l'église, partout, ce n'étaient que maussaderie, récriminations et colère. Par contre, c'était avec raison qu'on se plaignait : de toute évidence, ce serait encore les petites gens, surtout ceux des campagnes, qui allaient payer le gros prix de cette guerre.

Tout comme à l'autre…

Après plus de six longues semaines d'attente soutenue par de nombreuses lettres échangées, Rémi avait enfin eu droit à une première permission. Françoise en gardait le souvenir lumineux de trois journées arrachées à la spirale d'un horaire surchargé. Trois journées si brèves, trop brèves où, le temps d'un rapprochement truffé de confidences, les projets avaient repris leur place légitime.

— Ne crains pas, on va se marier, ma douce. J'ai demandé une permission spéciale pour les fêtes de fin d'année, une permission d'au moins une semaine. Mon lieutenant a promis de tout faire en son pouvoir pour que ça se réalise. Une noce, c'est important, qu'il m'a répondu.

Puis Rémi était reparti vers les fortifications de la ligne Maginot.

— Pourquoi si loin ? Pourquoi là ?

Françoise était inquiète.

— À cause de mon métier, Françoise, c'est à cause de mon métier si on m'envoie aussi loin. On a besoin de mécaniciens, là-bas.

— Oui, mais encore… On parle de champs de mines et de…

— Chut !

Rémi avait posé un index tout léger sur les lèvres de Françoise pour l'obliger à se taire.

— Je ne traverse jamais en Allemagne, avait-il expliqué. Alors, il n'y a rien à craindre… Pense plutôt à tous ces gens qui ont dû quitter leur maison, leur terre, leur village pour être installés dans des contrées plus sûres.

On était persuadés que l'invasion allemande se ferait par là ; les villages sillonnant la ligne des fortifications avaient par conséquent été vidés de leurs habitants. Seuls la milice et quelques dignitaires étaient restés en devoir pour s'occuper du bétail et des bâtiments.

Tout en parlant, Rémi avait embrassé le verger de François Nicolas et les terres environnantes d'un large geste du bras. Ici, il était facile d'oublier que c'était la guerre.

Octobre était beau, cette année, et au moment où Rémi parlait, le ciel était d'un bleu intense, sans nuages. L'air sentait bon le foin coupé et au loin, on entendait le beuglement paisible et rassurant de quelques bêtes. Si François Nicolas produisait du calvados, ici, en Normandie, c'était aussi le pays du fromage et de la crème. Les troupeaux étaient nombreux.

— Toi au moins tu restes ici, chez toi, avait souligné le jeune homme en serrant Françoise tout contre lui. Le danger est loin.

— C'est vrai, avait admis la jeune femme en se blottissant étroitement contre son fiancé.

N'empêche qu'elle l'avait regardé partir les yeux dans l'eau.

Puis novembre était arrivé avec ses pluies froides et continues et, encore une fois, Françoise s'était efforcée d'oublier l'avenir pour se concentrer sur le présent. La cueillette était enfin terminée. On avait donc pressé les pommes pour faire le moût qu'on avait ensuite mis à fermenter afin de produire le cidre.

Le temps d'un automne et Françoise était devenue l'ombre de son père. Tout comme Rémi l'avait fait avant elle au garage de monsieur Octave, la jeune femme apprenait son métier sur le tas, par la force des choses.

À cause du manque de main-d'œuvre, elle était de toutes les étapes de la fabrication du calvados et la guerre l'obligeait à prendre les bouchées doubles.

Françoise se levait tôt, l'esprit déjà actif et encombré par tout ce qu'il y aurait à faire durant la journée. Invariablement, elle se couchait tard, complètement fourbue.

À la mi-décembre, on avait ensuite procédé à la chauffe du cidre qui, après cette distillation, avait été transvidé dans les fûts de chêne. Il y resterait pour au moins les deux prochaines années tandis qu'après les fêtes, on verrait à embouteiller une partie du calva des années précédentes. Une autre étape dans la fabrication du calvados qu'elle devrait apprendre en détail car son père ne prêtait pas à rire sur le sujet. François Nicolas se montrait un professeur rigoureux, sévère et tatillon.

— Ma réputation ne s'est pas bâtie sur des broutilles, se plaisait-il à répéter. J'ai fait mon nom sur la qualité et ce n'est pas demain que cela va changer. Guerre ou pas !

La mise en bouteille promettait donc d'être une expérience exigeante.

Mais pour Françoise, c'était encore loin tout ça. Ce matin, radieuse et toute de blanc vêtue, ses longs cheveux flottant librement sur ses épaules, elle avait confié sa main à Rémi au pied des marches menant à l'autel, et elle ne l'avait pas retirée depuis. Rien d'autre n'avait d'importance en ce moment.

Cette journée de fête, unique dans une vie avait précisé sa mère Madeleine qui pour une fois était sortie de sa morosité coutumière, avait demandé des jours et des jours de préparation. Françoise l'avait imaginée tant de fois dans ses moindres détails, cette journée du mariage, qu'elle la voyait se déroulant tout en douceur, lentement, afin d'en savourer les moindres instants.

Bien au contraire, elle passa en coup de vent, mais elle n'en fut pas moins parfaite en tous points.

À commencer par le soleil qui était de la partie, fait non négligeable en Normandie en cette période de l'année, même si on y était pour rien. La moitié du village avait été invité, si ce n'est pas plus, alors, comme il faisait beau et relativement doux, on marcha en joyeuse et bruyante procession de l'église à la maison de François Nicolas, un père qui était nettement plus ému que tout ce qu'il laissait voir. De plus, Brigitte avait fait le voyage pour l'occasion et sa présence ajoutait au bonheur de Françoise.

Par la suite, on avait bien bu et bien mangé, chez le producteur de calvados, son épouse Madeleine y avait vu rigoureusement, et, maintenant, on dansait sur les dalles de la cuisine de la grande maison de ferme.

Ça riait fort, ça chantait en chœur, ça tapait des mains.

Comment le dire autrement ? On avait grandement besoin de cette accalmie dans les inquiétudes, les tracasseries et le travail, alors on comptait bien profiter de l'occasion qui se présentait, d'autant plus que plusieurs hommes étaient en permission. Après tout, c'étaient les fêtes de fin d'année, n'est-ce pas ? Et de plus, la guerre n'était toujours pas très menaçante.

En fermant les yeux, en se concentrant sur les notes de l'accordéon qui avait des prétentions de bal musette, Françoise en était même arrivée par moments à oublier que son Rémi devrait repartir dans moins d'une semaine.

Ne pas y penser, se répétait-elle souvent. Surtout ne pas y penser, et profiter de chaque seconde vécue à deux.

Puis les jeunes mariés quittèrent la fête discrètement dans l'automobile de monsieur Octave pour se rendre à Falaise.

— Ce sera mon cadeau de noce, le jeune, avait déclaré l'employeur de Rémi qui se languissait de son jeune mécanicien. Vous n'êtes toujours bien pas pour passer votre première nuit à deux chez le père de la mariée !

Sur ce, Octave Talon avait lâché un grand rire goguenard, un peu grivois, qui avait fait rougir Rémi jusqu'à la racine des cheveux.

— Je fournis l'automobile pour le déplacement, même si ce n'est pas très loin, et je paie la chambre. Une belle et grande chambre !

Rémi n'avait pas eu envie de refuser parce que son

patron avait raison : le jeune homme ne se voyait pas du tout passer sa nuit de noces chez ses beaux-parents.

Françoise et lui étaient donc attendus à l'auberge de Falaise et grâce à l'automobile de monsieur Octave, la route se fit rapidement entre le village de leur enfance et le bourg voisin.

L'aubergiste, complice du garagiste, avait pensé à faire du feu dans la chambre et une chopine de vin chaud à la cannelle, une recette empruntée à leurs voisins anglais, attendait le jeune couple. L'intention était louable, mais vouée à l'échec, car les tourtereaux n'avaient pas la tête à boire.

Aussitôt la porte refermée sur Françoise et Rémi, les mains retrouvèrent avec aisance le peu qu'elles connaissaient du corps de l'autre. Avec une impatience exacerbée par la longue attente et l'urgence de n'avoir que quelques jours devant eux, ils s'enlacèrent fiévreusement. Leurs lèvres se soudèrent par habitude, les vêtements tombèrent sans la moindre gêne et les corps frémirent à l'unisson lors de ce premier contact.

Le lit où ils se laissèrent tomber était moelleux, un peu trop, mais la couette était légère, juste comme il faut.

Ce fut bref mais intense.

— On goûte au vin ?

— On goûte au vin ! Même s'il doit être froid.

Puis ils retournèrent au lit sans la moindre prétention de sommeil.

Et cette fois, ce fut lent et audacieux. Ce fut délicieux !

Le matin, l'automobile de monsieur Octave avait disparu.

— Ça devait le rendre malade de voir sa belle voiture exposée aux yeux de tous, se moqua gentiment Rémi. Il y tient comme à la prunelle de ses yeux. Je suis certain qu'il n'a pu résister et dès qu'il est rentré de la noce, hier, il est venu la chercher pour qu'elle passe la nuit au garage.

— Curieux, on n'a rien entendu, ajouta Françoise sur le même ton gentiment moqueur tandis que Rémi venait la retrouver sous les couvertures.

Et puisque les quelques heures de sommeil avaient suffi à lui redonner des forces, le patron de Rémi fut aussitôt oublié.

Quand ils quittèrent l'auberge, à pied cette fois, et tout juste à temps pour ne pas être en retard au déjeuner chez les parents de Rémi, on les suivit des yeux. Ils étaient les jeunes mariés, tout le monde le savait. On n'avait donc aucun doute sur la nuit qu'ils venaient de passer. Il y eut un ou deux sourires gênés, quelques regards envieux posés sur eux et des hochements de tête nostalgiques au-dessus des tasses de café. C'est qu'elle passait vite, la vie, bien trop vite ! Puis les jeunes mariés disparurent à l'angle de la rue devant l'auberge, et les conversations reprirent là où elles en étaient tandis que Françoise et Rémi accéléraient le pas.

La veille, Françoise avait quitté la maison familiale encore enfant, tout à l'heure, cet après-midi, elle y retournerait devenue femme et, sans le moindre doute, elle sentait la différence. En elle, bien sûr, car cette assurance dans le geste ne pouvait tromper. Mais c'était si fort qu'elle percevait aussi une différence dans les regards qui se posaient sur elle.

Elle redressa les épaules.

L'espace d'une nuit enflammée dans les bras de son Rémi et l'enfance était derrière elle, comme un souvenir qu'elle entretiendrait désormais avec la venue de quelques enfants. Plus tard.

Quand la guerre serait finie et qu'elle saurait tout du métier.

Quand son Rémi serait de retour pour de bon.

Quand la vie serait redevenue normale…

En attendant d'être épouse et mère à temps plein, Françoise se contenterait d'être femme. D'être la femme de Rémi Chaumette.

À cette pensée, Françoise glissa son bras sous celui de son mari dans un geste manifestement possessif.

Qu'on se le tienne pour dit, cet homme-là était le sien !

En guise d'accueil dans les familles, Françoise eut droit à une seule et même attitude. De la part de madame Chaumette, dans un premier temps, puis, plus tard l'après-midi, de la part de sa mère.

Un regard de femmes qui voulaient savoir. Un regard à la fois inquiet et curieux.

Si Françoise, toute rougissante, avait baissé les yeux devant sa belle-mère parce qu'elle s'était sentie tout à coup horriblement gênée, c'est avec une certaine impudence associée à un petit sourire amusé qu'elle répondit à la curiosité de sa mère. « Non maman, disait le regard de Françoise, je n'ai pas été déçue, loin de là ! »

À certains égards, mère et fille étaient maintenant sur un pied d'égalité, et c'est ainsi que Madeleine reçut le message sans en sentir ombrage. Sa fille était désormais une femme. Certaines choses seraient par conséquent plus faciles entre elles. Oui, c'est ce que Madeleine pensa avec toute l'honnêteté dont elle était capable et l'affection sincère qu'elle ressentait pour sa Françoise. Alors, elle répondit au sourire de sa fille par un second sourire avant de proposer :

— Viens à la cuisine, Françoise. On va laisser nos deux hommes discuter.

Elles savaient toutes les deux qu'ils débattraient de la guerre en refaisant le monde et, l'une comme l'autre, elles n'avaient pas du tout envie d'en entendre parler.

Tant mieux si la Finlande avait repoussé la Russie jusque chez elle, les deux femmes étaient entièrement d'accord sur ce point, mais en discuter en long et en large ne mettrait pas un terme à la guerre.

Aucun armistice n'avait été signé après ce fait d'armes, n'est-ce pas ? Pourquoi alors en tirer une telle satisfaction ?

L'Allemagne et l'Angleterre continuaient de s'affronter en mer, plusieurs civils étaient morts, et, sur terre, après le partage de la Pologne entre la Russie et l'Allemagne, les hommes d'Hitler semblaient vouloir avancer maintenant vers l'ouest. Petit à petit, soit, mais ils avançaient quand même, et le simple fait d'y penser, même vaguement, donnait des frissons d'angoisse à Françoise. Pourtant, la position de la France, plutôt passive, en était une d'attente défensive et rien de ce côté de la frontière ne semblait vouloir bouger pour l'instant.

Alors les deux femmes bavardèrent du quotidien qui, à l'exception du manque de main-d'œuvre, n'avait pas vraiment changé depuis septembre et n'allait pas changer tant que cela dans l'immédiat puisque Françoise et Rémi s'installaient le soir même sous le toit de François Nicolas.

— Pourquoi chercher autre chose tant que la guerre n'est pas finie ? avait demandé François un peu avant Noël, alors qu'il était devenu certain que le mariage aurait bel et bien lieu.

Sa question qui n'en était pas vraiment une avait des intonations de proposition.

— Après tout, avait-il allégué, Rémi ne sera ici, au village, que quelques jours à la fois. Installez-vous donc dans ta chambre en attendant. On verra plus tard à vous trouver autre chose, si vous le désirez.

La suggestion avait été retenue sans la moindre hésitation, Françoise jugeant que l'ennui serait plus tolérable en compagnie de ses parents et l'organisation quotidienne plus simple en restant sous leur toit. Avec le travail qui débordait, cette solution s'imposait.

Quant à Rémi, son approbation avait été totale.

Quoi qu'il puisse arriver, et lui savait pertinemment que ce simulacre de tranquillité n'allait pas durer, sa Françoise serait en sécurité. Que demander de plus ?

CHAPITRE 4

Pointe-à-la-Truite, le vendredi 29 décembre 1939

À l'auberge de la mère Catherine, dans la chambre d'Alexandrine

Assise devant la fenêtre de sa chambre, Alexandrine fixait la plage figée dans la froidure de décembre sans vraiment la voir. Les galets grisâtres semblaient en attente d'un événement quelconque, tempête ou orage. La plage avait un petit air triste parce que la neige tombée jusqu'à maintenant avait été balayée par les grands vents du mois qui s'achevait et le paysage se déclinait plutôt dans les tons d'ardoise. À voir le rivage ainsi dégagé, liseré de blanc à la hauteur des grands foins, on aurait pu aisément penser que l'hiver serait moins rigoureux, cette année, mais l'image était trompeuse, et Alexandrine le savait fort bien. Pour l'avoir constaté à plusieurs reprises depuis des décennies, d'un jour à l'autre, la glace s'imposerait sur les battures. Invariablement, le phénomène se produisait entre Noël et le jour de l'An. Un matin, demain peut-être, Alexandrine se lèverait et le blanc aurait pris possession de la plage. Le temps d'une marée porteuse de glaces flottantes et le paysage changerait du tout au tout en quelques heures à peine. Par la suite, de jour en jour, la blancheur gagnerait du terrain et finirait par dominer jusqu'au beau milieu du fleuve, là où l'eau continuait de couler à longueur d'année, libre d'entraves.

Tel était le paysage de Pointe-à-la-Truite, de janvier à avril : des banquises échouées sur la grève telles d'énormes baleines à bout de souffle, et un filet d'eau brillant au soleil à des milles du rivage.

C'était de toute beauté, Alexandrine en convenait aisément, pourtant, en ce moment, ce n'était pas le paysage qui intéressait la jolie dame aux cheveux de neige, mais bien les souvenirs qui s'imposaient à elle comme autant d'images tirées d'un album aux pages racornies, un album tout usé d'avoir été trop souvent feuilleté. Depuis son réveil, ces mêmes images n'arrêtaient pas de passer en boucle dans son esprit, comme un vieux film au débit saccadé, à moitié effacé par le passage des ans. La nostalgie alourdissait le cœur d'Alexandrine alors que le constat lui était devenu hélas trop routinier : la vie, sa vie, avait passé trop vite.

La vieille dame écrasa une larme inopinée au coin de sa paupière.

Comme toujours en cette période de l'année, et surtout depuis le décès de son mari, Clovis, Alexandrine prenait conscience avec une acuité chaque fois un peu plus douloureuse à quel point l'existence était éphémère, pouvait être fragile. Les mois et les années avaient beau s'accumuler derrière elle, elle s'ennuyait toujours autant de son homme, de son fils Joseph mort en mer alors qu'il n'était qu'un enfant et de sa fille Rose, emportée par la grippe espagnole. Sans oublier Anna, son autre fille cloîtrée depuis des années, depuis toujours aurait eu envie de dire Alexandrine tant ce genre de vie lui semblait inconcevable. Oh! Elle ne faisait aucun étalage de cet ennui qui l'envahissait parfois. Alexandrine était une femme réservée, c'était typique de sa génération, alors personne n'avait à connaître la présence de cette lourdeur de l'âme qui, par moments, lui donnait envie de mourir à son tour. Seul son mari, Clovis, l'alter ego, l'amour de sa vie, aurait pu partager l'intimité de telles pensées, mais il n'était plus là.

Alors Alexandrine gardait ses soupirs et ses larmes pour l'intimité de sa chambre, osant espérer que, de là-haut, son homme continuait de veiller sur elle.

La vieille dame donna un coup de talon sur le plancher de bois verni pour intensifier le mouvement de sa chaise berçante comme si cette oscillation la rapprochait du tangage d'un bateau et avait la propriété de l'apaiser, le pouvoir de la consoler parce que les bateaux avaient été au centre de l'existence de son Clovis.

Un court moment, Alexandrine ferma les yeux et se laissa porter par ce mouvement qui ressemblait au balancement de la goélette de son mari, devenue depuis de longues années maintenant le gagne-pain de leur fils Léopold.

Puis elle ouvrit les yeux en soupirant, rattrapée par les souvenirs.

Un autre Noël passé, le jour de l'An arrivait à grands pas et, néanmoins, Alexandrine n'avait pas vraiment le cœur à se divertir. Elle qui, habituellement, tirait du moindre événement un prétexte à se réjouir, à faire la fête, trouvait plutôt, cette année, que le temps stagnait, gris et maussade.

Un long soupir gonfla la poitrine de la vieille dame.

Si au moins elle avait encore vécu chez elle, il lui semblait que les souvenirs auraient été moins chagrins, car elle aurait pu les rattacher à un décor familier et rassurant. Elle aurait pu s'occuper les mains et la tête à préparer le traditionnel repas familial, et le cœur aurait sans doute suivi, heureux à la perspective d'avoir tous les siens auprès d'elle. Mais voilà ! Alexandrine avait eu l'idée un peu saugrenue d'offrir la maison familiale à son fils Léopold pour qu'à son tour, il puisse y élever sa famille : deux adorables gamines, Rose, l'aînée, ainsi baptisée en souvenir d'une tante qu'elle n'avait pas connue, et Yolande, parce que c'était un prénom à la mode. Il y avait aussi le gentil Michel, un petit garçon d'à peine deux ans, arrivé un peu comme un cheveu sur la soupe alors qu'on n'attendait plus le passage de la cigogne. Si la générosité d'Alexandrine se félicitait de ce geste, et c'était dans sa nature profonde d'être généreuse, il n'en restait pas moins qu'elle s'ennuyait de ses vieux meubles et de l'odeur imprégnée dans les murs blanchis à la chaux. Des murs qu'elle avait elle-même montés avec son Clovis, planche après planche, alors qu'ils étaient encore de tout jeunes mariés profondément amoureux.

Alexandrine aurait pu vieillir chez elle, bien sûr, et personne n'aurait eu l'idée de la déloger. Toutefois, au retour des funérailles de son mari, elle s'était mise à angoisser à la perspective de continuer à vivre dans ce décor familier sans son Clovis.

Voilà ce qu'Alexandrine s'était dit, à peine une semaine après que Clovis eut été porté en terre :

comment continuer à vivre dans cette maison sans son mari ? Alexandrine était persuadée qu'elle passerait le reste de sa vie à l'attendre comme elle l'avait tant attendu tout au long des saisons de cabotage.

De toute façon, sa belle-fille Augusta n'avait-elle pas raison de s'impatienter alors qu'elle avait déjà la quarantaine bien sonnée et qu'elle n'avait jamais été vraiment chez elle ?

Sur un coup de tête, Alexandrine avait alors fait le tri dans ses affaires et choisi celles qui lui tenaient le plus à cœur, comme cette chaise démodée qui avait bercé chacun de ses enfants, et, dès le lendemain, aidée par Paul, elle quittait sa maison sans un seul regard derrière, car elle avait peur de changer d'idée.

Depuis, madame veuve Clovis Tremblay habitait à l'auberge de la Pointe, surnommée l'auberge de la mère Catherine en souvenir de son ancienne propriétaire. Elle avait même droit à une très jolie chambre, la plus grande et la plus jolie, en fait, avec une vue époustouflante sur le fleuve. Alors Alexandrine ne se plaignait de rien. Elle aurait été bien ingrate de se lamenter, n'est-ce pas, alors que tant de vieilles personnes étaient laissées à l'abandon. Mais elle s'ennuyait quand même. Il faut ajouter, pour être honnête jusqu'au bout, que la plupart du temps, ça allait assez bien. L'octogénaire ne se sentait pas vraiment à l'hôtel puisque son fils Paul était le propriétaire de ladite auberge et qu'il y habitait lui aussi, en compagnie de son ami Réginald. Une relation qui faisait jaser, d'ailleurs.

En effet, bien qu'elle fût enveloppée de discrétion, cette union suscitait régulièrement de la gêne, des sourcillements, des regards détournés et des lèvres pincées, bien sûr, comme toute chose différente peut le faire. Quelques mauvaises langues de la paroisse s'en donnaient même à cœur joie, et alors, certains quolibets pleuvaient au grand désespoir d'Alexandrine qui détestait que l'on se mêle de ses affaires et qui avait toujours considéré que ce qui affectait l'un des siens l'affectait par ricochet.

Depuis le tout premier cri de son premier-né, Alexandrine était mère jusqu'au fond de l'âme !

Néanmoins, en général, l'exubérance contagieuse de Réginald attirait surtout l'attention, et son exagération en tout comme son attitude extravertie finissaient toujours par susciter des sourires, voire carrément des rires. Comme Réginald se fichait d'être la risée des gens, Paul et lui arrivaient à vivre ainsi sous le même toit, bon an mal an, depuis bien des lunes.

Au temps fort du tourisme, Marguerite, la sœur de Paul, venait donner un coup de main aux deux hommes et, depuis l'année précédente, Alexandrine s'ajoutait à leur quotidien. En outre, pour occuper le temps, il arrivait même que celle-ci s'amuse parfois à jouer les aubergistes ou les marmitons.

Voilà donc comment la vie d'Alexandrine continuait malgré tout, malgré l'ennui.

— Comme si le Bon Dieu m'avait oubliée sur la Terre, se moquait-elle parfois avec une toute petite pointe d'amertume dans la voix.

Puis, invariablement, pour que ses propos ne prêtent pas à confusion alors qu'elle sentait le regard de Paul peser sur elle, lui qui avait une intuition à fleur de peau,

Alexandrine raffermissait le ton pour ajouter :

— Faut croire que j'ai encore un petit quelque chose à faire sur cette Terre avant de m'en aller. Mais faudrait que ça arrive bientôt, par exemple, parce que je suis plus une jeunesse !

Plus une jeunesse...

Cette expression émaillait souvent les propos d'Alexandrine et, ce matin, elle avait l'impression de ressentir le poids de l'âge jusqu'au creux de ses os, marquant ainsi chacune des nombreuses années déjà passées.

Un coup discret frappé à la porte la fit sursauter.

Alexandrine quitta aussitôt le monde mélancolique de ses souvenirs et elle tourna la tête. Sachant à l'avance qui entrerait dans sa chambre, elle repoussa sans tarder la nostalgie qui habitait son cœur, sachant même sans miroir que cela devait se voir jusque sur son visage. En effet, il n'y avait que son fils Paul pour manifester une telle délicatesse, une telle retenue, tant dans le geste que dans les paroles, et cette façon discrète de frapper à une porte, empreinte de réserve, n'appartenait qu'à lui.

À bien y penser, et l'idée fit sourire Alexandrine, Paul était aux antipodes de Réginald qui s'exclamait pour deux ! De là, probablement, la bonne entente qui existait entre eux.

— Maman ?

Paul qui avait hérité de la chevelure abondante de son père, Clovis, avait glissé sa tignasse un peu hirsute et déjà toute blanche dans l'entrebâillement de la porte et il cherchait sa mère du regard. L'ayant trouvée, alors qu'elle était assise un peu en retrait devant la seconde fenêtre, il ajouta :

— Je peux entrer ?

Sans attendre de réponse, Paul s'imposa dans la pièce et referma la porte derrière lui. À voir le sourire un peu triste de sa mère, il comprit sans ambiguïté que tous les efforts mis à convaincre sa sœur Justine ne seraient pas inutiles. Sans l'ombre d'un doute, leur mère s'ennuyait profondément, et la perspective d'avoir sa famille auprès d'elle permettrait peut-être d'atténuer son vague à l'âme.

— J'ai une bonne nouvelle ! lança-t-il tout de go, heureux de voir le regard d'azur pâli par les années s'éclairer aussitôt d'une curiosité sincère.

Alexandrine avait toujours aimé les surprises, et le passage du temps n'y avait rien changé. L'espace d'un instant, Paul eut l'impression d'entrevoir la jeune femme qu'elle avait été, et ce fut son cœur à lui qui se mit à bondir de joie.

— J'ai parlé à Justine, annonça-t-il d'une voix enthousiaste, tout en s'approchant de la fenêtre pour rejoindre sa mère. On dirait bien que le voyage de Québec à la Pointe lui semble un peu moins rebutant que l'an dernier.

De ce geste qui lui était familier et qui dénotait chez elle soit une impatience incommensurable, soit un contentement tout aussi grand, Alexandrine repoussa derrière l'épaule une longue mèche de cheveux, d'un petit coup de tête précis qui resterait toujours sa marque distinctive.

— Et ? demanda-t-elle de la voix de celle qui anticipe

quelque chose d'agréable, mais n'ose pas y croire spontanément.

— Et Justine sera là pour le jour de l'An ! Avec toute sa famille !

À ces mots, le regard déjà brillant de curiosité se mit à étinceler d'allégresse. Enfin, une vraie bonne raison de se réjouir ! Alexandrine se redressa sur sa chaise.

— T'es pas sérieux, toi là ?

— Est-ce que j'ai l'air de quelqu'un qui a envie de se moquer de toi ?

Alexandrine fronça les sourcils pour la forme, fit semblant d'observer attentivement son fils avec un brin de sévérité, puis elle se détendit brusquement et esquissa un sourire taquin.

— Pantoute ! Juste à voir, on voit bien que t'es pas mal sérieux… Et moi, tout d'un coup, je suis pas mal de bonne humeur, comme le dirait Célestin ! Eh ben… Comme ça, ma Justine s'en vient avec toute sa famille ?

— T'as tout compris ! Justine s'en vient avec son mari, les jumeaux et sa fille. Justement, c'est parce que la petite Madeleine a vieilli qu'elle est prête à entreprendre le voyage.

Sur ce, Paul fit une courte pause pour trouver ses mots. Sa mère n'avait pas besoin de savoir qu'il avait longuement insisté pour faire fléchir Justine et que, finalement, c'était sur la promesse formelle qu'il rembourserait le passage en train qu'elle avait accepté. Il faut dire, cependant, que sa sœur et son beau-frère ne roulaient pas sur l'or. Et avec trois enfants…

Paul secoua la tête et reprit.

— Ça, ma petite maman, ça veut dire qu'on a du pain sur la planche si on veut recevoir ma sœur et tout le reste de sa famille avec élégance.

— Avec élégance... J'aime tes mots, mon Paul, j'aime vraiment tes mots! T'as toujours su dire les choses... avec élégance, justement!

Alexandrine était déjà debout. Elle défroissa machinalement les plis de sa jupe, puis, sans hésiter, d'un pas encore ferme et résolu, elle se dirigea vers la porte.

— Allez, mon homme, suis-moi, lança-t-elle à son fils par-dessus son épaule, guillerette. Quand tu parles d'avoir du pain sur la planche, c'est pas juste une image. Ça dit ben ce que ça dit! Ça fait qu'on s'en va à la cuisine. Je vais m'occuper des desserts!

Sur ce, Alexandrine, déjà dans le corridor, s'arrêta brusquement au risque de voir Paul buter sur elle.

— Pis Justine va rester avec nous autres pendant combien de temps, encore? Elle vient juste pour le jour de l'An ou...

— Trois jours, maman, coupa Paul. Justine et sa famille vont rester ici, avec nous autres, durant trois belles journées. Elle arrive demain en fin d'après-midi et elle repart le 2 janvier.

— Trois jours? Tu parles d'une belle façon de commencer l'année, toi! Ça veut donc dire que je vais avoir mes petits-enfants avec moi durant trois longues journées? C'est merveilleux. Depuis le temps que je les ai vus, ils ont dû beaucoup changer.

En effet, depuis quelques années, Alexandrine n'osait plus faire le voyage en direction de Québec, là où habitaient ses filles, Justine et Anna, alléguant que la route lui donnait des courbatures et, qu'à cause de la douleur, elle était condamnée à vivre de longues insomnies durant plusieurs nuits, par la suite. Quant au train, inutile d'y penser, la vieille dame affirmait haut et fort que la locomotive était trop bruyante, qu'elle crachait trop de fumée, et que la vitesse, surtout, lui faisait très peur!

— J'en reviens juste pas, trois jours... Allez, viens, mon Paul. Raison de plus pour dire qu'on a de l'ouvrage devant nous. On a même toute une série de repas à prévoir. Avec le jour de l'An en plus... Surtout qu'on peut pas recevoir Justine sans penser à Léopold pis Augusta plus les enfants, ça c'est ben certain. Pis il y a Marguerite avec son Lionel, comme de raison. Pis si Lionel est là, va falloir aussi inviter son fils Julien avec sa femme Caroline pis toute leur famille. Ils ont combien d'enfants, encore, eux autres? Une bonne trâlée, en tout cas. Il y a aussi Gilberte avec Célestin pis Germain. Pis Béatrice avec sa famille. Elle non plus, on peut pas la mettre de côté. Depuis le mariage de Lionel avec notre Marguerite, les Bouchard font partie de la famille... Pis il y a Prudence, aussi! Faudrait surtout pas l'oublier, elle! La pauvre vieille Prudence.

La pauvre vieille Prudence...

Paul se mordit l'intérieur d'une joue pour ne pas éclater de rire. À bien y penser, et malgré des apparences fort trompeuses, Prudence devait être plus jeune que sa mère qui, elle, continuait de soliloquer tout en descendant d'un pied léger le long escalier menant au rez-de-chaussée.

— J'ai ben de la misère à me faire à l'idée que Prudence vit chez Lionel depuis l'automne, expliquait justement Alexandrine alors qu'elle empruntait le dernier corridor menant à l'arrière de la maison. Mais c'est pas une raison pour l'oublier même si elle, pauvre femme, elle oublie ben des affaires depuis un boutte… Ça va nous faire pas mal de monde autour de la table pour le dîner du jour de l'An, ça mon Paul… Une chance que t'as hérité des livres de recettes de Victoire après son décès… Ça va m'aider pour varier les desserts… Sais-tu une chose, Paul ? Ben elle me manque encore, la Victoire. Des amies comme elle, ça vaut une famille, ça vaut même ben des familles, tu sauras ! Elle pis moi, on était comme deux sœurs.

Ce fut ainsi qu'Alexandrine parcourut les couloirs de l'auberge d'un bout à l'autre pour finalement entrer dans la cuisine, discourant sans espérer de réponse, remorquant un Paul silencieux et songeur qui voyait fondre son pécule à vue d'œil. Non seulement aurait-il à payer le transport de sa sœur et de toute sa petite famille, mais encore, il devrait nourrir une partie de la paroisse pour souligner l'arrivée de la nouvelle année.

Mi-figue mi-raisin, Paul esquissa quand même un sourire.

Il aurait dû s'en douter ! Avec sa mère, dès qu'on mettait le doigt dans l'engrenage de quelque projet que ce soit, c'était tout le bras qui risquait d'y passer !

Une fois arrivée dans la cuisine, Alexandrine se dirigea du même pas déterminé vers le fond de la pièce, là où se dressait le vaisselier contenant les livres de recettes de son amie Victoire, celle-là même qui était devenue à une certaine époque la pâtissière reconnue de toute la région. Plus tard, fatiguée et se sachant malade, Victoire avait confié les rênes de sa petite entreprise à Paul, nouvellement installé à l'auberge. Tout comme Victoire, et même s'il était architecte, Paul avait fait de la cuisine une véritable passion. Ce fut ainsi que sous la gouverne de ce cuisinier improvisé, et malgré le décès de Victoire, les gâteaux de la défunte pâtissière avaient pu continuer de faire les délices de plusieurs familles de la région et, aujourd'hui encore, cette tradition se perpétuait. Les gâteaux de madame Victoire, comme on s'entêtait à les appeler, étaient fort prisés, et il n'y avait qu'au moment où Alexandrine pointait le bout de son nez à la cuisine que Paul acceptait de céder son tablier en toute confiance. Comme actuellement, alors que, penchée au-dessus de quelques vieux livres tachés et collants, sa mère s'apprêtait à cuisiner plusieurs desserts pour agrémenter le séjour de Justine et de sa famille.

— Pis pour le jour de l'An, m'en vas faire ma fameuse bûche aux framboises, décréta-t-elle d'une voix enjouée. Non, deux bûches ! Une aux framboises pour respecter la tradition des Tremblay, pis une autre aux fraises. Faut ben que nos pots de confiture servent à quelque chose, pis avec tout le monde qu'on va être, ça va prendre au moins deux bûches plus des tonnes de biscuits ! À moins de faire un bon pouding au chômeur... Un gros. Ou des tartes ?

Le temps de consulter les livres de son amie, et Alexandrine vit les souvenirs tristes du matin se transformer en une belle émotion. La nostalgie était toujours au rendez-vous, certes, les absents restant toujours absents, mais penser à eux faisait surgir une myriade de beaux souvenirs, ceux qui font gonfler le cœur avec gratitude quand on s'aperçoit qu'en fin de compte, on a une belle part dans l'existence.

Les invitations lancées par Alexandrine durant l'après-midi eurent toutes des échos favorables.

— C'est confirmé, mon Paul, tout le monde va être là pour le dîner du jour de l'An, déclara Alexandrine en revenant à la cuisine après avoir passé plus d'une heure à la réception de l'auberge, là où se trouvait le téléphone. À toi de calculer combien on va être avec tout ce beau monde-là, parce que moi, les chiffres, ça m'épuise.

Rompu à ce genre d'exercice avec l'auberge qu'il tenait maintenant depuis des années, Paul fit quelques rapides calculs et planifia d'abord le repas du Premier de l'An, tandis que son ami Réginald se voyait confier la préparation des chambres.

Attiré à la cuisine par le bruit des voix enthousiastes, tiré à quatre épingles comme s'il s'apprêtait à sortir, Réginald promenait un regard pétillant de Paul à Alexandrine. À l'exception de quelques rides au coin des paupières, des rides de sourire, comme le disait affectueusement Alexandrine, le passage des années n'avait laissé aucune trace sur le visage de Réginald. Il était de ceux dont on ne peut dire l'âge avec certitude.

— De la visite? On va avoir de la visite? Mon doux Seigneur que ça me fait plaisir, ça là!

Sur ce, Réginald porta les yeux au plafond, tout souriant. Il afficha alors un air extatique avant de revenir à Paul en ajoutant:

— Je l'ai toujours dit : la campagne, c'est ben beau l'été avec le soleil pis les p'tits oiseaux. Avec la bonne senteur qui nous vient du large pis surtout avec l'armée de touristes qui se sauve de la ville pour venir profiter de notre grand air, mais l'hiver, par exemple...

Réginald poussa un soupir à fendre l'âme, les yeux mi-clos.

— L'hiver, répéta-t-il en s'ébrouant vivement avant de mettre les poings sur ses hanches dans cette attitude qui lui était particulière, c'est pas ben ben compliqué, c'est d'un ennui mortel ! Ça fait qu'apprendre qu'on va avoir de la visite, ça me fait plaisir. Astheure, vous allez devoir m'excuser. C'est pas que j'aime pas votre compagnie, mais j'ai des chambres à faire !

Réginald quitta la cuisine sur une pirouette, en sifflotant. Dans le sillage de cette bonne humeur, le cœur remué par cet homme comme aux tout premiers jours de leur relation, Paul tourna le bouton du poste de radio et, sans tarder, une musique d'ambiance envahit la cuisine. Alexandrine souligna le geste d'un murmure favorable tandis qu'elle se repenchait sur les livres de recettes de Victoire, un bout de papier à portée de main pour prendre des notes.

Paul prit alors une longue inspiration de contentement. Finalement, il avait bien fait d'appeler sa sœur. Tant pis pour les finances. Grâce à cette visite qui se prolongerait jusqu'au début de la semaine suivante, l'auberge allait se mettre à fourmiller comme aux plus beaux jours de mai alors que la saison touristique avait coutume de commencer, et rien au monde n'aurait pu lui faire plus plaisir.

Paul tourna un regard bienveillant vers sa mère.

La vieille dame, tout à son affaire, feuilletait un livre, le mettait de côté pour en prendre un autre, griffonnait quelques mots.

Au même moment, un bruit sourd se fit entendre à l'étage, preuve que Réginald s'était déjà mis à l'ouvrage.

Paul comprit alors, en cet instant bien précis, qu'il n'avait besoin de rien d'autre pour être heureux.

Vivre ici, à la Pointe, dans l'auberge dont il avait tant rêvé, savoir qu'il serait occupé à concocter de bons et nombreux repas durant les prochains jours, voir sa mère souriante et entendre son amoureux Réginald siffler sa bonne humeur, c'était là tout ce que Paul Tremblay demandait à la vie.

À son tour, il prit une feuille de papier et un crayon, s'installa à la table et se mit à noter de mémoire quelques plats susceptibles de plaire à sa sœur dont il connaissait les préférences. Sa mère avait bien raison : ils n'avaient pas de temps à perdre s'ils voulaient être prêts à recevoir Justine.

Ce soir-là, Alexandrine n'eut aucune difficulté à trouver le sommeil, et ce fut un rayon de soleil anémique et tardif qui l'éveilla le matin venu.

La vieille dame s'étira longuement, surprise de voir à quel point elle se sentait en forme après avoir si bien dormi. Puis elle eut une pensée pour Justine et un large sourire pétillant de jeunesse se mêla aux rides de l'âge, effaçant du coup le passage du temps. C'était aujourd'hui que sa fille arrivait, et elle allait enfin connaître sa petite-fille Madeleine, la contempler autrement que par le truchement de quelques photos attestant qu'elle grandissait normalement ! Qu'aurait-elle pu demander de plus ? Il faut avouer, cependant, que Justine avait toujours eu une place privilégiée dans le cœur d'Alexandrine. C'était la naissance de cette enfant-là qui avait réussi à atténuer l'immense chagrin causé par la mort de son fils aîné, Joseph. Ceci étant dit, Justine n'avait pas remplacé son frère. Comment un enfant pourrait-il en remplacer un autre ? Néanmoins, l'arrivée de ce bébé avait donné à Alexandrine une raison d'être encore heureuse. La toute petite Justine, de par sa seule naissance, lui avait permis de croire que la vie pouvait encore être belle et bonne malgré les drames et les déchirures de l'âme.

Et dans quelques heures, cette même Justine serait là.

Et ses petits-enfants aussi !

Un coup d'œil au cadran et Alexandrine interrompit ses étirements.

— Bonté divine ! Veux-tu ben me dire ce qui se passe à matin ? Déjà huit heures pis je suis encore couchée ? J'ai jamais vu ça. Pis mes biscuits qui sont toujours dans le frigidaire, pas cuits ! Tu parles d'une affaire, toi à matin !

Une dernière pensée pour son Clovis, comme elle en avait une à son réveil tous les jours sans la moindre exception depuis cette affreuse journée d'été où Léopold avait trouvé son père mort, foudroyé par une attaque cardiaque alors qu'il bêchait tout bonnement le potager, puis Alexandrine sauta prestement en bas du lit.

Quelques heures plus tard, personne ne put dire qui, de la mère ou de la fille, fut la plus heureuse de retrouver l'autre.

Justine n'avait pas enlevé son manteau que, fébrile, elle confiait la petite Madeleine à son mari pour se précipiter vers sa mère qui lui tendait déjà les bras.

Rires et larmes s'entremêlèrent allègrement, puis reprirent de plus belle quand Marguerite se présenta à l'auberge, incapable de patienter plus longtemps pour venir saluer sa sœur, celle avec qui elle avait longuement vécu à Québec avant que la vie ne les sépare. Les deux sœurs tombèrent dans les bras l'une de l'autre.

— Marguerite ! Si tu savais comme je m'ennuie de toi.

— Et moi, donc !

Puis d'une seule voix :

— Te souviens-tu de notre petit logement dans Limoilou ?

Un grand rire succéda aux larmes suscitées par les retrouvailles. Un regard, une accolade et, brusquement, il leur semblait qu'elles avaient mille et une choses à se dire qui n'auraient pu souffrir la moindre minute d'attente supplémentaire.

— Et comment que je me souviens de notre logement ! J'y pense même très souvent, tu sais.

— Ben moi avec. C'est-tu fou un peu, pas rien qu'un peu ! L'autre jour, je disais justement à mon mari que…

Alexandrine se retira discrètement, sachant qu'elle pourrait s'offrir avec sa fille toutes les conversations dont elle aurait envie au fil des quelques jours à venir.

Et Alexandrine s'était bien promis de rattraper le temps perdu !

Ce qu'elles firent, mère et fille, spontanément, tant dans l'intimité de la chambre d'Alexandrine qu'à la cuisine ou à la salle à manger, alors qu'elles dressaient ensemble les tables pour le repas du jour de l'An.

En deux jours à peine, tout y passa ! Le décès de Clovis, la nouvelle vie d'Alexandrine depuis qu'elle logeait à l'auberge, celle de Justine avec trois jeunes enfants, la relation de Paul et Réginald qui continuait d'alimenter quelques conversations, l'arrivée de Prudence à la Pointe quand il était devenu évident qu'elle avait besoin d'un plus grand soutien que celui offert par Marius et Hortense, alors que ses propres filles, Constance et Fernande, ne pouvaient l'héberger. Si certains critiquaient ce fait, sous le couvert de la confidence, les pauvres filles n'y étaient pour rien. En effet, pour l'une, la maison était vraiment trop petite, et pour l'autre, avec un mari œuvrant dans le public à partir de chez lui, la situation était encore plus délicate. D'où le retour de Prudence à la Pointe puisqu'elle était native de la paroisse. Avec la générosité qui les caractérisait, c'étaient Marguerite et Lionel qui l'avaient accueillie sous leur toit.

Puis ce fut le premier janvier. Déjà. Demain, Justine repartirait et Alexandrine savait à l'avance qu'elle s'ennuierait beaucoup. C'était là le revers de la médaille d'avoir pu profiter de la présence de sa fille et de ses petits-enfants durant ces quelques jours.

— Alors, pourquoi ne pas venir à Québec ? suggéra Justine même si elle savait le sujet tout usé d'avoir été trop souvent remis sur le tapis. Dans le fond, tu connais la route comme le fond de ta poche. Tu sais très bien que c'est pas si loin que ça. Pis comme on habite dans la maison de Paul, c'est grand ! On pourrait s'arranger pour que tu restes plusse qu'une journée ou deux! Pis si ça te tente, ben on pourrait...

— C'est ben beau tout ça, ma Justine, coupa Alexandrine, l'esprit vif comme lors de ses plus jeunes années, mais si c'est pas trop loin pour moi, c'est pas plus loin pour toi de venir ici!

Justine se sentit rougir jusqu'à la racine des cheveux parce qu'elle savait bien, au fond, que sa mère n'avait pas tort. Pour cacher son embarras, elle replaça quelques couverts, recula pour juger de l'effet obtenu par l'ajout de branches de pin ornées de ruban rouge et vert qu'Alexandrine et elle avaient déposées sur les tables.

— T'as bien raison, maman, admit-elle finalement en replaçant quelques verres par principe. À part le fait d'avoir des enfants, j'ai pas vraiment d'excuses... À nous deux de faire un petit effort, n'est-ce pas?

Alexandrine hocha la tête en guise d'assentiment avant de glisser un regard en coin vers sa fille et d'ajouter sur un ton faussement sévère en lui faisant un petit clin d'œil:

— Mais faudrait quand même tenir compte de mon grand âge, Justine Tremblay... Je persiste à dire que c'est plus facile de voyager pour des jeunesses comme toi pis ton mari, même avec des petits... Pis si c'est une question de gros sous, appelle-moi! On verra à s'arranger. Astheure que c'est dit, suis-moi dans la cuisine. Comme je le connais, à vouloir toujours tout faire à la perfection, ton frère Paul doit pas suffire à l'ouvrage. Tu sais comment il est quand il reçoit de la visite, n'est-ce pas?

— Oh oui, je le sais. Il est pas endurable, ça, c'est sûr! Il a l'air... Il a l'air d'une mouche sur un panier à pique-nique, tiens, une mouche qui sait pas trop où se poser. T'es ben certaine, maman, que tu veux aller l'aider?

C'était l'évidence même que Justine était réticente. Paul avait toujours préféré être seul dans la cuisine quand il avait un repas fin à préparer, et Justine le savait fort bien pour l'avoir côtoyé régulièrement quand il habitait encore à Québec avec Réginald.

Comme de fait, elle comprit que rien n'avait beaucoup changé dès qu'elle entra dans la cuisine.

Paul y était comme une queue de veau, s'affairant entre l'armoire, la table et la cuisinière. C'est à peine s'il salua les deux arrivantes d'un petit signe de la main. Même Réginald brillait par son absence puisque Paul l'avait expédié à la réception, *manu militari,* pour qu'il y attende les invités, sa seule présence dans la cuisine lui tapant sur les nerfs.

Mais tandis que Justine hésitait à entrer plus avant dans la pièce, peu disposée à se faire rabrouer comme c'était arrivé régulièrement par le passé, Alexandrine, elle, esquissa un sourire.

Malgré ce va-et-vient étourdissant, la vieille dame savait que son fils maîtrisait la situation. L'air était saturé de trop bons effluves pour qu'il en soit autrement.

Sans contredit, le repas était prêt et, comme d'habitude, chacun des mets cuisinés serait délicieux. S'il restait encore quelques détails à parachever, ça ne serait que des broutilles. C'est pourquoi, à cette étape des préparatifs, il suffisait que l'aide proposée corresponde aux besoins de Paul pour qu'il l'accepte sans s'impatienter.

— Alors, mon Paul ? Tout va comme tu veux ?

Yeux mi-clos, Paul avait le nez au-dessus d'un chaudron. De la main, il tâta le comptoir pour s'emparer d'une cuillère en bois.

— Ça va, oui, marmonna-t-il sans lever la tête. Je crois en effet que ça devrait aller.

— Besoin d'aide pour quelque chose ?

Paul, goûtant à la sauce, il n'y eut aucune réponse.

Puis le cuisinier se redressa, déposa la cuillère sur le comptoir et s'essuya les mains sur son tablier.

Paul était sans doute satisfait de la petite bouchée qu'il venait de chaparder dans le chaudron, car il laissa alors filer un long soupir de satisfaction avant de se tourner vers sa mère en souriant.

— Tout est prêt, s'exclama-t-il à l'instant précis où quelques voix se faisaient entendre depuis le hall d'entrée. Même la sauce est à point. J'avais peur qu'elle soit trop salée, mais ce n'est pas le cas.

Alors, oubliant le repas pour un instant, Paul tendit l'index vers un point indéfini au-dessus de sa tête.

— Écoute, maman, j'ai bien l'impression que la visite arrive !

À son tour, Alexandrine tendit l'oreille tandis qu'un rire cristallin se glissait depuis la réception jusqu'à la cuisine.

— Je crois que tu ferais mieux d'aller donner un coup de pouce à Réginald parce que c'est plutôt lui qui va avoir besoin d'aide, ajouta Paul. Après tout, ce midi, c'est la famille Tremblay qui reçoit, n'est-ce pas ?

— C'est bien trop vrai !

— C'est pourquoi tu dois te rendre à la réception.

Tout en parlant, Paul avait fait quelques pas vers sa mère. Avec une infinie tendresse, il posa un bras autour de ses épaules.

— Maintenant, vois-tu, ajouta-t-il d'une voix enrouée par l'émotion, le pilier de cette famille, c'est toi, maman.

Paul toussota pour se ressaisir avant d'affirmer:

— La vie a fait en sorte que tu es devenue le chef de notre famille!

Alexandrine eut l'impression de ne plus savoir respirer. Elle resta immobile un long moment, une main sur la poitrine, le temps d'ajuster les battements de son cœur à l'image de son Clovis, venue s'imposer à sa mémoire à la suite des paroles de son fils. Ensuite, elle prit une profonde inspiration libératrice.

— Tais-toi, Paul, ordonna-t-elle d'une voix cependant très douce, en déplaçant sa main pour la mettre sur la poitrine de son fils. Si tu continues comme ça, je vais me mettre à pleurer comme une Madeleine, pis c'est pas le temps pantoute d'être triste. Ça fait une éternité que j'ai pas eu tous les miens autour de moi en même temps, je voudrais en profiter un peu sans gâcher mon plaisir.

— C'est bien ce que je dis! Allez, file rejoindre Réginald! Et toi aussi, Justine. Après tout, tu fais un peu partie de la visite, même si t'es ma sœur. Pas question que tu salisses ta belle robe avec ma popote!

Cette dernière ne se le fit pas dire deux fois et elle tourna les talons pour suivre sa mère.

Comme tout le monde, ou presque, sortait de la grand-messe, les invités arrivèrent tous à peu près en même temps. En quelques minutes à peine, la salle à manger bourdonna de voix, de rires et d'exclamations. On se voyait souvent, on se parlait au téléphone parfois tous les jours, on se croisait à répétition chez le marchand général ou on s'écrivait régulièrement, mais il semblait bien qu'on eût toujours quelque chose de nouveau à se dire. Quand Paul entra à son tour dans la pièce, précédé par un immense bol rempli de punch d'une appétissante couleur bordeaux, il y eut plusieurs appréciations gourmandes.

— Sirop de framboises et jus d'atocas, clama à la ronde un cuisinier fier du résultat de ses efforts, tout en déposant son lourd fardeau sur un buffet. Avec de l'eau pétillante et sans alcool à cause des enfants. Servez-vous tout le monde ! Pour ceux qui veulent un petit boire plus corsé, je reviens dans deux minutes avec une bouteille de gin ! Après tout, c'est le jour de l'An !

Au moment où Paul revenait avec l'alcool promis, c'était au tour de Lionel et de Marguerite de se présenter à la porte de l'auberge en compagnie de Prudence. Dès qu'Alexandrine les aperçut, debout dans l'embrasure de la porte, elle se dirigea vers eux dans le froufroutement de sa belle jupe de velours grenat qu'elle avait mise pour l'occasion. Parce que c'était la fête, Alexandrine avait choisi de quitter le grand deuil qu'elle s'était imposé depuis le décès de Clovis, et elle s'était permis autre chose que le noir ou le gris.

— Il manquait juste vous trois pour que la fête puisse vraiment commencer, s'exclama-t-elle en tendant les bras. Entrez, voyons, restez pas sur le pas de la porte comme ça ! Donnez-moi vos manteaux, pis faites comme chez vous.

— Alexandrine, n'est-ce pas ?

Deux pas en retrait, l'air méfiant, Prudence avait les sourcils froncés et elle fixait intensément Alexandrine. Heureusement, l'indécision ne dura que le temps d'un battement des paupières et, l'instant suivant, un bref sourire détendit ses traits.

— Ben oui vous êtes Alexandrine. Pourquoi c'est faire que je me posais la question ? Je suis donc drôle, moi des fois. Vous trouvez pas, vous ? Mais en même temps, je suis pas mal contente de vous voir !

Quelques mots, un flottement si bref qu'il ne comptait pas, et Alexandrine fut fixée : Prudence semblait dans une de ses bonnes journées. En effet, pour qu'elle la reconnût ainsi après un seul regard, même tout hésitant, il fallait que Prudence soit particulièrement en forme. Tant mieux.

— Vous avez bon œil, Prudence : je suis bel et bien Alexandrine. Bienvenue chez nous. C'est toujours ben agréable de vous voir. Venez, suivez-moi. On va se trouver un petit coin tranquille pour s'installer pis on va jaser un peu…

Glissant une main sous le coude de Prudence afin de la guider, Alexandrine se tourna vers sa fille qui suivait la scène d'un regard attentionné.

— Pis toi, ma belle Marguerite, lança Alexandrine, tu connais les aires de la maison, n'est-ce pas ? Encore plus que moi, je pense ben ! Alors, sers donc un petit boire à ton mari. Après tout, docteur ou pas, c'est le jour de l'An pour tout le monde !

L'apéritif se prit donc dans la bonne humeur générale

tandis qu'Alexandrine, assise un peu à l'écart, écoutait Prudence sans l'interrompre. Laisser voguer la malade sur ses souvenirs, ne rien brusquer et surtout ne pas trop questionner, voilà probablement la meilleure façon de passer un bon moment avec celle qui vivait de plus en plus dans le passé. Comme en ce moment, alors que Prudence décrivait avec une précision surprenante la ville de Québec à la fin du siècle précédent quand elle-même y travaillait.

— J'ai bien aimé ça, vivre en ville, vous savez, disait-elle justement. J'habitais dans le quartier Saint-Roch, pas trop loin de l'église. Pour une femme seule, ça paraissait mieux, pis je me sentais un peu plus en sécurité à l'ombre des clochers quand il fallait que je revienne chez nous le soir tombé. Ça me permettait surtout d'aller me promener au parc Victoria qui était pas trop loin de là. L'été, quand il faisait beau pis un peu trop chaud, c'était ben agréable d'avoir un peu de brise. Ouais, j'ai ben aimé ça vivre en ville. Il y avait des salles de spectacle, le tramway, des restaurants… Pis des beaux hommes, beaucoup de beaux hommes, précisa Prudence avec un petit rire coquin qui laissa Alexandrine interdite.

Qui donc avait été cette Prudence que son bon ami Matthieu avait épousée en secondes noces ?

À des lieues de se douter de l'émoi qu'elle avait bien malencontreusement suscité par ses propos accompagnés de ce petit rire polisson, Prudence poursuivait sur sa lancée.

— N'empêche que j'ai bien fait de revenir par ici pour soutenir mes vieux parents quand ma sœur Emma est morte en couches parce que c'est comme ça que j'ai rencontré mon mari. Vous connaissez mon Matthieu, n'est-ce pas ?

Question bien inutile que Prudence n'aurait jamais posée, à peine quelques années plus tôt. En effet, de toujours, Alexandrine avait été l'amie de Matthieu Bouchard et d'Emma, sa première épouse qui se trouvait à être aussi la sœur de Prudence.

— Un bien bon homme pis un gros travaillant en plus, ajouta Prudence sans véritablement attendre de réponse à sa question. Avec Matthieu, je manque jamais de rien. On a même un poste de radio, vous saurez. On l'a mis dans la cuisine, juste sur le bout du comptoir pour que tout le monde puisse l'entendre. C'est mon mari qui me l'a donné, ce radio-là… L'an dernier, je pense bien, pour ma fête. À moins que ça soye l'année d'avant pour Noël… C'est drôle, mais je m'en rappelle plus, je m'en rappelle plus pantoute. Mais ça a pas ben ben d'importance. Savoir que ça vient de mon Matthieu, savoir qu'il a eu la bonne idée de me faire plaisir, c'est ben assez pour être contente… Vous trouvez pas, vous ? Je me demande ben ce qu'il fait, lui, d'ailleurs… Vous auriez pas vu mon mari, par hasard, madame Alexandrine ?

En une fraction de seconde, le visage plutôt avenant de Prudence se mit à refléter une vive inquiétude. Elle s'agita sur sa chaise, survola les invités d'un curieux regard, à la fois éteint et affolé. Le semblant de cohérence qui avait teinté ses propos jusqu'à maintenant semblait chose du passé.

— D'habitude, Matthieu est jamais bien loin de moi, marmonna-t-elle, de plus en plus nerveuse.

Comme à cet instant son regard croisa celui d'Alexandrine, Prudence s'y arrêta, exactement comme si elle venait de découvrir sa présence à ses côtés. Un éclat de soulagement traversa alors son regard.

— Alexandrine ! Dieu soit loué, vous êtes là ! Vous allez m'aider à trouver Matthieu. Depuis son attaque, il a besoin de moi pour faire à peu près toute, vous savez. Même s'il a recommencé à parler, ça reste que c'est ben de l'ouvrage de voir à tous ses caprices. Mais ça fait rien... Comme le curé l'a dit au jour de nos noces : le mariage, c'est pour le meilleur pis pour le pire... C'est toujours bien pas de la faute à mon mari s'il a eu une attaque, n'est-ce pas ? Voyez-vous, j'ai pour mon dire que...

À n'en pas douter, Prudence s'était à nouveau lancée dans un de ses longs monologues sans véritable logique autre que celle imposée par ses vieux souvenirs. Pour l'instant, elle avait tout oublié de la mort de Matthieu, alors qu'il s'était éteint dans les bras de son fils Lionel, le cœur enfin en paix.

Il n'y eut qu'un éclat de voix pour réussir à interrompre Prudence.

— S'il vous plaît !

Frappant dans ses mains, Julien, le fils unique de Lionel, tentait d'attirer l'attention de tous. Il y arriva assez facilement, car même Prudence se tut brusquement et machinalement, comme tous les autres, elle tourna les yeux vers lui.

— S'il vous plaît ! Juste un moment...

Quand Julien comprit qu'il avait l'attention de tous les convives, même celle des enfants qui, impressionnés par le silence des adultes, avaient cessé de courir autour des tables, il fit un pas en avant en s'éclaircissant la voix.

— Voilà... D'abord un gros merci à Paul pis Réginald d'avoir eu la gentillesse de nous réunir comme ça. À vous aussi, madame Alexandrine. C'est ben agréable de se retrouver toutes ensemble pour fêter le jour de l'An...

Quelques applaudissements et des murmures soulignèrent l'approbation de tous.

Tout en parlant, du regard, Julien faisait le tour de la salle, s'attardant sur certains visages. À titre de mécanicien du village, il était connu de tout le monde et il connaissait à peu près tout le monde!

— Je le sais pas pour vous autres, reprit-il, mais chez nous, la tradition du premier jour de l'année a toujours été respectée, pis c'est pas parce qu'on est toutes réunis ici que ça change de quoi pour moi.

Julien arrêta son inspection des convives quand son regard croisa celui de son père, Lionel, qui, visiblement, était très ému comme chaque année quand se répétait la coutume.

— Papa... Comme je viens de le dire, je parle pas pour les autres, mais juste pour moi. S'il vous plaît, voudrais-tu nous bénir, ma femme, mes enfants pis moi? Pis, comme astheure c'est toi le plus vieux des hommes ici parce que nos grands-pères sont tous morts, que le Bon Dieu aye leur âme, je pense ben que tu pourrais...

— C'est pas vrai ça!

Toute frémissante, Prudence venait de se lever et elle

fustigeait Julien du regard. Avec un synchronisme parfait, toutes les têtes se tournèrent vers elle.

— C'est pas vrai que cet homme-là est le plus vieux ici, nota-t-elle en pointant un index menaçant vers Lionel. Lui, c'est juste… c'est juste… C'est qui lui, au fait ?

Indéniablement, Prudence avait oublié jusqu'au nom de Lionel. Néanmoins, le timbre de sa voix resta colérique quand elle poursuivit.

— Non, je sais pas c'est qui, lui, pis je sais même pas ce qu'il fait ici rapport que c'est un dîner de famille. Mais une chose est certaine, par exemple, c'est pas mon Matthieu.

Prudence s'entêtait à jeter un regard mauvais en direction du médecin qui n'osait intervenir, sachant que, pour l'instant, ça ne servirait absolument à rien d'essayer de faire entendre raison à Prudence. Cependant, Lionel était profondément malheureux de la situation, et la tristesse qu'il ressentait se voyait jusque dans son attitude, alors qu'il se tenait les épaules voûtées.

— Je le connais pas, lui, répéta la vieille dame, un index tremblant toujours pointé vers Lionel. Ça fait que c'est pas lui qui va venir me bénir ici à matin. Il en est pas question.

— Ben là ! Ça marche pas cette histoire-là. Non monsieur !

À l'autre bout de la salle, Célestin n'avait rien perdu des propos qui venaient de se tenir, et il n'y comprenait plus rien. Il se leva à son tour et, à côté de la table où il s'était installé avec Germain et Gilberte, il commença à se dandiner, fixant Prudence avec un regard rempli de tristesse et d'incompréhension. C'est pourquoi, sans quitter sa belle-mère des yeux, il s'adressa à sa sœur Gilberte et il demanda:

— Tu le sais-tu, toi, Gilberte, pourquoi elle dit ça, Prudence?

— Je te l'ai expliqué, Célestin. Prudence est malade.

Gilberte parlait à voix basse, profondément mal à l'aise d'être le point de mire de tous ces gens tournés vers elle parce qu'ils avaient entendu l'intervention de Célestin.

— Ça va lui arriver de plus en plus souvent de pas reconnaître les gens, tu le sais, je te l'ai expliqué. C'est sa maladie qui fait ça.

— Tant que ça?

Perplexe, Célestin se gratta vigoureusement le crâne.

— Me semble que ça se peut pas d'oublier la personne chez qui tu vis tout le temps. Voyons donc, Gilberte! Ça fait ben des semaines, astheure, que Prudence vit chez mon frère Lionel pis chez madame Marguerite. Pis tout d'un coup, elle les reconnaît pas? C'est comme si moi, demain matin, je te reconnaissais plus. Ça se peut pas, ça! Pis en plus, Prudence pense que papa va venir la bénir. Ça non plus, ça se peut pas parce qu'il est mort, papa. Il peut pas revenir. Non monsieur!

Gilberte inspira longuement, le temps de trouver les bons mots pour que Célestin puisse comprendre rapidement, et que cela mette un terme à cette discussion pénible.

— C'est différent pour Prudence, mon Célestin, expliqua-t-elle enfin. Je te l'ai déjà dit: c'est la mémoire de Prudence qui fonctionne mal. C'est ça sa maladie. Et à cause de ça, aujourd'hui, elle a oublié que papa était mort. Comme elle oublie ben des choses. Des jours ça va, d'autres jours, ça va pas. C'est ben certain que c'est difficile à comprendre, pour toi comme pour moi, mais c'est comme ça que ça se passe dans sa tête à elle. Un matin, Prudence se rappelle très bien que papa est plus là, le lendemain, elle le cherche partout. C'est ben triste à dire, mais le pire là-dedans, c'est que ça changera jamais. Ben au contraire, ça risque d'aller en empirant.

— Ah ouais?

Le regard de Célestin, à la fois triste et découragé, se promena de Prudence à Lionel avec lenteur, puis le grand gaillard se tourna vers Gilberte en soupirant bruyamment.

— J'espère seulement que je serai jamais malade comme ça, moi, déclara-t-il d'une voix déterminée. Non monsieur, faut pas que ça m'arrive. Pis à toi non plus, Gilberte! Surtout pas à toi. Qu'est-ce qu'on deviendrait, Germain pis moi, si toi tu nous reconnaissais plus? On serait ben mal pris, ça, c'est plusse que certain.

— Crains pas, mon homme. À part mon opération de l'été dernier, j'ai jamais été malade, pis pour astheure, je me sens en pleine forme.

— Une chance, oui!

Et pendant ce petit dialogue tenu sur un ton de confidence, Prudence, de son côté, reprenait son monologue, toujours incapable de reconnaître Lionel. Malgré l'âge, sa voix portait toujours aussi bien, et la plupart des invités avaient machinalement reporté leur attention sur elle.

— C'est Matthieu qui va nous bénir, s'entêtait-elle à

dire. Attendez, tout le monde ! Si je peux le trouver, c'est sûr que ça va lui faire plaisir, à mon Matthieu, de toutes nous bénir. Est-ce qu'il y a quelqu'un qui a vu Matthieu ? Depuis que je suis levée que je le cherche.

À ces mots, le silence tombé sur la pièce devint immédiatement plus lourd. Il y eut quelques regards gênés, une toux embarrassée. Qui peut prétendre être vraiment à l'aise devant la détresse d'un autre, devant sa maladie ?

Alexandrine fut la première à réagir. Elle devait éloigner Prudence avant que la situation ne devienne intenable. Lionel ne méritait surtout pas cette attitude d'indifférence même si elle n'était pas volontaire. Elle se leva et posa la main sur l'épaule de Prudence.

— Venez Prudence, on va aller voir dans la cuisine, proposa-t-elle, inspirée par l'intuition que si elle se trouvait dans la même situation que Prudence et qu'on lui parlait de Clovis, elle en serait heureuse et ça l'aiderait à se détendre. Venez à la cuisine, Prudence ! Peut-être ben que c'est là qu'on va trouver Matthieu.

— Bonne idée !

À peine quelques mots et, subitement, Prudence sembla avoir retrouvé tout son entrain. Alexandrine poussa un discret soupir de soulagement alors que la malade s'agrippait à son bras, certainement pour assurer son équilibre, avant d'ajuster son pas sur le sien pour la suivre.

— Ouais, approuva Prudence en quittant la salle à manger, tandis que les conversations reprenaient dans un murmure feutré et que Julien s'empressait de rejoindre son père.

La malade trottinait aux côtés d'Alexandrine et elle dodelinait de la tête avec conviction.

— Ouais, répéta-t-elle, c'est une bonne idée que vous avez eue là, madame Alexandrine. On va aller voir dans la cuisine, rapport que mon mari aime bien ça, installer sa chaise devant la fenêtre. Il surveille sa grange, qu'il dit ! Moi, j'ai pour mon dire qu'il regrette ses jeunes années pis que c'est à ça qu'il jongle sans arrêt en se berçant... Ouais, on va aller dans la cuisine ! Je suis sûre que c'est là qu'on va le retrouver... Saviez-vous ça, vous, que la chaise de Matthieu, c'était celle de Mamie ? Pis après, quand Mamie a été morte, cette chaise-là est devenue celle de Célestin pour un boutte... Ouais... Quand Antonin s'est marié, c'est assis dessus cette chaise-là que Célestin a passé le plus gros de sa peine en se berçant devant la fenêtre parce que c'était difficile pour lui de se séparer de son jumeau... C'est ben triste à dire, mais ça fait longtemps que je l'ai pas vu, le Célestin. Je sais pas trop pourquoi il a décidé ça, mais il demeure plus avec nous autres... C'est ben de valeur parce que je l'aimais gros. À ce qu'on m'a dit, il serait rendu chez Gilberte depuis tout ce temps-là. Je me demande bien ce qu'il est devenu, le grand Célestin. Je me demande ben ce qu'il fait de ses journées parce que lui, tout ce qu'il connaît, c'est le travail de la ferme, pis Gilberte, elle, elle demeure dans un village... Le savez-vous, madame Alexandrine, ce que mon Célestin est devenu ?

DEUXIÈME PARTIE

Juin 1940 – Juin 1941

Le gouvernement de Vichy et la France occupée

« Rien n'est stupide comme vaincre ;
la vraie gloire est convaincre. »

VICTOR HUGO

CHAPITRE 5

En Normandie, le samedi 22 juin 1940

Dans la cuisine chez François Nicolas

« ...Moi, Général de Gaulle, j'entreprends ici, en Angleterre, cette tâche nationale... J'invite tous les Français qui veulent rester libres à m'écouter et à me suivre... Vive la France, libre, dans l'honneur et l'indépendance. »

Un long silence succéda à ces paroles lourdes de sens, mais aussi chargées d'interrogations. Elles résonnaient encore aux oreilles de François Nicolas, longtemps après que l'émission fût terminée.

Ça y était, la France était occupée. Pire, on parlait d'armistice, ce qu'on était probablement en train de signer en ce moment même. D'où l'appel du général entendu à la radio, demandant d'unir les forces de tous les Français pour résister à l'ennemi.

François secoua les cendres froides de sa pipe en la frappant contre les pierres de l'âtre avant de bourrer le fourneau une seconde fois de ce tabac odorant qui plaisait tellement autour de lui et qu'il faisait venir spécialement de Hollande. C'était René, du bar-tabac, au village, qui s'occupait de passer la commande pour lui auprès d'un grossiste hollandais. Cependant, depuis quelque temps, François en usait avec parcimonie pour faire durer le plaisir parce qu'il se doutait bien, dans les circonstances actuelles, qu'il ne pourrait plus se procurer ce tabac de qualité avant longtemps.

Mais ce soir, c'était différent.

Ce soir, la France avait abdiqué et François l'avait en travers de la gorge.

Du bout de l'ongle, il gratta une allumette qui s'enflamma sur le coup et, tout en effleurant le tabac blond avec la flamme, François se mit à tirer de petites bouffées gourmandes qu'il relâchait aussitôt. Il fut rapidement auréolé d'un nuage grisâtre à l'odeur sucrée qu'il inspira longuement.

François jeta alors l'allumette dans l'âtre et, se redressant, il s'accota contre le dossier de sa chaise.

Dehors, un oiseau lança un trille, une vache lui répondit en écho, puis le calme revint. Un calme factice, peut-être bien, oui, et qui cachait ses drames, ses tensions, ses douleurs, mais quand même, le moment était agréable.

La fenêtre de la cuisine était grande ouverte sur l'été. Les fleurs de certains pommiers plus tardifs embaumaient encore et leur parfum tenace arrivait à se faufiler jusqu'à François, tandis que pour certaines variétés d'arbres, la floraison était terminée depuis un certain temps et on devinait déjà l'embryon des pommes.

Le producteur de calvados l'avait remarqué, ce matin, alors que le jour se levait à peine sur la campagne normande et qu'il marchait dans son verger.

Dans la région, une autre saison de production de calvados venait de démarrer, malgré les raids de l'armée allemande qui s'étaient multipliés ces derniers jours, faisant d'une guerre jusque-là lointaine une chose bien réelle, autrement plus inquiétante que la vague rumeur qui l'avait précédée. Malgré cela, malgré certaines horreurs dont on entendait parler concernant les Juifs qui étaient regroupés dans des ghettos, malgré ces milliers de soldats français faits prisonniers à la suite de la reddition du maréchal Pétain, malgré ces villes bombardées et ces gens qui fuyaient, la vie continuait.

Par ses arbres fleuris, son soleil qui brillait et sa brise aux senteurs salines provenant de la mer quand le vent soufflait de l'ouest, la nature, elle, s'accrochait contre vents et marées, peut-être tout simplement pour rappeler qu'elle serait la plus forte.

François poussa un soupir silencieux en se disant que trop souvent, hélas, c'était l'homme qui venait tout gâcher.

À l'autre bout de la pièce, Madeleine et Françoise discutaient à voix basse. Elles savaient que François aimait bien écouter la radio, le soir après le repas. Pour faire le point sur les événements, disait-il quotidiennement, suivant ainsi, depuis des semaines, la progression de l'armée allemande. Comme il y avait souvent de la friture sur les ondes de l'émission de la BBC à Londres, les deux femmes essayaient de se faire le plus discrètes possible, comme en ce moment alors qu'elles terminaient la vaisselle côte à côte.

François leva la tête et il s'attarda à fixer le dos de sa femme et de sa fille qui, de leur côté, semblaient n'avoir prêté qu'une oreille distraite aux propos de ce Français exilé, un colonel promu tout récemment général, et portant le nom on ne peut plus patriotique de Charles de Gaulle. Elles auraient peut-être dû l'écouter, ce général inconnu, car le sort de leur pays était de plus en plus incertain, mais, à première vue, elles ne l'avaient pas fait.

Pour sa fille, François comprenait sans avoir besoin d'explication, car on était sans nouvelle de Rémi depuis le mois précédent, alors qu'il était venu en permission. La jeune femme se mourait d'inquiétude.

Était-il mort, était-il prisonnier, se cachait-il, reviendrait-il bientôt ? On n'en savait rien.

Alors, que Françoise ne veuille pas entendre parler de la guerre, c'était presque normal. C'était sans doute pour elle une question de survie.

Quant à Madeleine, son épouse, les souvenirs de l'autre guerre devaient faire en sorte qu'elle préférait ne pas s'étendre sur le cours des choses.

Mais allez donc savoir ce que Madeleine Talon, dite Nicolas, pouvait bien penser de cette guerre ! Elle était d'abord et avant tout une femme d'action, pas une femme de paroles, et même François, son mari, ne savait pas ce qu'elle pouvait bien en penser.

Quoi qu'il en soit, François ne leur en voulait pas. C'était leur manière à elles d'affronter la tourmente, de garder leurs forces en essayant de ne pas trop spéculer, en jouant les indifférentes. Se faisant complice de la chose, l'environnement plutôt paisible de leur coin de campagne s'y prêtait bien.

Pour lui, il en allait autrement.

Un voile de tendresse embua le regard de François

tandis qu'il suivait les gestes des deux femmes qui partageaient sa vie.

Pour ces deux femmes, justement, qui avaient une si grande importance à ses yeux et pour les petits-enfants qui viendraient peut-être, pour l'honneur de cette patrie qu'il avait vaillamment mais de toute évidence vainement défendue en 1914, et pour l'espoir de retrouver vivant son gendre Rémi dont on était sans nouvelle depuis bientôt un mois, François Nicolas ne pouvait rester immobile, les bras ballants, en attendant que ça se tasse. Comme l'avait si bien affirmé le général, tout à l'heure, sans le courage et la bonne volonté du peuple français, ça ne se tasserait pas.

Cela, François Nicolas le savait d'instinct. Mais que faire de plus que de traverser le quotidien, l'oreille à l'affût du moindre propos, du moindre renseignement et, depuis ces derniers jours, en épiant les moindres bruits venus du ciel parce que c'était par là que la guerre était arrivée jusqu'ici, en Normandie, les avions de la Luftwaffe ouvrant la route aux bataillons et aux divisions de panzers, ces blindés allemands que rien ne semblait pouvoir arrêter ?

Que faire d'autre, que faire de plus, pour répondre à l'appel du général ? Le rejoindre en Angleterre ?

François ne savait pas.

Tout cela semblait immense, impossible.

C'était si subit, ce bouleversement, si déconcertant.

En moins de cinquante jours, la face de l'Europe avait changé, défigurée par les frontières repoussées, les allégeances modifiées.

Cinquante jours... Moins de deux mois.

En fait, jusqu'à tout récemment, la guerre s'était faite plutôt insidieuse. Comme Rémi l'avait prédit quand les deux hommes s'étaient prêtés à l'exercice de refaire le monde, au lendemain du mariage, ce serait une guerre différente, imprévisible.

— C'est intrigant ce qui se passe à l'autre bout du pays, avait-il souligné en faisant référence au poste où il avait été affecté, à l'est de la France. En fait, pour être honnête, il faut plutôt dire qu'il ne se passe rien sur la ligne Maginot, ou si peu… Ça doit cacher une bonne raison, avait-il avancé par la suite. C'est trop calme et ça m'inquiète. Regardez bien si les Allemands ne nous tombent pas dessus à un endroit tout autre. Un endroit si difficile d'accès que personne n'aurait pu y penser tellement il est improbable. Si c'est le cas, on risque de se retrouver embourbé. Faut quand même pas se le cacher : la France n'est pas prête pour une seconde guerre. Je le constate tous les jours : on n'a pas suffisamment d'hommes et si peu de soldats de carrière. Si on n'a pas le matériel, on n'a pas vraiment le commandement, non plus… Tout est vieux, désuet, mal en point. Comment affronter l'ennemi dans de telles conditions ? Et cela, malgré l'aide des alliés, remarquez-le bien !

Voilà ce que Rémi avait affirmé au lendemain des noces, et ses prédictions étaient en train de se réaliser. Toutes, les unes après les autres.

Si en décembre, on s'était réjouis de la victoire finlandaise, l'espérance d'une guerre rapide avait été de courte durée et, en mars, la Finlande capitulait devant la Russie, alliée de l'Allemagne.

À quelques semaines de là, tandis qu'on attendait toujours l'invasion allemande tout au long de la ligne Maginot, l'attaque, bien qu'audacieuse, était plutôt venue par les Ardennes, ce territoire forestier accidenté au nord de la France, prenant tout le monde par surprise et séparant par le fait même les forces alliées en deux groupes distincts, affaiblis. Ce fut la débandade malgré de nombreux et braves foyers de résistance.

Le 14 mai, les Pays-Bas se rendaient et, au moment même où leur capitulation était négociée, Rotterdam était bombardée par les avions allemands, une partie du centre-ville étant ainsi détruite et des centaines de civils tués.

On avait prétendu à l'erreur, personne n'y avait cru vraiment.

Le 28 mai, ce fut au tour de la Belgique de tomber sous les assauts de l'armée allemande. Resté neutre le plus longtemps possible, le pays s'était vu contraint de rendre les armes tandis que les troupes anglaises, en compagnie de plusieurs soldats français et polonais, se repliaient sur Dunkerque afin d'être évacuées en catastrophe vers Douvres, en Angleterre. Si cette ultime opération fut qualifiée de franc succès, malgré le fait que les forces terrestres anglaises furent dépossédées de leur armement, elle fit cependant dire à Winston Churchill, celui-là même qui avait été nommé premier ministre le 10 mai précédent, en remplacement de Neville Chamberlain, discrédité par le désastre de la campagne de Norvège :

— Les guerres ne se gagnent pas par des évacuations.

Ce que François approuvait sans la moindre réserve. Il allait falloir agir pour s'en sortir.

Ce fut ainsi, sans rencontrer de véritable résistance, que le 5 juin, les Allemands avaient franchi la Somme, puis atteint la Seine cinq jours plus tard. Ce jour-là, le 10 juin, le gouvernement français quittait précipitamment Paris avec le maréchal Philippe Pétain à sa tête.

Tout ce beau monde s'était alors réfugié à Bordeaux.

À défaut d'une défense solide, Paris avait été déclarée ville ouverte le 14 juin suivant et les soldats allemands n'avaient eu qu'à y entrer par la grande porte. Une photo montrant l'armée du führer en train de parader Place de la Concorde, image de propagande largement répandue, avait fait serrer les poings à François. Geste de rage contenue, bien sûr, mais aussi de grande inquiétude devant l'inconnu. Seule et unique consolation: ainsi, Paris la belle n'avait pas été bombardée! N'empêche que l'Allemagne continuait sa progression implacable.

Qui donc saurait tenir tête à Hitler et empêcher son IIIe Reich d'étendre ses tentacules partout en Europe?

Comme pour donner raison à François, les Allemands continuèrent d'attaquer quelques jours plus tard. Ils considéraient sans doute que Paris ne suffisait pas pour asseoir leur autorité, et espéraient s'offrir ainsi une belle ouverture sur l'Atlantique. Les villes de Cherbourg, du Havre, de Rouen et de Brest tombèrent.

«Aussi bien dire la porte d'à côté», avait alors pensé François, une désagréable crampe lui serrant l'estomac. Et le soir du 17 juin, c'est la mort dans l'âme qu'il avait entendu le maréchal Pétain annoncer la reddition de la France sur les ondes d'un poste français, réquisitionné par les Allemands pour leur propagande.

« C'est le cœur serré que je vous dis aujourd'hui qu'il faut cesser le combat… »

La France se rendait.

Bien sûr qu'il fallait cesser le combat, personne n'allait contredire cette affirmation. On ne devrait jamais se battre. Jamais. Mais était-ce là une raison pour ne pas se défendre ? Pour ne pas repousser l'envahisseur ?

Des milliers de Français du Nord, des Belges et des Hollandais fuyaient devant l'avance de l'armée allemande et il n'était pas rare, maintenant, de voir des réfugiés, portant de maigres biens sur leur dos ou dans une charrette, fuir l'apocalypse, marcher sans relâche le long des routes en direction du sud de la France, déclarée zone libre.

Et en ce moment même, tandis que François Nicolas tirait pensivement sur sa pipe, essayant tant bien que mal de faire le point sur la situation, l'armistice était en train d'être signé à Rethondes.

Le maréchal Pétain avait-il raison, et plusieurs Français le pensaient, ou était-ce le général de Gaulle qui possédait la seule vraie réponse en parlant de fierté et de liberté ?

N'empêche que dorénavant, une ligne de démarcation scinderait la France en deux : le sud serait la zone libre, administrée par le gouvernement de Pétain qui, dans quelques jours, s'installerait à Vichy. On en parlait déjà.

Au nord et à l'ouest de cette nouvelle frontière, il y aurait la zone occupée, là où vivaient François Nicolas et sa famille.

L'image suggérée fut vite intolérable aux yeux de François et la réponse à toutes ses interrogations, passées, présentes et à venir, devint alors très claire : à moins de songer à fuir comme tant d'autres, ce que François ne pourrait jamais se résoudre à faire, pas plus sous la menace que sous les contraintes, il n'y avait pas trente-six solutions : quel qu'en soit le prix, il fallait tenir tête à l'envahisseur, à l'ennemi.

François n'avait pas envie de finir sa vie dans un pays divisé en deux et, surtout, il n'était pas question pour lui de devenir citoyen allemand !

Il se leva lentement, se pencha et secoua une seconde fois sa pipe en la toquant contre les pierres de l'âtre. Puis il vérifia avec le bout de son pouce qu'elle était bien éteinte avant de la glisser par habitude dans une des profondes poches de son pantalon.

— Je sors.

Madeleine se retourna précipitamment.

— Tu sors ? Avec… Avec tous ces… ces étrangers que tu peux rencontrer ?

À croire que les mots « Allemands » ou « envahisseurs » ne passaient pas sa gorge, car Madeleine ne les prononçait jamais.

François se voulut rassurant.

— Le soleil est encore haut, fit-il en montrant la fenêtre. On est en juin, la nuit est longue à venir. On se revoit plus tard.

Sur ce, François Nicolas quitta la maison, traversa la cour et, longeant le verger, il prit le chemin menant au village.

Autant par habitude que pour répondre à sa nature profonde, il avançait à pas lents et mesurés pour se donner le temps de réfléchir tout en admirant cette campagne dont il ne se lasserait jamais.

Au-dessus du boisé voisin, le clocher de l'église se détachait fièrement sur le bleu intense et profond du firmament. C'était une magnifique soirée d'été qui s'amorçait, alors qu'à l'autre bout du ciel, le soleil commençait à descendre lentement vers l'horizon.

Autour de François Nicolas, tout n'était que douceur et sérénité. Difficile de croire que le pays était en guerre.

« Non, songea-t-il avec amertume. Nous ne sommes plus en guerre puisque l'armistice, c'est en ce moment même qu'il doit être signé. »

François s'arrêta un instant et regarda tout autour de lui.

Des vallons, des collines, des vergers, quelques maisons, des bêtes... C'était tout simple, mais si beau. Le soleil couchant étirait les ombres, l'air avait une senteur de fleurs et les hirondelles striaient le ciel de leur vol élégant.

Était-ce au prix d'une reddition qu'on pourrait garder tout cela intact, qu'on pourrait continuer à vivre normalement ?

Mais la vie serait-elle aussi normale qu'on se plaisait à l'espérer maintenant que le pays était sous la domination allemande ?

François inspira longuement tout en reportant les yeux sur le clocher de l'église qui surplombait la place principale du village, un village qui était probablement sans grande importance sur l'échiquier des enjeux de cette guerre. Quelques centaines d'âmes tout au plus y vivaient, surtout des cultivateurs comme lui, alors les Allemands ne s'y étaient pas intéressés.

Jusqu'à aujourd'hui.

Quoi d'autre pour que les avions aient volé au-dessus de leurs têtes sans laisser tomber quelques bombes au passage ? On n'était pas à Cherbourg ou à Rouen, ici. La mer était relativement loin, les usines aussi. Qu'avaient-ils à craindre réellement en vivant dans un coin de pays aussi perdu ?

François trouva l'idée réconfortante. Tout compte fait, peut-être seraient-ils en relative sécurité, sa famille et lui, tout en restant dans leur maison, à faire ce qu'ils avaient l'habitude de faire.

Sur cet optimisme mesuré, chargé d'inconnu, mais aussi de refus, François reprit sa promenade.

Si ça n'avait été de la guerre et des pensées sombres, parfois carrément contradictoires et qui agaçaient prodigieusement François Nicolas depuis le discours du général entendu à la BBC, la flânerie vers le village aurait été agréable.

La place de la Fontaine Victor-Hugo était déserte, le café peu fréquenté, mais le copain René était à son poste habituel, derrière le zinc du bar-tabac. Les éclats de voix, ce soir, se faisaient rares et les conversations se menaient à voix feutrée. Un ballon de rouge apparut devant une place libre quand René reconnut son ami François.

— Qu'est-ce que t'en penses ?

Pas besoin d'en dire plus, François avait très bien compris ce que son copain voulait dire.

Le producteur de calvados commença par hausser les épaules. Tout comme sa femme, Madeleine, François était un homme de peu de mots. Il avait besoin de temps pour la réflexion et la marche jusque-là n'avait pas été suffisante. Alors, il prit une longue gorgée de vin, se donna un moment pour la savourer les yeux mi-clos en gonflant ses joues et, ensuite, tout en déposant son verre sur le comptoir, il s'essuya la bouche du revers de la main et il répondit à la question par une autre question :

— Y a-t-il vraiment quelque chose à penser ? Ne vaudrait-il pas mieux agir plutôt que de perdre son temps en vaines considérations ? J'en suis là dans ma réflexion.

René esquissa un sourire, tout en essuyant un verre propre pour le faire reluire, ce qu'il faisait du matin au soir quand il n'était pas en train de servir un client.

— C'est bien ce que je me disais aussi.

— Armistice ou pas, l'ennemi sera toujours l'ennemi, argumenta François, tant pour René que pour lui-même. Si on n'en veut pas chez nous, faut le faire savoir. N'importe comment, mais faut que ça se sache. Ceci étant dit, qu'est-ce qu'on peut faire ?

René hésita à peine.

— On se rallie.

— À qui, à quoi ?

— Au général. Celui de la radio. Ce de Gaulle.

François n'eut pas le temps de répondre qu'une voix s'élevait au fond de la pièce.

— Eh René ! Un autre café s'il te plaît !

— J'arrive !

Le temps de servir ce client, puis un autre, et René revenait à son poste derrière le comptoir. Tout en bourrant sa pipe, François reprit spontanément là où la conversation avait été interrompue.

— J'y avais pensé, crois-moi ! Suivre le général, me rallier à ses idées, ça semble bien. Mais où ça ? En Angleterre ? Si c'est le cas, je ne pourrai en être. J'ai un verger, vois-tu. La saison est commencée et…

— Et moi, j'ai une buvette, coupa René. Chacun ses obligations. Ça a peut-être l'air de rien comme ça, une buvette, mais ça a aussi son importance.

— Loin de moi la prétention de dire le contraire. La preuve, c'est que je suis ici, à parler avec toi.

Tandis que François craquait une allumette, les deux hommes échangèrent un long regard chargé de souvenirs et d'inquiétude avant qu'un nuage de fumée blanche ne les sépare.

François et René avaient fait la Grande Guerre ensemble, et ils faisaient partie de ceux qui avaient eu cette chance de bossu d'en revenir indemnes. Par la suite, l'amitié entre eux, celle qui durait depuis l'enfance, avait pris une tournure différente.

Ils étaient devenus frères d'armes et il n'y avait aucun mot pour décrire ce qu'ils ressentaient l'un envers l'autre.

— Néanmoins, la buvette, les vergers, ça ne change rien à tout le reste, nota enfin René, au bout de ce court silence.

Sur ce, il cracha sur le sol.

— Tu veux savoir ? J'en ai rien à foutre de l'armistice.

Ces mots directs et crus, cette réaction démesurée correspondaient en tous points à ce que François ressentait viscéralement.

— Bien dit, approuva-t-il sans hésiter.

Sur ce, François tira sur sa pipe et souffla un nuage

odorant au-dessus du comptoir, puis il ajouta :

— Je me répète : qu'est-ce qu'on peut faire ?

René éluda la question d'un coup de torchon plus vigoureux.

— On va trouver, affirma-t-il, en mirant le verre qu'il venait d'essuyer avant de le déposer sur la tablette derrière lui. Ne serait-ce qu'aider ceux qui fuient. Les Allemands font peur. T'as lu les tracts qu'on trouve un peu partout, n'est-ce pas, à propos des Juifs ? Ce n'est pas facile pour eux, en Belgique, en Hollande… Ils perdent leurs droits les uns après les autres. Ils sont arrêtés de façon arbitraire, déportés, emprisonnés sans raison… Plusieurs vont tenter de fuir, j'en suis certain. Ça sent mauvais tout ça.

D'un signe de tête, François signifia qu'il savait et qu'il partageait le point de vue de son copain.

— Pour eux, on pourrait peut-être faire quelque chose, proposa René. Pour ceux qui fuient, je veux dire.

— Là encore, tu as raison. Moi aussi, j'y avais pensé. Le village est calme et sans doute trop petit pour être occupé. On pourrait s'en servir pour faire quelque chose.

— J'en suis !

Comme suite logique à ce qui venait d'être dit, René se mit à improviser, la voix dure et le regard encore une fois tourné vers le passé.

— Pourquoi ne serait-on pas une espèce de relais ? proposa-t-il. Pour se cacher le temps d'une nuit, le temps de se reposer. La route est longue entre la Hollande, la Belgique et le sud de la France, et ils sont nombreux à fuir vers cette liberté peut-être illusoire pour toi et moi, mais pas pour eux.

— C'est une idée.

François but d'une traite les quelques gorgées de rouge qui restaient au fond de son verre.

— N'empêche que ça serait une belle façon de faire un pied de nez à l'ennemi.

— Puis, au besoin, des charges d'explosifs, ça se trouve, poursuivit René qui revoyait en pensée tout ce qu'ils avaient vécu lors de la précédente guerre. On le sait, on l'a déjà vécu. Alors on sait aussi qu'on peut trouver des gens pour les poser, les explosifs… Un réseau, ça se monte.

René fixa François intensément.

— Tout pour nuire, François. C'est pas vrai que mon pays ne s'appellera plus la France. Tout pour leur mettre des bâtons dans les roues, à ces salauds de Boches. C'est depuis 14 que je les déteste, c'est pas aujourd'hui que ça va changer.

Un long silence succéda à ces derniers mots, comme si brusquement, de part et d'autre, on mesurait l'ampleur de la tâche si, tout compte fait, on décidait de mettre le pied à l'étrier. Parce que personne ne les obligeait à agir. Rien ni personne, sauf peut-être une envie viscérale de liberté et le besoin de terminer une bonne fois pour toutes ce qui avait été mal fait en 1918.

— On va dormir là-dessus, proposa finalement René. J'en parle autour de moi, fais de même de ton côté et on se retrouve demain. Ici, à la même heure.

— J'y serai.

— Je te jure, François, qu'un jour on va célébrer la victoire. La vraie, celle qui va nous mener à une paix durable.

René parlait à voix basse.

— C'est juste un cauchemar, tout ça. Un foutu bordel de merde de cauchemar. Mais ça va passer et on va s'en sortir comme l'autre fois. Tu t'en souviens, dis ? On a toujours prétendu qu'on allait s'en sortir. On a vécu dans les tranchées, on a partagé notre pain avec les rats, on a eu froid, on a eu peur, mais on n'a jamais douté. Et on s'en est sortis… Ça va être pareil cette fois-ci, crois-moi.

— Dieu t'entende… Et quand viendra le jour de la libération, moi, j'aurai ce qu'il faut pour célébrer… Comme mon père en 18… Tu n'as sûrement pas oublié, n'est-ce pas ? Allez ! On se revoit demain.

Quand François revint chez lui, entre chien et loup, Madeleine, inquiète sans vouloir l'avouer, attendait son mari en faisant le pied de grue devant la fenêtre.

— Enfin.

Dès que François entra dans la cuisine, Madeleine le toisa des bottes au chapeau. Il haussa les épaules avec une nonchalance étudiée. Tout pour ne pas inquiéter Madeleine qui avait tendance à l'exagération.

— Pourquoi t'en faire ? demanda-t-il sans hésiter, sachant à l'avance ce que sa femme allait lui dire. La barre du jour est encore bien visible à l'horizon. Tu te faisais du souci pour rien.

— Que tu dis !

— Allons, allons ! Tout est calme dehors. On disait justement avec René qu'un aussi petit village n'intéresse personne.

Sans quitter son mari des yeux, Madeleine secoua la

tête avec commisération, comme accablée devant autant d'inconscience.

— Ben moi, je pense le contraire, vois-tu. Un petit village sans histoire peut s'avérer fort intéressant, et pas juste pour nous… N'oublie jamais ça. Sur ce, je vais me coucher.

— Et moi, je vais à la cave.

— La cave ? Pourquoi la cave ? Tu veux y dormir ou quoi ? Tu me caches quelque chose ?

— Non, je ne cache rien du tout, et non, je ne vais pas y dormir. Pourquoi le ferais-je ? La nuit est calme, je viens de le souligner. S'il y avait quoi que ce soit, je te le dirais… Non, je veux jeter un coup d'œil à la cave, tout simplement. Au cas, justement, où notre village deviendrait intéressant.

— Grand bien te fasse… Tu m'excuseras, mais moi, je monte dormir, je suis vannée.

François attendit que son épouse ait disparu dans l'ombre du palier, à l'étage des chambres, pour se tourner vers Françoise qui lisait, assise à la table, et il ajouta :

— Et toi ? Tu viens avec moi ?

Le temps de terminer sa phrase et la jeune femme leva les yeux.

— Où ça ?

— À la cave. J'ai quelque chose à te montrer.

Françoise pencha la tête sur le côté, surprise. Il était rare que son père aille à la cave. Alors, pourquoi ce soir ? La jeune femme se tourna franchement vers lui tandis qu'elle entendait sa mère se préparer pour la nuit. Son visage exprimait une curiosité indéniable.

— À la cave ? répéta-t-elle. D'accord... Je finis ma page et je te rejoins. Pas trop longtemps, cependant, car je veux me coucher bientôt. Je tombe de sommeil, tu sais.

Quand Françoise rejoignit son père, il était en train de sonder les pierres du soubassement de la maison.

— Voilà ! J'ai trouvé... Viens voir.

À l'aide d'un pied-de-biche, François fit bouger une pierre, puis une autre, puis une troisième...

— Génial ! À croire qu'il avait tout prévu !

— Mais de quoi parles-tu ?

Sans répondre, François revint sur ses pas et, avec précaution, il fit jouer la première pierre jusqu'à ce qu'elle finisse par bouger librement afin qu'il puisse la retirer du mur. Petit à petit, il la fit glisser hors de sa cavité avant de la dégager complètement pour la prendre à deux mains. Puis, écartant les jambes, il se pencha et la déposa sur le sol de terre battue.

Sourcils froncés, intriguée, Françoise regardait son père agir.

— Mais qu'est-ce que c'est que ça ?

Un trou béant marquait le mur comme une tache d'ombre. François se redressa.

— La cachette de ton grand-père, jeune fille, annonça-t-il sur un ton victorieux. C'est ce que j'espérais trouver en descendant ici ce soir. Que les pierres n'aient pas été coulées de nouveau dans le mortier.

— La cachette de mon grand-père ? Le mortier ? Je ne comprends pas. Et pourquoi déchausser les pierres ?

Par réflexe, et témoin d'une certaine inquiétude, Françoise leva les yeux vers le plafond.

— Ce n'est pas dangereux, enlever les pierres comme ça ?

— Non, ce n'est pas dangereux. Pas si on les retire à différents endroits, comme c'est le cas ici… À la dernière guerre, c'est ainsi que mon père avait caché ses meilleures bouteilles. On va faire comme lui.

— Cacher des bouteilles ? Pourquoi cacher des bouteilles ? Qu'est-ce que tu essaies de me dire et que je ne voie pas ?

— Je dis que les Allemands, si jamais ils se pointent ici, ne s'enivreront pas grâce à moi.

À ces mots, Françoise esquissa un sourire.

— Oui, d'accord… Ça te ressemble de dire ça. Mais encore ? Je te ferais remarquer que l'armistice a été signé ce soir. La France n'est plus en guerre, papa… Si ?

Le regard de François s'assombrit et ses mâchoires se contractèrent.

— C'est ce qu'on dit. Pour moi, c'est plutôt une question de perspective. Ou de bout de papier si tu préfères. La France n'est plus en guerre, soit, mais ce n'est pas la paix non plus. Ne viens jamais prétendre le contraire.

— Ce n'est pas ce que j'ai dit, répliqua Françoise sur un ton un peu sec, croyant que son père la prenait pour une insouciante, une demeurée.

— Excuse-moi… J'ai les nerfs à fleur de peau. Ça me rappelle tant et tant de choses… Les Allemands occupent la moitié de notre territoire, non ? Et il s'avère que c'est en plein dans la moitié où j'habite. Pétain a signifié la reddition, d'accord, mais parlait-il vraiment au nom de tous les Français ? J'en doute. Chose certaine, il ne parlait pas pour moi. Alors, vois-tu, je ne resterai pas là à attendre je ne sais trop quoi... Non, je ne resterai pas là à regarder mon pays se faire déchirer en deux, sans rien faire.

— C'est ce général de la radio qui t'a mis ces idées-là en tête ?

Ce fut au tour de François d'ébaucher l'ombre d'un sourire.

— Comme ça tu écoutais ?

— Qu'est-ce que tu crois ? lança Françoise en haussant les épaules.

Tout en parlant, elle s'était approchée du mur de soutènement et, du plat de la main, elle fit bouger la deuxième roche.

— Bien sûr que j'ai tout écouté, confirma-t-elle tout en se mettant à gratter un peu de mortier du bout de l'ongle. L'aurais-tu oublié ? Je n'ai pas de nouvelles de mon mari depuis plusieurs semaines, alors oui, je veux savoir ce qui se passe.

— Ce qui se passe ? répliqua François avec véhémence. C'est que la France n'a pas dit son dernier mot. Voilà ce qui se passe, ma fille.

Pour la seconde fois en quelques instants à peine, Françoise esquissa un sourire.

— Là, c'est pas le général qui parle, affirma-t-elle avec une certaine moquerie dans la voix. C'est plutôt ton copain René.

Piqué, François se retourna vivement.

— Oui et après ?

Françoise haussa les épaules et accentua son sourire.

— Pourquoi t'emporter ? René ou le général, c'est du pareil au même. Et on peut bien rire un peu, non ?

— Non, ma fille, je n'ai pas le cœur à rire. La situation ne prête vraiment pas à rire.

Françoise ouvrit la bouche pour répondre, mais la referma sans prononcer la moindre parole et elle se détourna.

En fait, depuis quelques jours, elle s'était juré de ne pas parler. Pas maintenant, pas tout de suite, même si la nouvelle justifierait peut-être tout, donnerait un sens à ses mots, à ses sourires, à ses envies de vivre normalement malgré la présence des Allemands autour d'eux.

Mais peut-être aussi qu'on la traiterait d'écervelée. Avec tout ce qui se passait dans le pays...

Françoise ferma les yeux un court instant et serra les lèvres parce que le désir de tout dévoiler était puissant, si envahissant par moments. C'était un peu pour cela qu'elle avait suivi son père à la cave. En tête à tête, seuls tous les deux, peut-être bien que les mots viendraient, sans nécessairement couler de source.

Peut-être...

La jeune femme hésita une fraction de seconde supplémentaire puis décida que non. Elle ne dirait rien. C'est Rémi qui devait savoir en tout premier lieu, et la lettre n'était pas encore écrite.

Françoise retint un soupir qu'elle n'aurait pas eu envie d'expliquer, car si la lettre à Rémi n'était toujours pas écrite, c'était tout simplement parce qu'elle ne savait pas où l'envoyer et qu'elle avait peur. Une peur incontrôlable qui éloignait jusqu'au sommeil.

À son tour, elle prit une pierre entre ses mains et, après quelques efforts pour la dégager, elle la déposa sur le sol, à quelques mètres de l'autre. Ce soir, ce serait les bouteilles de calva. Le reste viendrait plus tard.

En Normandie, bien des choses passaient par le calva !

Des yeux, Françoise tenta de repérer une autre pierre qui semblait moins solide et elle s'y dirigea tout en prêtant attention aux propos de son père qui avait recommencé à parler.

— Au grand jour, c'est difficile d'agir, expliquait-il, tout en attaquant une autre pierre, lui aussi. Mais la nuit…

— Ça ne te fait pas peur ?

François se contenta de hausser les épaules.

— On verra, fit-il enfin, sur un ton volontairement vague. On ne sait rien encore. Ce qu'il faudra faire, comment le faire… C'est imprécis, mais l'intention est là. C'est ce qui compte.

François se voulait rassurant, car il comprenait l'inquiétude qu'il entendait dans la voix de sa fille.

— On verra, répéta-t-il.

Puis, mettant un semblant d'enthousiasme dans sa réponse, il ajouta :

— Pour l'instant, on va s'occuper de quelques bonnes bouteilles et les mettre à l'abri des convoitises. Comme ton grand-père l'a fait avant nous. Demain… Eh bien ! Demain sera une autre journée… Je te tiendrai au courant de tout, n'aie crainte !

CHAPITRE 6

Pointe-à-la-Truite, le lundi premier juillet 1940

Sur la galerie, derrière la petite maison de Gilberte

— On dirait ben que l'été est arrivé pour de bon, cette fois-ci. Oui monsieur ! Ça doit ben faire une grosse semaine qu'il fait beau pis chaud.

Sur ces quelques mots encourageants, venus après un hiver rigoureux et un printemps tout aussi capricieux, Célestin poussa un long soupir de contentement. Nul doute, il faisait de plus en plus beau, de plus en plus chaud, c'était donc l'été. Il savait cela, le Célestin, et il s'en réjouissait.

Oui monsieur !

Comme on était lundi, Gilberte en avait profité pour laver les draps de tous les lits. En effet, le lundi, elle ne travaillait jamais le matin, en remplacement du dimanche où elle passait trop souvent la majeure partie de sa journée à l'église, occupée par les deux messes de la matinée et les baptêmes de l'après-midi. Alors, tous les lundis, comme en ce moment, elle en profitait pour mettre sa maison à l'ordre.

— T'as ben raison, mon homme, approuva-t-elle en secouant une taie d'oreiller pour la défriper un peu avant de l'épingler sur la corde tendue entre le coin de la maison et un vieux pin tout rabougri qui se dressait au fond de la cour. L'été est arrivé. Enfin ! L'hiver a été long, cette année, ben long pis ben froid... Mais c'est fini tout ça, pis à soir, mon Célestin, les draps de ton lit vont sentir pas mal bon, pas mal meilleur, en tous les cas, que ceux de l'hiver quand on est obligé d'étendre nos brassées de lavage de bord en bord du salon.

— C'est pas mal vrai, ça, que le linge sent plus bon quand on l'étend dehors, approuva Célestin en opinant vigoureusement du bonnet... On dirait que ça sent le soleil !

L'image suggérée par Célestin était jolie et elle fit sourire Gilberte tandis qu'elle se penchait pour attraper une autre taie d'oreiller dans le panier d'osier posé à ses pieds.

Puis la vieille poulie toute rouillée grinça dans l'air chaud du matin et Gilberte accrocha la taie d'oreiller.

Pendant ce temps, assis sur une des marches de l'escalier qui descendait vers le jardin, Célestin continuait de monologuer. Il s'amusait à détailler la cour, à peine plus grande qu'un mouchoir de poche.

— C'est peut-être pas ben ben grand, chez nous, constata-t-il en hochant la tête, c'est pas mal vrai, mais c'est pas mal beau quand même, avec les arbres remplis de fleurs. Pis après, ça reste encore beau à cause du jardin. J'aime ça, m'occuper du jardin. Oui monsieur ! Dans pas longtemps, on va commencer à avoir des p'tits légumes pis j'aime ça, moi, voir les légumes pousser, pis les manger quand ils sont devenus plus grands. C'est pas mal bon, les légumes du jardin...

Célestin se redressa, jeta un long regard à la ronde, satisfait de tout ce qu'il voyait.

— Je suis bien ici, moi, Gilberte! déclara-t-il. Ouais, je suis pas mal bien, avec toi pis Germain. Pis avec Paul à l'auberge, pis son ami Réginald. Il y a Lionel, aussi, dans la maison jaune… Je suis bien avec tout le monde en fin de compte… C'est vrai que je vois pas mal moins souvent mon frère Antonin, depuis que je vis ici à la Pointe, mais c'est comme ça, la vie…

Les coudes sur les genoux et le menton dans le creux de ses mains, Célestin était intarissable.

— C'est pareil pour Prudence, poursuivit-il sur le même ton assuré. Elle a presque toute oublié de sa vie, mais elle reste gentille. T'avais raison, Gilberte, même si j'ai ben de la misère à comprendre ça. C'est juste les jours où elle me reconnaît pas que j'aime moins ça. Ça me fait de la peine… Mais c'est pas trop grave parce que des fois, elle me reconnaît vraiment comme faut, pis ces jours-là, on en profite pour parler du temps quand je vivais encore à l'Anse… Ouais, avant, moi, j'ai demeuré à l'Anse, de l'autre bord du fleuve. Ça fait longtemps, par exemple… Pis là, c'est l'été avec les bateaux qui ont recommencé à traverser jusqu'à l'Anse. Comme ça, j'vas pouvoir aller voir mon frère Antonin plus souvent. C'est une bonne affaire, parce que je m'ennuie de mon frère, des fois. Savais-tu ça, toi, Gilberte, que les bateaux étaient toutes sortis? Ça veut dire aussi que j'vas pouvoir commencer à travailler, moi avec. Comme toi, Gilberte. Pis si je travaille au quai, j'vas pouvoir te donner des sous… J'aime ça quand je peux te donner des sous, quand je fais ma part… Ouais, c'est de même qu'on dit ça: faire sa part! Notre père avec, il disait ça comme ça, quand je ramenais un peu d'argent après avoir travaillé chez nos voisins. Mais j'aime pas mal plus ça travailler sur le quai que chez les voisins. Ouais, j'aime vraiment plus ça parce que je suis grand pis fort pis que ça fait plaisir au monde quand je les aide avec leurs caisses pesantes pis les bacs remplis de poissons.

En quelques phrases simples, Célestin avait pratiquement fait le tour de sa vie et, à l'entendre, le bilan avait l'air plutôt positif.

— Sais-tu quoi, Gilberte?

Quelques épingles à linge coincées entre les dents, cette dernière se contenta de grogner en guise de réponse. Mais peu importait aux yeux de Célestin, il était en verve, aujourd'hui. Le ciel était bleu, le soleil brillait et le simple fait de savoir que sa sœur l'écoutait suffisait à son bonheur.

— Sais-tu quoi, Gilberte? Ben avant, avant avant, je veux dire, quand j'étais vraiment tout p'tit pis que je vivais encore chez notre père avec Antonin, ben dans ce temps-là, j'aimais ça l'hiver. Je pense même que j'aimais ça pas mal plus que l'été à cause de la neige pour jouer dedans, pis de l'étang qui était toute gelé où on patinait des fois. Ouais... Dans ce temps-là, quand on était vraiment petits, c'est mon frère Antonin qui aimait pas l'hiver. Pas pantoute, même. Il passait son temps à dire qu'il était gelé. Ça doit être parce qu'il était tout maigrichon qu'il avait froid comme ça. Ouais, c'est ce que je pense moi... Tu t'en rappelles-tu de ça, Gilberte?

— Oh oui, je m'en souviens! Comme si c'était hier.

— Comme si c'était hier ? Ben tant mieux, d'abord !

Sans le moindre doute, Célestin était ravi de la réponse de Gilberte.

— Ça veut dire que ta mémoire est pas mal bonne. Ouais ! T'es pas comme Prudence, pis c'est une bonne affaire, rapport que je saurais pas trop quoi faire avec toi si tu te rappelais plus de rien… Toute ça pour te dire que je suis rendu comme Antonin. J'ai compris ça durant l'hiver qui vient de passer : moi non plus j'aime pas tellement ça, avoir froid. Non monsieur !

— C'est peut-être parce que tu vieillis, toi aussi, expliqua Gilberte tout en faisant grincer la poulie pour étendre un dernier morceau de literie. À notre âge, on joue moins dans la neige qu'avant, c'est ben certain, ça fait qu'on trouve moins d'agrément à sortir dans le froid.

— T'es drôle, toi ! C'est sûr qu'on joue plus vraiment dans la neige… Même Germain joue plus dans la neige. Pis c'est vrai que j'ai vieilli. T'as ben raison de dire ça. Je le vois dans le miroir au-dessus de l'évier quand je me rase, le matin. Mais je suis encore grand pis fort, par exemple, pis c'est ça l'important : être grand pis fort pour le travail sur le quai pis pour t'aider ici dans la maison pis le jardin.

— C'est gentil de dire ça, Célestin. C'est vrai que tu m'aides beaucoup. Je me demande bien ce que je ferais si je t'avais pas. En tous les cas, t'es pas mal le meilleur pour discuter avec Germain, pour lui faire entendre raison, quand il fait sa tête dure.

— C'est vrai ce que tu dis là ? Que je suis le meilleur avec Germain ?

— Et comment ! Pis c'est pas tout ! Nomme-moi

quelqu'un d'autre qui a autant de patience que toi pour jouer avec ses damnées autos de métal ? Des fois, il en met partout dans la maison !

— C'est vrai que je suis assez patient, moi.

Le grand gaillard avait bombé le torse, tout fier du compliment.

— Mais pour les autos, c'est pas de ta faute, si ça te tanne, Gilberte. Faut pas s'en faire avec ça. C'est juste parce que t'es une fille pis que les autos, c'est une affaire de gars. Je sais ça, moi. Oui monsieur ! C'est Julien au garage qui m'a expliqué ça, l'autre jour. Les autos, qu'il a dit, c'est une affaire d'hommes, pis c'est pour ça qu'il y a presque pas de filles qui les conduisent.

Gilberte se détourna pour cacher le sourire taquin qui se dessina spontanément sur ses lèvres.

— Mettons, admit-elle enfin, en donnant un dernier élan à la corde pour éloigner les draps du mur de la maison.

Aussitôt, la lessive se mit à claquer au vent et le son résonna joyeusement aux oreilles de Gilberte. Elle inspira longuement en survolant la cour d'un rapide coup d'œil. Tout comme Célestin, elle aimait bien la petite vie tranquille qu'elle menait à la Pointe. Un dernier regard vers le potager où quelques fragiles pousses d'un beau vert tendre commençaient à pointer hors du sol, puis elle se tourna vers Célestin.

— C'est ben beau tout ça, mais j'ai de l'ouvrage qui m'attend dans la maison. Astheure que mon linge est fini d'étendre, j'vas aller passer le balai… Pis toi, Célestin, tu restes ici à jongler pis à surveiller le lavage qui sèche ou tu rentres en dedans avec moi ?

— Madame Bouchard ?

Célestin n'avait pas eu le temps de répondre à sa sœur qu'une voix étrangère se faisait entendre à l'autre bout de la galerie, là où le sentier de terre battue tournait le coin de la maison et menait vers le trottoir et la rue.

Gilberte était peu habituée d'être interpellée de la sorte. Au village, depuis toujours, on disait « mademoiselle » et non « madame ». Alors, cet appel lancé d'une voix grave n'attira pas son attention.

Il en alla néanmoins autrement pour Célestin qui avait l'ouïe particulièrement fine. Aussi tourna-t-il vivement la tête vers la gauche et fronça aussitôt les sourcils : casquette à la main, un étranger se tenait à côté du pommier en fleurs.

— C'est qui, lui ? gronda Célestin, visiblement mécontent. J'aime pas ça, moi, le monde que je connais pas qui vient chez nous sans être invité. J'aime donc pas ça... C'est qui lui ? répéta-t-il en se tournant vers Gilberte tout en pointant l'étranger avec son pouce.

Cette dernière tourna les yeux à son tour et elle se sentit rougir comme un coquelicot dès qu'elle reconnut le visiteur. Sans avertissement, une intense chaleur monta de son cou à la racine de ses cheveux, comme si elle était victime d'un subit coup de soleil.

Ça y était ! L'étranger rencontré l'automne précédent, alors qu'elle était assise sur la galerie de l'auberge, avait tenu parole et il était là !

Gilberte y avait justement pensé une semaine plus tôt, se demandant ce qu'il devenait.

Pour se donner une certaine contenance, Gilberte se

pencha alors pour ramasser le panier d'osier. Se souvenant qu'elle en aurait besoin pour le linge mis à sécher sur la corde, elle le laissa retomber, tout empêtrée d'elle-même et de ses réflexions.

Gilberte avait souvent songé, tout au long de l'hiver, à ce visiteur d'un jour qu'elle avait croisé brièvement à l'automne. Elle savait son retour probable puisqu'il en avait parlé, mais n'osait vraiment l'espérer. Elle ne s'attendait surtout pas à une visite à brûle-pourpoint comme celle de ce matin !

Décontenancée, Gilberte reporta son regard sur Célestin, espérant ainsi arriver à se ressaisir avant que son malaise ne devienne trop visible et, de ce fait, trop gênant.

— Arrête de pointer du doigt, Célestin. C'est pas poli, ordonna-t-elle avec plus de sévérité que nécessaire.

— Mais c'est qui, lui ? s'entêta le grand gaillard, glissant tout de même la main fautive sous son bras. Je le connais pas.

— Toi, non. Mais moi, oui. Enfin, je crois.

Gilberte inspira profondément, fit mine de chercher le nom du visiteur comme si elle l'avait oublié – depuis le temps, la chose aurait pu être plausible, non ? – puis elle déclara, les yeux toujours fixés sur Célestin :

— Si je me souviens bien, c'est monsieur Ernest Constantin.

Sur ce, Gilberte glissa un œil intimidé vers le coin de la maison et, pour ne pas paraître encore plus impolie que son frère, elle fit un pas ou deux en direction du visiteur qu'elle avait fort bien reconnu, et au tout premier regard.

— Je me suis pas trompée, hein ? demanda-t-elle ingénument pour faire bonne figure. Vous êtes ben monsieur Constantin ?

— Je suis effectivement Ernest Constantin, confirma le personnage dont la présence continuait de faire sourciller Célestin.

Néanmoins, le grand gaillard détendit un premier sourcil quand l'étranger s'inclina avec déférence devant Gilberte qui s'approchait de lui à pas lents. Ce monsieur inconnu avait quand même l'air bien élevé !

— J'espère que je ne dérange pas trop ? demandait-il justement, sur un ton poli. C'est monsieur Réginald, à l'auberge, qui m'a indiqué le chemin pour venir jusqu'ici. Je tenais à vous saluer en passant, madame, puisque nous avons eu le plaisir de nous rencontrer l'automne dernier.

Madame…

Décidément, ça sonnait bien. Mieux que la sempiternelle « mademoiselle » qui résonnait souvent comme un reproche aux oreilles de Gilberte, car elle y entendait un cruel rappel de sa condition de vieille fille.

Ladite vieille fille se mit à rougir de plus belle.

— Ben oui, arriva-t-elle à bafouiller, c'est vrai qu'on s'est rencontrés à l'auberge l'automne dernier. Je m'en souviens très bien, maintenant. C'était en plein le jour où la guerre a été déclarée. Ça s'oublie pas des affaires de même.

À ces mots, Gilberte tourna la tête vers Célestin dont elle entendait distinctement la respiration bruyante. Malgré cette dernière mise au point, son frère ne semblait pas content. C'était peut-être la voix tout hésitante de sa sœur qui l'incommodait à ce point. Ou peut-être cette rougeur subite qui l'avait envahie et qui devait être aussi visible que le soleil brillant dans le ciel de ce beau matin d'été. Gilberte jugea alors que quelques explications supplémentaires s'imposaient. Il lui fallait mettre un terme à cette situation qui semblait tout aussi embarrassante pour Célestin que pour elle-même.

— J'ai rencontré monsieur Constantin, l'automne dernier, à l'auberge, répéta-t-elle lentement, avec sa patience habituelle. Au mois de septembre, juste avant que tu reviennes ici avec Germain. Tu te souviens que t'as passé une bonne partie de l'été dernier à l'Anse-aux-Morilles, n'est-ce pas ?

— C'est sûr que je m'en rappelle. T'étais malade. T'as même été obligée d'aller à l'hôpital. C'est pas des farces, ça là ! J'aurais jamais pu oublier ça, voyons donc, toi ! De toute façon, j'ai une pas mal bonne mémoire, moi. Oui monsieur ! Je suis pas comme Prudence.

— Alors, c'est comme ça que ça s'est passé ici, pendant que toi pis Germain, vous étiez encore à l'Anse, conclut Gilberte, rassurée de voir le visage de son frère se détendre. Quand je suis revenue chez nous, Paul m'a invitée à manger à l'auberge pour ma convalescence pis c'est là que j'ai rencontré monsieur Constantin. Il était de passage par ici pour son ouvrage pis là, on dirait ben qu'il est revenu, comme il en avait parlé… D'après ce que j'ai compris de ses explications, tout à l'heure, comme il me connaissait, il a eu la gentillesse de venir me saluer. T'as rien contre ça, j'espère ?

— Ben non, voyons. Si tu le connais, c'est pas pareil…

Même que je trouve ça un peu drôle.

C'était du Célestin tout craché de sauter d'un sujet à un autre avec autant de désinvolture. La présence de l'étranger étant maintenant expliquée, et l'explication semblait lui convenir tout à fait, Célestin pouvait s'intéresser à autre chose.

Une chose qu'il était probablement le seul à avoir constatée, d'ailleurs !

— Ouais, poursuivit-il, je trouve ça ben drôle rapport qu'on se connaissait même pas.

— Qu'est-ce que tu trouves drôle comme ça ?

— Ben, son nom, voyons !

De but en blanc, comme Célestin avait déjà oublié sa maussaderie, il offrit spontanément un sourire éclatant au visiteur comme s'il était un ami de longue date. Puis, il reporta les yeux sur Gilberte.

— Tu trouves pas ça drôle, toi ? Tu trouves pas que Constantin, ça ressemble pas mal beaucoup à Célestin ?... Oui monsieur ! Célestin pis Constantin, c'est presque pareil. C'est ce que je pense, moi, pis il y a pas personne qui va venir changer mon idée.

Tandis que Célestin parlait, toujours assis dans l'escalier, Ernest Constantin s'était approché. Le visiteur hochait lentement la tête comme s'il approuvait chacun des mots de l'homme et son regard avait une curieuse intensité. On aurait dit qu'il était attiré par Célestin comme un aimant attire irrémédiablement un objet de métal.

— Tu as bien raison, lança-t-il quand Célestin se tut. Moi aussi, je trouve que nos deux noms se...

— Maman ?

Sans doute intrigué par les voix dans la cour, c'était maintenant Germain qui cherchait Gilberte. Le nez écrasé contre la moustiquaire de la porte donnant sur la cuisine, le petit homme regardait dans la cour. Sans le savoir, et fort candidement, il venait d'interrompre la réplique d'Ernest Constantin qui leva les yeux vers la maison.

Dès que Germain aperçut enfin Gilberte, il esquissa son inimitable sourire qui allait vraiment d'une oreille jusqu'à l'autre tellement il était sincère, puis il entrouvrit la porte.

— Pourquoi parle fort comme ça, maman ? demanda-t-il sans tenir compte du visiteur, dont il n'avait sans doute pas encore remarqué la présence. Quand assis dans le salon, mes oreilles entendent plein de monde qui parle.

Gilberte revint aussitôt sur ses pas.

— Plein de monde ? Je pense que t'exagères un peu, mon grand. Si tu comptes comme il faut, tu vas voir qu'on est juste trois. Mais quand même... Viens, mon homme, viens que je te présente.

Un homme nettement plus petit que la normale passa alors le seuil de la porte et tout en se dandinant, il se dirigea vers celle qu'il appelait « maman ».

C'est alors qu'il aperçut le visiteur.

Germain figea un court moment, ses yeux en amande tout froncés sur sa réflexion.

Qui donc était cet étranger ?

Germain n'arrivait pas à mettre un nom sur ce visage. Pourtant, habituellement, il avait une bonne, une très bonne mémoire des visages. Le temps d'un soupir agacé et Germain se glissa aussitôt derrière Gilberte, comme il le faisait, enfant. Malgré sa chevelure qui passait de plus en plus du brun au gris, du haut de ses vingt-cinq ans, Germain avait régulièrement ce réflexe enfantin. Depuis toujours, les inconnus lui faisaient peur.

Gilberte le savait et Célestin aussi.

Ce fut ainsi qu'à l'instant où Gilberte posa une main rassurante sur la tête de celui qu'elle avait toujours considéré un peu comme son fils, Célestin, lui, décida de s'interposer. Gilberte ne venait-elle pas justement de lui dire qu'il était le meilleur pour expliquer les choses à Germain ?

— Germain, déclara-t-il alors de sa voix la plus calme, celle qui semblait avoir une certaine influence sur son neveu, faut pas avoir peur comme ça. Le monsieur, il est gentil.

Germain remua vigoureusement la tête dans un geste de négation tout en prenant son air boudeur.

— Germain connaît pas le monsieur.

À son tour, Célestin secoua la tête, comme exaspéré par cette réponse.

— Je le sais bien que tu le connais pas, voyons, parce que moi non plus je le connaissais pas. Mais il est gentil pareil... Ce... C'est un ami à Gilberte, lança-t-il, judicieusement inspiré. C'est elle qui me l'a dit.

— Un ami ?

— Ouais, un vrai ami. Pis tu le sais, ça : Célestin dit toujours la vérité. Oui monsieur ! Comme Gilberte.

— Ouais, la vérité... Maman dit toujours la vérité.

Lentement, Germain se détacha de l'ombre de Gilberte. Sans s'éloigner de la sécurité de sa présence, une main agrippant toujours la jupe de cotonnade marine, Germain leva les yeux vers elle.

— Il est gentil, le monsieur ? demanda-t-il de sa voix d'homme, grave et profonde, modulée cependant par des hésitations de jeune enfant.

— Très gentil, répliqua Célestin sans laisser la moindre chance à Gilberte de s'exprimer. Tu peux me croire. Je le sais parce que je parle avec lui depuis tantôt… Ça fait que maintenant, tu peux lui dire bonjour.

Germain savait que saluer les gens, même les inconnus, était une marque de politesse. Il savait aussi que Gilberte serait bien contente de lui s'il le faisait. Tournant alors brièvement les yeux vers le visiteur, il fit un bref signe de tête avant de revenir à Célestin.

— Veux pas donner la main, par exemple.

Le ton était catégorique, mais Célestin ne s'en fit guère avec cette attitude. Il haussa même les épaules avec un visible détachement. Du moment que Germain avait salué, Gilberte serait satisfaite. Puisqu'elle savait que les deux hommes qui partageaient sa vie n'aimaient pas les contacts physiques, ni l'un ni l'autre, jamais elle n'insistait.

— T'es pas obligé de donner la main, déclara alors Célestin d'un ton péremptoire. Moi non plus, j'ai pas donné la main pis c'est pas grave. Pas pantoute. L'important, c'est de dire bonjour, pis tu l'as fait avec ta tête. C'est ben correct de même.

— Ouais… Ben correct de même.

Habituée à ces longs conciliabules qui ne semblaient mener nulle part, mais qu'elle savait importants, Gilberte se garda bien d'intervenir malgré la présence de monsieur Constantin qui risquait peut-être de s'impatienter.

Un sourire amusé sur les lèvres, Gilberte regardait son frère puis son neveu, émerveillée de constater à quel point Germain et Célestin s'entendaient bien et que ce fait un peu surprenant perdurait malgré le passage des années.

Pour quiconque les connaissait, cela sautait aux yeux: Germain était heureux de voir que Célestin s'intéressait à lui tandis que, de son côté, le grand gaillard était tout fier d'être celui qui expliquait.

— Tu vois Germain, des fois, on connaît pas quelqu'un pis c'est juste normal d'être gêné, analysait-il justement. Moi avec, tu sais...

Décidément, Célestin était en feu, ce matin, et son discours en devenait interminable!

Cependant, s'il était normal que Gilberte suive la discussion avec respect, elle n'avait jamais exigé que les gens autour d'elle en fassent autant. Célestin et Germain, avec leurs capacités réduites et leurs attitudes bien particulières, étaient son univers à elle, pas celui des autres. Mais voilà que, à cet instant, il semblait bien qu'il en allait de même pour Ernest Constantin. Subjugué par l'échange qui se déroulait devant lui, son regard passait inlassablement de l'un à l'autre, tout comme celui de Gilberte, et il semblait ému. Profitant d'une accalmie dans les propos de Célestin qui reprenait son souffle, le visiteur se tourna vers Gilberte.

— Maman ? Il vous a appelé maman, n'est-ce pas ? demanda-t-il tout en désignant brièvement Germain. Vous êtes donc la mère de ce garçon ?

Effarouchée par ce qui se dessinait subitement devant elle, Gilberte ferma les yeux une fraction de seconde. Elle détestait avoir à donner des explications sur cette vie qui était la sienne.

— Pas vraiment puisque je suis pas mariée, précisa-t-elle alors avec une pointe d'indécision dans la voix, elle qui était si peu portée à s'ouvrir aux étrangers. Je peux donc pas être sa mère, mais…

Sur ce, Gilberte poussa un long soupir de contrariété.

— Pour faire une histoire courte, commença-t-elle, comprenant qu'elle n'avait plus le choix de donner certaines explications, Germain, ici présent, est en fait mon neveu. C'est le fils d'une de mes sœurs. Marie qu'elle s'appelait. Aujourd'hui, elle est décédée. Je…

Gilberte retint un soupir d'impatience. Soit, elle détestait viscéralement étaler sa vie ainsi, surtout devant un étranger, mais avait-elle le choix ? Elle reprit d'une voix un peu saccadée, au débit rapide, parce qu'elle avait hâte d'en avoir fini.

— À la naissance de Germain, comme son père voulait le placer, j'ai décidé de m'en occuper… Voilà. Si Germain m'appelle maman, c'est que je suis avec lui depuis toujours. C'était plus simple comme ça pour tout le monde… Quant à Célestin, ajouta-t-elle, espérant ainsi faire le tour de la question pour ne plus avoir à y revenir, c'est mon frère. Il est venu me rejoindre plus tard, quand je me suis installée ici pour de bon. Depuis ce temps-là, à nous trois, on forme une bien drôle de famille, je le sais, mais c'est la mienne et je dirais que je la trouve ben belle.

Ces quelques mots avaient été dits avec tellement de tendresse, malgré les hésitations et les impatiences, qu'Ernest sentit qu'il n'avait qu'une chose à faire et il inclina la tête avec respect.

— Je vous admire, madame.

Intimidée par tant de solennité, Gilberte haussa les épaules. Pourquoi tout ce cérémonial devant un choix qui avait été si simple à faire et qu'elle n'avait jamais regretté par la suite ?

— Il y a pas de quoi, murmura-t-elle, tout en prenant Germain par la main, question de se sentir rassurée, elle aussi. Je mérite pas d'être admirée pour ça, voyons donc ! Germain pis Célestin sont pas mal fins avec moi…

Tout en parlant, Gilberte avait levé les yeux et elle jeta un rapide coup d'œil à Ernest Constantin sans trop savoir quoi ajouter. Peut-être attendait-il une conclusion quelconque ? C'est un peu l'impression que Gilberte avait. Alors, elle proposa précipitamment :

— Astheure que vous savez à peu près toute sur moi, je peux-tu vous offrir un thé ? J'ai justement fait une cruche de thé glacé, hier, pis…

— Pis il est pas mal bon, le thé de Gilberte, précisa aussitôt Célestin, interrompant cavalièrement sa sœur. J'aime ça le thé glacé ben sucré. C'est pas mal meilleur que le thé d'hiver tout chaud pis amer.

Sans vraiment comprendre d'où venait ce ton cérémonieux entre Gilberte et cet Ernest qui avait un nom comme le sien, Célestin avait senti le besoin d'intervenir.

Depuis que Gilberte lui avait dit que monsieur Constantin était un ami, il trouvait le visiteur bien gentil et il avait la curieuse envie de le retenir.

Peine perdue, Ernest Constantin remettait sa casquette tout en déclinant l'invitation.

— Je vous remercie, mais ça va être pour une autre fois, madame. Je dois tout d'abord me trouver un chauffeur pour les quelques jours qui viennent et planifier mon horaire avec lui, car je vais avoir à me promener un peu partout dans la région pour mon travail. De ce fait, il me faut une automobile.

— Ben pour ça, faudrait peut-être aller au garage de Julien...

Encore une fois, Célestin s'était glissé dans la conversation.

— Au garage de Julien Bouchard, précisa-t-il d'un même souffle. Lui avec, c'est mon neveu, parce que c'est le garçon de mon frère Lionel. Julien, c'est celui qui répare les chars pour tout le monde, ici. Il a même commencé à réparer les tracteurs pour ceux qui en ont un. Oui monsieur ! Il est bon dans les moteurs, mon neveu Julien. Ça fait qu'il doit ben connaître le nom de ceux qui louent leurs services avec une auto.

Ernest Constantin esquissa un sourire à la fois amical et gamin, ce que Gilberte remarqua aussitôt. La patience manifeste de cet homme était vraiment particulière, et le fait qu'il semblait sincèrement s'amuser des propos de Célestin avait un petit quelque chose d'intrigant et d'attirant tout à la fois.

— Merci pour le renseignement, fit gentiment le

visiteur en regardant Célestin droit dans les yeux, ce que peu de gens faisaient, souvent mal à l'aise devant cet homme imposant qui tenait des discours d'enfant.

— Vous pouvez pas rater son garage, précisa Célestin, tout heureux de se rendre utile, il est juste à côté de la petite maison jaune. C'est l'ancienne forge qui sert plus vraiment de forge, sauf des fois quand Johnny Boy travaille ses affaires en métal, mais c'est…

— Célestin ! Laisse monsieur Constantin s'en aller, voyons !

— Allons ! Ce n'est pas grave.

Pour la première fois depuis l'arrivée du visiteur, Gilberte se permit de soutenir le regard d'Ernest Constantin. Curieusement, elle était de moins en moins intimidée par lui. Peut-être à cause de sa patience ou de ce naturel désarmant dont il faisait preuve devant Germain et Célestin, mais chose certaine, elle aussi, elle commençait à se sentir à l'aise devant ce visiteur et elle n'avait pas particulièrement envie de le voir repartir.

Mais comment le dire sans paraître effrontée ?

Gilberte n'en avait pas la moindre idée et, comme Célestin avait repris la parole, elle se tourna vers ce dernier pour ajouter :

— Maintenant, mon Célestin, déclara-t-elle en lui coupant la parole, tu vas laisser partir monsieur Constantin. Crains pas, on va sûrement avoir l'occasion de se revoir.

À ces mots, Ernest Constantin, qui avait fait quelques pas vers le côté de la maison, s'arrêta net et se retourna avec un petit sourire au coin des lèvres.

— Si c'est une invitation à revenir, lança-t-il, tout

guilleret, sachez qu'elle n'est pas tombée dans l'oreille d'un sourd ! Je ne connais personne ici, moi, à l'exception des gens de l'auberge, de monsieur le maire et de vous, bien entendu. Et comme je dois rester dans la région durant un bon moment, l'idée de recevoir une invitation de temps en temps n'est surtout pas pour me déplaire.

Une invitation ? À revenir ?

Gilberte en avala sa salive, à court de mots. Malgré la tentation toute sincère de donner suite à ce propos, la pauvre femme aurait été bien embêtée d'avoir une telle idée par elle-même ! Un thé, ça pouvait toujours passer puisque monsieur Constantin était déjà là. Ce n'était qu'une marque de politesse. Mais une invitation en bonne et due forme ? À revenir chez elle ? Allons donc ! Une dame qui vit seule, parce que bien entendu aux yeux de Gilberte, Célestin et Germain ne faisaient pas le poids dans la balance, donc, une femme qui vit seule n'invite pas un monsieur à venir lui rendre visite. Tout le monde sait ça !

Gilberte s'agrippa à la main de Germain, toujours aussi silencieuse, déçue par la tournure des événements. Pourtant, quand elle vit Ernest Constantin se retourner pour poursuivre son chemin, l'indécision bien réelle qu'elle ressentait fit place à la crainte insensée de ne plus le revoir, jamais.

— Dans ce cas-là, pourquoi ne pas venir souper avec nous ? proposa-t-elle précipitamment, tout en ayant la sensation fort désagréable de quitter son habituelle zone de confort. Ça ferait plaisir à Célestin ! ajouta-t-elle dans la foulée, question de se donner bonne conscience. Mais ça va être à la bonne franquette, par exemple, parce que je travaille au presbytère durant tout l'après-midi, pis j'aurai pas vraiment le temps de me mettre à...

— Parce que vous travaillez en plus ? Au presbytère ? Avec deux, deux... Avec deux hommes à charge comme ça ? Décidément, madame, vous avez tous les talents.

Nul besoin d'en rajouter, Gilberte s'était remise à rougir de plus belle.

— Tous les talents, sûrement pas, mais des besoins, ça oui, on en a ! confia celle qui ne se reconnaissait plus, alors qu'elle était en train de partager sans réserve ses réflexions les plus intimes. Comme tout le monde, je crois ben... Ça mange pas mal, ces deux hommes-là, fit-elle finalement, tout en pointant Germain et Célestin avec le menton. Alors, qu'est-ce que vous en dites de mon invitation ?

Ernest Constantin n'hésita même pas.

— Je vous la renvoie, votre invitation, chère madame ! proposa-t-il en revenant encore une fois sur ses pas. Si vous travaillez tout l'après-midi, pas question de vous mettre en frais de préparer un repas pour moi. Je vous invite donc à venir me rejoindre à l'auberge pour le souper ! À l'heure qui vous conviendra.

Jamais de toute sa vie Gilberte n'avait été aussi embarrassée qu'en cet instant où l'envie de dire oui lui faisait débattre le cœur en même temps que sa timidité naturelle la faisait rougir.

— Ben là... arriva-t-elle tout juste à articuler.

Puis après une longue inspiration, Gilberte ajouta :

— Manger à l'auberge, comme ça en pleine semaine ? Ça a quasiment pas de bon sens !

— Et pourquoi ?

Bien involontairement, le regard de Gilberte passa de Célestin à Germain avant de revenir à Ernest Constantin qui avait retenu le geste et la signification qu'il pouvait avoir.

— Mais je vous invite tous les trois, précisa-t-il avec empressement… Je n'ai nullement l'intention de vous demander de laisser vos protégés derrière vous. Ainsi, vous n'aurez pas à vous inquiéter, madame.

— Ben voyons donc… Ce… C'est bien que trop.

De son côté, Célestin suivait l'échange avec un vif intérêt, car deux mots l'avaient frappé : auberge et manger. Pour lui, un repas pris à l'auberge était le plaisir suprême. Mais quand il vit Gilberte se mettre à rougir encore une fois alors qu'elle semblait vraiment mal à l'aise, il oublia les mots entendus et ce qu'ils suggéraient et il demanda, inquiet :

— Qu'est-ce qui se passe, Gilberte ? Pourquoi t'es rouge de même ? Monsieur Constantin a dit quelque chose qui te dérange ?

— Mais non, Célestin… C'est juste que…

— C'est juste que je vous invite tous les trois à venir manger avec moi à l'auberge, ce soir, trancha Ernest Constantin en se tournant vers Célestin.

Malgré la précision qui ne prêtait nullement à confusion, la voix de monsieur Constantin n'avait rien de catégorique, surtout quand il précisa :

— Mais on dirait bien que madame Gilberte hésite. Je ne sais trop pourquoi, d'ailleurs.

Incrédule, Célestin se tourna vers sa sœur. Il ne s'était

donc pas trompé: ils avaient bel et bien reçu une invitation pour souper à l'auberge de monsieur Paul et sa sœur allait dire non.

— Tu veux pas? demanda-t-il, sceptique, les sourcils froncés comme jamais. Me semble que t'aimes ça, d'habitude, manger à l'auberge.

— Oui, je sais bien, bafouilla Gilberte, de plus en plus mal à l'aise… Mais là, c'est quand même un peu différent. Ce… c'est pas pareil. Nous trois, ça fait beaucoup de monde pour monsieur Constantin, voyons donc! Il nous connaît quasiment pas. C'est pas vraiment pareil que d'habitude.

D'accord, inviter trois personnes à manger, ça pouvait être beaucoup pour un seul porte-monnaie, Célestin pouvait en convenir, mais qu'à cela ne tienne, il allait quand même insister. Monsieur Constantin devait bien savoir ce qu'il faisait, non?

— Ah oui? lança-t-il alors avec fougue. Tu trouves ça, toi, que c'est pas pareil? Ben moi, je la vois pas, la différence! Non monsieur! Des fois c'est monsieur Paul qui nous invite, pis tu dis oui. D'autres fois, c'est madame Alexandrine ou ben Lionel qui pensent à nous inviter, pis là encore tu dis oui. Pis astheure, on dirait ben que c'est monsieur Constantin qui nous invite pis tu veux dire non? Je comprends pas, Gilberte. Est où la différence? Moi, je la vois pas. Pis de toute façon, Prudence serait pas contente pantoute de t'entendre parler comme ça.

— Prudence?

L'intervention de Célestin eut l'heur de détendre Gilberte. S'obstiner avec son frère faisant partie de leurs petites habitudes journalières, elle s'y accrocha désespérément tandis que Germain, à des lieues de comprendre ce qui se passait, restait pendu à sa main.

— Veux-tu ben me dire, Célestin Bouchard, ce que Prudence a à voir dans le fait que...

Désappointé par la tournure des événements et momentanément à court de mots, Célestin tapa du pied sur la marche, interrompant Gilberte qui se mit à le fixer, interloquée. Narines dilatées, le grand gaillard semblait à la fois choqué et déçu. Prenant une longue inspiration et profitant du fait que Gilberte s'était tue, Célestin poursuivit.

— Tu peux pas avoir oublié ça, Gilberte, parce que Prudence le disait souvent, dans le temps qu'elle se rappelait toute ben comme il faut: « Une invitation, les enfants, c'est précieux. C'est comme un cadeau, pis ça se refuse pas! » Ouais, c'est ça qu'elle disait Prudence. Ça fait que tu peux pas dire non, Gilberte. Ça se fait pas refuser une invitation. Non monsieur!

— Célestin!

— Quoi, Célestin? J'ai raison... Pis crie pas après moi comme ça, Gilberte, j'aime pas ça. Tu le sais.

Gilberte en avait oublié la présence d'Ernest Constantin. Le ton avait monté et maintenant, chez elle, c'est la colère qui dominait.

— Tu parles d'un ton pour me parler! enchaîna-t-elle, emportée à son tour. Il me semble que c'est pas de même que je t'ai élevé, Célestin Bouchard! Pis c'est pas moi qui crie, c'est toi!

Aux yeux de Gilberte, en ce moment, Célestin n'était

plus vraiment le frère. Il était redevenu le petit garçon dont elle avait pris la charge au moment du décès de leur mère. Elle avait à peine douze ans et lui venait d'en avoir cinq. Jamais elle ne pourrait tolérer qu'il lui parle avec autant d'aplomb, d'impertinence. S'il voulait vraiment manger à l'auberge, ce soir, ce n'était pas en insistant ainsi devant un inconnu qu'il obtiendrait gain de cause.

À quelques pas en retrait, avec la discrétion qui semblait être sa marque distinctive, Ernest Constantin observait la scène sans intervenir. Bien sûr, il comprenait la réticence de madame Gilberte; après tout, il n'était qu'un étranger pour elle, mais en même temps, il appréciait la ténacité de ce grand Célestin et il souhaitait bien sincèrement que ce soit lui qui ait gain de cause. Alors qu'il était si loin de sa famille, un souper à quatre n'était surtout pas pour lui déplaire. C'est pourquoi, en attendant le verdict, le visiteur restait là, immobile et silencieux, à contempler une scène du quotidien de cette curieuse petite famille qu'il s'était mis à envier.

Une scène que lui, Ernest Constantin, ingénieur civil spécialisé dans les sols et père de quatre garçons devenus adultes ou presque, n'était pas près d'oublier parce qu'elle le touchait intimement dans ce qu'il y avait de plus sensible dans sa vie.

CHAPITRE 7

En Normandie, au soir du samedi 14 septembre 1940

À la buvette de René, dans l'arrière-boutique

« Pon pon pon ponnn… »

Dès que l'indicatif musical se faisait entendre, les voix se taisaient et on s'agglutinait autour de la table où trônait un rutilant poste en bois verni, appareil que René laissait habituellement derrière le comptoir du café pour les chansons qu'il diffusait, et qui créaient un peu d'ambiance.

Sauf le soir…

Pour tous ces hommes rassemblés là, les quelques notes de musique entendues, celles du début de la 5e Symphonie de Beethoven, étaient lourdes de sens.

« Pon pon pon ponnn… »

Comme le « V » dans l'alphabet morse.

Un « V » pour victoire…

Ils voulaient tellement y croire.

Au fil des semaines, depuis la fin du printemps, les anciens avaient tous répondu à l'appel de François et René.

Antoine, Gilbert, Michel, Bernard et Didier…

Joachim, Gontran et Roger…

Ils avaient tous plus de quarante ans et ils se souvenaient.

Ceux du village qui avaient fait la Première Guerre, et qui, pour une raison ou pour une autre, n'avaient pas été appelés sous les drapeaux, n'avaient pu dire non à la requête de leurs anciens compagnons d'armes et, le soir, ils se retrouvaient tous, soit chez René, soit chez François, car au village, il n'y avait que ces deux-là à posséder un poste de radio.

— Tant qu'on ne nous les confisque pas ! avait précisé René, un moment plus tôt, tout en transportant à l'arrière-boutique le lourd appareil fait en bois massif. À Paris, avait-il enchaîné en déposant le poste sur la table avec une infinie précaution parce que les lampes étaient encore chaudes donc plus fragiles, à Paris paraîtrait-il que c'est une véritable chasse aux sorcières qui vient d'être déclenchée ! En attendant, installez-vous !

Tous les jours, en début de soirée, la BBC de Londres diffusait deux émissions en langue française, ce que les anciens du village attendaient avec impatience, soir après soir.

La première émission commença enfin dans les « chut » et les « taisez-vous ! ». C'était l'heure d'*Honneur et Patrie*, avec Maurice Schumann. C'était la radio officielle de la Résistance, ce mouvement que le général Charles de Gaulle avait tenté de mettre en place dès l'annonce de l'armistice et qu'il dirigeait depuis Londres, où il s'était installé avec toute sa famille. C'était donc aussi durant cette émission que le général s'adressait à la patrie. Parfois…

« Quoi qu'il arrive, la flamme de la résistance ne doit pas s'éteindre et ne s'éteindra pas. »

Puis venait la seconde émission, la plus importante aux yeux de ces hommes rassemblés chez René, celle qu'ils espéraient jour après jour.

« Ici Londres ! Les Français parlent aux Français. »

La voix de Jacques Duchesne, unique, inoubliable, remplissait la pièce de son timbre grave.

Messages personnels, sketches, et musique entraînante s'enchaînaient…

C'était la guerre, et il arrivait qu'on l'oublie ou qu'on en rie, à travers les messages codés et la friture qui encombrait les ondes ! On savait surtout que Radio Paris, sous l'égide des Allemands qui en avaient fait leur outil de propagande, n'aimait pas cette chaîne et cherchait par tous les moyens d'en débarrasser les ondes sans y parvenir. C'était suffisant pour y être attaché et fidèle.

Ce fut au beau milieu de cette seconde émission que Didier arriva, ce soir là. Dans sa main droite, il brandissait une lettre.

— C'est Gustave ! Mon cousin… Enfin, on a de ses nouvelles.

Toutes les têtes se tournèrent vers lui, l'émission devenue subitement beaucoup moins importante.

— Je pensais qu'il était mort, lança une voix rendue rocailleuse par l'abus du tabac. Depuis le temps…

— Nous aussi, qu'est-ce que tu crois ? rétorqua Didier. Pas de nouvelles depuis la fin mai, c'était inquiétant. À la maison, on n'osait même plus prononcer son nom sans provoquer les larmes de la vieille. Et tout d'un coup, alors qu'on ne l'attendait plus, une lettre !

Didier jubilait.

— Alors ? Où est-il ? Comment va-t-il ? demanda une autre voix, de toute évidence pressée d'entendre la réponse.

— Il va bien… Très bien même… Attendez que je vous lise…

S'installant autour de la table à la place qui était habituellement la sienne et restée vide jusqu'à maintenant, Didier déplia la lettre, une simple feuille qu'il manipulait avec soin.

— « Mon cher Didier, »

Didier leva la tête et constata qu'il avait l'attention de tout un chacun. De la radio, en ce moment, leur parvenait une voix anglaise, signe que l'émission s'adressant aux Français était terminée. Machinalement, René tendit la main pour tourner le bouton de nacre et ajusta ainsi le son à la baisse. Didier pouvait commencer. Il se repencha sur la lettre et reprit sa lecture.

— « Je suis heureux d'avoir enfin l'occasion d'écrire cette lettre. Depuis juin dernier je ronge mon frein, devinant votre inquiétude à mon égard. Quelle déveine que d'être si près sans pouvoir le dire ! Heureusement, un camarade de la Grande Guerre a été libéré. Il part pour Marseille demain matin et il va poster ma lettre là-bas.

Pour ma part, après la campagne des Flandres, je me suis replié sur Dunkerque. Détour par l'Angleterre et retour à Brest, avant les bombardements. Puis, je me suis dirigé sur Caen avec le régiment dont j'avais le commandement. Comme tu vois, je n'étais pas bien loin de chez nous, mais comment le faire savoir ? Puis nous avons été désarmés au moment de l'armistice avant même d'avoir pu agir et j'ai été pris par les Allemands quelques jours plus tard. Depuis, je suis interné dans une caserne à Vannes.

La santé est bonne malgré les restrictions et les interdictions de toutes sortes, et le moral serait meilleur si j'avais de vos nouvelles. Malgré cela, je tiens le coup. Je te laisse mes coordonnées en post-scriptum de cette lettre. Sait-on jamais, une missive postée en bonne et due forme me serait peut-être remise.

Pour tout dire, il n'y a pas grand-chose à ajouter sinon que les journées se ressemblent toutes dans leur monotonie. J'espère ne pas moisir ici trop longtemps et je prie le Ciel en ce sens. Tu salueras les Leclerc de ma part.

Baisers et amitié à toute la famille, surtout à Mamie. Vous me manquez terriblement.

Gustave »

Didier leva enfin les yeux

— Voilà !

Le sourire de l'homme à la lettre était radieux. Ce cousin qu'il avait toujours traité comme un frère était vivant, il n'en demandait pas plus pour être heureux.

— Et dire qu'on le croyait mort ! Mais non, Gustave était toujours bel et bien en vie, répéta-t-il dans un soupir de soulagement. Comme quoi l'espoir reste permis. Pour nous tous comme pour les autres, d'ailleurs. Combien d'hommes au juste, disparus comme lui, mais bien vivants, et qui désespèrent de ne pouvoir le faire savoir aux leurs ?

— Des milliers peut-être.

La réponse avait fusé sans la moindre hésitation.

Un lourd silence succéda à cette constatation faite sur un ton fataliste, certes, mais aussi chargé de colère contenue. Cette guerre, qui sur papier n'en était plus une pour la France, ne ressemblait à rien de ce qu'ils avaient déjà connu, et cet inconnu, justement, faisait peur. Un peu partout en France et en Allemagne, plus d'un million de soldats français étaient actuellement prisonniers comme ce Gustave. C'était énorme, inimaginable.

— C'est pourquoi il ne faut pas baisser les bras, affirma René avec fougue. Jamais. Tant que la France n'aura pas gagné la guerre, il faut continuer à lutter.

C'était facile à dire puisque le principe était réel et sans équivoque, mais comment y arriver ? Comment contrer l'ennemi ? Ici, dans leur campagne, il ne se passait rien ou si peu. Un avion de temps en temps sillonnait le ciel, une colonne de militaires allemands traversait la place du village sans s'arrêter, en route vers les plages pour y construire leurs défenses...

François Nicolas se leva lentement et il attrapa la veste de lainage qu'il avait posée sur le dossier de sa chaise en arrivant.

— Vous allez m'excuser mais je rentre.

— Déjà ?

— Ouais... Je vais de ce pas parler à Françoise. Tout comme Didier, jusqu'à aujourd'hui, elle n'a aucune nouvelle de son Rémi. Depuis en fait la fin du mois de mai quand il est venu nous voir lors de sa dernière permission. C'est long... Je crois bien que la lettre reçue par Didier va permettre de rallumer l'espoir. Enfin, je l'espère. Elle en a besoin.

— Tiens, prends-la !

Bousculant sa chaise, Didier se releva et lui tendit le bout de papier.

— Qu'elle la lise elle-même, cette lettre. Voir les mots en noir sur blanc, c'est toujours mieux que d'en entendre parler. Même par son père. Allez, prends ! Tu me la remettras demain soir quand on se verra.

Pour une rare fois depuis quelque temps, ce fut d'un pas léger que François Nicolas fit la route du village en sens inverse pour retourner chez lui. Il lui tardait de donner la lettre à sa fille. Ce ne serait peut-être pas grand-chose aux yeux de Françoise que cette assurance de savoir le cousin de Didier vivant et en bonne santé, François s'accordait à le penser, mais ça permettait l'espoir, non ?

C'était ce même espoir, à la fois insensé mais possible et peut-être même probable, qui porta François et lui fit allonger le pas. Il comptait sur ce sentiment de détente que lui-même ressentait pour que le sourire revienne sur les lèvres de sa fille. Un sourire de plus en plus éthéré et fugace au fur et à mesure que le temps passait.

La lune, complice de son bien-être présent, traçait la route, projetant devant lui l'ombre des arbres à travers le scintillement des cailloux qu'il entendait et sentait rouler sous ses semelles. La soirée était belle, presque chaude, et en cette période de la récolte, l'odeur acidulée des pommes dominait. Pour un peu, François Nicolas aurait pu dire qu'il était heureux sans compromis. La production avait été particulièrement abondante, cette année, et à première vue, il y aurait suffisamment de mains pour mener rondement la récolte jusqu'à la fin. Cela voulait donc dire que le calva serait embouteillé en belle quantité, comme d'habitude. Pourrait-il toutefois le vendre comme à l'accoutumée ? Le producteur n'en avait pas la moindre idée pour l'instant, ce qui ne l'empêchait pas d'être satisfait, pleinement satisfait de la saison.

En contrepartie, cependant, il y avait Rémi dont on était sans nouvelles, et sa Françoise ne souriait plus aussi souvent. « C'est bien assez pour ternir le bonheur le plus tenace », songea alors François, sans pour autant ralentir l'allure.

Il y avait surtout cette certitude bien ancrée en lui que si l'odeur de la guerre ne les avait pas encore rejoints, ici dans leur petit village, il ne pourrait néanmoins jamais croire impunément que toute cette histoire n'était qu'un simple cauchemar dont il se réveillerait indemne.

Qu'on le veuille ou non, armistice ou pas, c'était la guerre autour de lui. Les bombardements du territoire anglais en étaient la plus belle preuve, et cette guerre finirait bien par les toucher eux aussi, au-delà des privations matérielles dont les effets commençaient à se faire sentir même dans leur village. De cela, François était convaincu, et c'est à cela qu'il pensait encore quand il arriva devant le long bâtiment blanc qui lui servait à la fois de demeure et de grange, même s'il ne gardait plus de fourrage depuis belle lurette puisqu'il n'avait plus de bêtes, à l'exception de quelques volatiles.

Un premier éclat de voix le fit s'arrêter brusquement. Un second, froncer les sourcils. Que se passait-il chez lui pour que Françoise et Madeleine en soient venues aux cris ?

Car il s'agissait bien des voix de sa femme et de sa fille qu'il entendait, sans la moindre équivoque possible, pendant qu'elles déchiraient la nuit de leurs échos colériques.

Pourquoi ?

Habituellement les deux femmes s'entendaient plutôt bien.

Rémi, peut-être ?

Ce nom avait à peine effleuré son esprit que François Nicolas attaqua le sentier de pierraille au pas de course. Il entra dans la cuisine en coup de vent.

Debout à côté de la table, Françoise, le visage inondé de larmes, tremblait comme une feuille, tandis qu'à l'autre bout de la pièce, appuyée contre l'évier, Madeleine avait son regard dur, celui qui dit la contrariété et la colère. Curieusement, le temps d'un soupir discret, François se sentit soulagé. Manifestement, ici, il n'était pas question de Rémi.

En effet, s'il était arrivé quoi que ce soit de malheureux à leur gendre, Madeleine n'aurait été que compassion.

Alors ? Que se passait-il ?

François fit un pas dans la pièce.

— Quelqu'un peut m'expliquer ? On vous entend depuis la route.

— C'est elle !

Du menton, Madeleine désigna sa fille.

— Encore une fois, elle n'en fait qu'à sa tête sans tenir compte de tout ce dont on avait discuté.

— Mais encore… Je ne comprends pas.

À ces mots, François se tourna vers sa fille et, d'une voix douce mais ferme, il demanda :

— Et toi ? Peux-tu m'expliquer ?

— Il n'y a rien à expliquer, rien à faire, riposta Madeleine, sans laisser à Françoise la chance de dire un seul mot, ce que la jeune femme aurait été bien en peine de faire, de toute façon, tant sa gorge était nouée. Imagine-toi, François, que notre fille est enceinte.

À ces mots, François eut la nette sensation que son cœur bondissait dans sa poitrine. Cependant, il n'aurait su dire si c'était de joie ou d'inquiétude.

Un bébé, en période de guerre…

Pendant ce temps, Madeleine poursuivait sur sa lancée.

— Comme si on n'en avait pas assez ! En ces temps tordus, c'est ce que notre fille a trouvé de mieux à faire : avoir un mouflet ! C'est ridicule. Malgré tout ce qu'on avait dit, tout ce qu'on avait prévu pour le commerce, Françoise va avoir un bébé. Et cela, c'est sans compter le père qui est…

— Tais-toi !

La voix de François avait tonné dans la pièce tandis que son regard lançait des éclairs.

— Plus un mot, Madeleine. Surtout pas à propos de Rémi, tu risquerais de le regretter un jour. Regarde-la ! Regarde ta fille ! Tu ne vois pas qu'elle est bouleversée ?

— Et alors ? répliqua Madeleine, sans tenir compte de l'avertissement de son mari. Elle aurait dû y penser avant. On ne fait pas un enfant alors que la vie est aussi incertaine, dans tous les sens du terme.

— Comme nous pour Jasmin, n'est-ce pas Madeleine ?

Jasmin, le nom du fils parti trop jeune, emporté par un

banal accident au verger. Une mauvaise chute, un coup brutal à la tête.

Jasmin, le fils qui lui ressemblait tant, conçu lui aussi en temps de guerre sur un coup de passion.

À ce souvenir, la mâchoire de Madeleine se contracta et un bref silence, lourd, intense, désagréable, pesa dans la pièce. Puis, brusquement, comme sous l'effet d'un coup de fouet, Madeleine redressa les épaules. François n'aurait pas dû parler de leur fils comme ça. La situation d'antan n'avait rien à voir avec celle d'aujourd'hui.

— Pour nous, la venue de Jasmin était un accident, siffla-t-elle entre ses dents. Pour Françoise, c'est autre chose, et elle avait promis d'attendre avant d'avoir des enfants ! Elle avait promis d'apprendre tout ce qu'elle devait savoir concernant le calva avant de penser aux enfants. Elle savait même comment empêcher la famille alors que nous…

— Ça, c'était avant la guerre, coupa sèchement François, voyant clairement où sa femme voulait en venir. La promesse de notre fille a été faite avant la guerre. Comment peux-tu ne pas le comprendre et l'accepter ? Aujourd'hui, tout est chamboulé. La vie comme les émotions. Au cas où tu ne le saurais pas, je me répète : c'est la guerre.

— La guerre ? Quelle guerre ?

Madeleine regarda autour d'elle. Dehors, quelques oiseaux nocturnes ajustaient les notes de leur chant tandis que la brise odorante qui venait de se lever bruissait doucement dans le feuillage des arbres, un peu plus haut sur la colline.

— Je ne vois pas de guerre ici, conclut froidement Madeleine, avec une mauvaise foi évidente, elle qui se plaignait constamment de la présence des avions ennemis dans le ciel.

Le temps d'un regard tout autour de la cuisine, suivi d'un coup d'œil par la fenêtre, et Madeleine reporta les yeux sur son mari.

— Une occupation peut-être, poursuivit-elle, détestable, je le concède, avec ces Allemands qui fouinent partout, mais ce n'est tout de même pas la vraie guerre pour autant.

— Allons donc, Madeleine ! De quoi parles-tu ?

— Je parle de ce que je vois, mon pauvre François ! De ce que je constate, jour après jour. Je parle d'une guerre qui n'existe pas vraiment. Pas ici, du moins. Nous ne sommes pas en Angleterre, quand même !

— Foutaises !

— Ça, vois-tu, c'est ton point de vue, et remarque qu'il n'est pas partagé par tous. Laissez donc Pétain faire ses preuves. Peut-être bien que cet armistice qui vous hérisse tant finira par protéger notre pays des pires calamités. On n'en sait rien pour l'instant.

Cette phrase, on l'entendait un peu partout dans le pays, tant en zone libre qu'en zone occupée. Déstabilisés par les événements récents qui avaient balayé la terre de France, bien des gens semblaient préférer cette paix artificielle à un combat acharné. Pour le moment, du moins. On parlait donc de donner une chance à Pétain, au cas où il ait raison.

C'est pourquoi François haussa les épaules en

entendant ces quelques mots prononcés par Madeleine. La réaction de sa femme différait bien peu de celle d'une grande partie du peuple français. Même si lui pensait tout autrement, pour l'instant, il aurait pu accepter cette attitude sans autre forme de discussion. François Nicolas n'avait jamais été de ces hommes qui imposent leur vue à toute la famille. Malheureusement, Madeleine ajouta :

— Tes copains et toi, faites donc comme moi, au lieu de conspirer comme une bande de gamins en manque de sensations fortes.

Ce furent les mots de trop, et François n'y vit que du feu. Il se retourna vivement vers Madeleine.

— Une bande de gamins ? En manque de sensations fortes ? D'où tiens-tu un tel langage ? C'est vraiment ce que tu penses ?

— Oui, c'est vraiment ce que je pense. Et en attendant d'en avoir le cœur net, en attendant de savoir ce qui nous pend réellement au bout du nez, je persiste et je signe : c'est ridicule d'avoir fait un bébé dans de telles conditions.

— Et tu ne changeras pas d'avis, n'est-ce pas ?

— Je ne changerai pas d'avis, non. Pourquoi le ferais-je ? L'avenir me donnera bien raison, allez ! Une chance que j'ai eu l'œil parce que Françoise, elle, n'aurait rien dit. Elle s'imaginait peut-être naïvement arriver à terme sans que rien ne paraisse !

— C'est bête de penser comme ça… Et c'est dommage.

Le temps de cette discussion acerbe et absurde, Françoise avait peu à peu pris sur elle. L'attitude de sa mère l'attristait et l'inquiétait tout à la fois. Comment une mère pouvait-elle parler ainsi de sa fille et devant elle, en plus ? Comment sa propre mère pouvait-elle l'accuser de tous les maux de la Terre depuis qu'elle avait eu l'œil, comme elle le disait si bien, et qu'elle avait compris que Françoise était enceinte ? Et à quoi ressemblerait le quotidien maintenant que le secret avait été éventé ?

Tout comme son père, Françoise avait envie de dire : « Dommage. »

Dommage que sa mère n'ait rien compris, rien accepté, butée qu'elle était sur un engagement pris dans un autre monde, à une autre époque.

Dommage que sa mère ne puisse admettre que la dernière visite de Rémi, à la fin du mois de mai, avait été un moment de passion désespérée entre eux, comme si les deux amoureux savaient d'instinct que la vie allait les séparer bientôt.

Dommage de ne pas vouloir partager l'attente à deux, parce que malgré tout, le moment aurait pu être si doux entre mère et fille.

Dommage de ne pas voir dans cet événement imprévu autre chose qu'un empêchement de tourner en rond, car ce bébé à naître était en outre l'assurance que la vie continuait, se faisant forte et exigeante. Pour Françoise, la venue de cet enfant, même non préméditée, même un peu encombrante, elle l'avouait sans ambages, apportait la preuve que tout pouvait encore avoir un sens. Ne serait-ce que pour cette unique raison, sa mère aurait dû se réjouir pour elle.

Avec elle.

Hélas, ce n'était pas le cas.

Françoise se tourna donc vers son père, en quête d'une certaine approbation, d'un peu de réconfort. Tout de suite, dans le regard aimant posé sur elle, la jeune femme reconnut cette petite étincelle particulière qui disait chez lui le bonheur et la joie.

Le soulagement de la jeune femme fut immédiat et intense. Malgré l'absence de son Rémi, désormais, elle ne serait pas seule.

Le monde de l'enfance, de son enfance à elle comme de celle de l'enfant à naître, toucha Françoise au cœur si fort que, sans tenir compte de la présence de sa mère qui pourrait peut-être en prendre ombrage, elle se précipita vers son père qui lui ouvrit tout grand les bras.

L'image du père et de la fille enlacés lui fut sans doute intolérable, car Madeleine détourna aussitôt la tête et profita de cet instant d'intimité pour monter à l'étage. Les lèvres pincées et les yeux au sol, elle n'eut aucun dernier regard pour eux tandis que ses pieds frottaient bruyamment le bois usé des marches.

À ce bruit, François se dégagea de l'étreinte de sa fille et il regarda sa femme disparaître dans l'ombre de l'escalier, une ride de tristesse zébrant son front.

Quand plus rien n'allait entre eux, l'étage des chambres était le refuge de Madeleine.

— Il ne faut pas lui en vouloir, murmura-t-il la gorge serrée.

Françoise recula d'un pas en fixant son père.

— Comment peux-tu dire ça ? Elle me montre du doigt comme une pestiférée et tu dis de ne pas lui en vouloir ? Je ne comprends pas.

Le producteur de calvados laissa échapper un long soupir.

— C'est pourtant simple. Pour ta mère, en ce moment, c'est un peu comme si l'histoire se répétait. Notre histoire à elle et à moi. La guerre, un bébé non prévu, la peur de ne pas y arriver... Malgré certaines joies, ce ne fut pas facile, il faut tout de même l'admettre. Et tu le sais : dans notre cas, l'histoire ne s'est pas particulièrement bien terminée, alors...

À ces mots, la voix de François Nicolas cassa et Françoise comprit. Sa mère, Madeleine, n'était pas simplement choquée par la nouvelle, elle était blessée, tout aussi bouleversée qu'elle par cette succession d'événements qui se précipitaient. Trop de souvenirs, peut-être, de vieilles douleurs, de vieilles peurs enfouies avaient brusquement refait surface... La colère de Madeleine Nicolas n'était peut-être qu'un réflexe de protection, envers elle-même, soit, mais aussi envers sa fille. À son tour, Françoise baissa la tête.

— D'accord. Je vais lui laisser le temps, murmura-t-elle, se demandant cependant si elle y croyait vraiment.

— Merci...

La reconnaissance de François était bien évidente. Sur ce *merci* à peine audible, il leva les yeux pour ébaucher un sourire maladroit à l'intention de cette fille qui était devenue par la force des choses toute sa descendance, sa principale raison d'être.

La bouffée de tendresse que ressentit Françoise à l'égard de cet homme sensible et bon qu'elle avait la chance inouïe d'avoir pour père transcenda le regard qu'elle posa sur lui. Cela leur fit monter les larmes aux yeux à tous les deux.

Gênée, la jeune femme se détourna vivement.

Mais qu'est-ce que c'était que cette émotivité à fleur de peau ?

Pour son père, Françoise comprenait : pour lui aussi, les souvenirs devaient être pénibles. Perdre un fils n'est jamais facile.

Mais pour elle...

Françoise hésitait encore. Le bébé était-il vraiment pour quelque chose dans cette sensibilité exacerbée, comme elle aurait eu tendance à le croire ? Pourtant, c'était à peine si son état était visible et la future mère ne l'avait toujours pas senti bouger. Alors pourquoi ? Chose certaine, ce n'était pas dans sa nature de larmoyer pour un oui et pour un non.

Françoise renifla discrètement et s'essuya les yeux avant de revenir devant son père qui avait rapidement séché son visage d'une main presque nonchalante, d'un geste fait comme par inadvertance. Puis François Nicolas haussa imperceptiblement les épaules avant de poursuivre d'une voix calme, comme s'il n'avait rien remarqué de particulier.

— Je la connais bien, notre Madeleine, ajouta-t-il. Elle va s'en remettre, crois-moi, et alors, tu pourras compter sur elle. Mais sache que pour moi, c'est une bonne nouvelle. Dès ce soir... L'hésitation n'a pas duré. Je l'ai compris à la seconde où nos regards se sont croisés tout à l'heure. On verra bien ce que l'avenir nous réserve, n'est-ce pas ? En attendant...

Plongeant la main dans une poche de son pantalon, François en retira la lettre que Didier avait reçue le matin même.

— Regarde !

François tenait la feuille de papier du bout des doigts et, tout souriant, il la secouait pour inciter Françoise à la prendre.

— C'est mon copain Didier qui me l'a confiée tout à l'heure, précisa-t-il. Je sais bien que c'est peu de chose, mais quand même... J'ai pensé que tu aimerais savoir. Enfin, je crois que ça donne une raison d'espérer. Allez, lis-la !

Ce que fit Françoise sans hésiter et même avec une certaine avidité. Ce Gustave, elle le connaissait bien peu, il était de la génération de ceux qu'elle considérait comme celle des vieux, mais son père avait raison : ça permettait d'espérer. Et en plus, il n'avait pas l'air de souffrir d'aucune façon, sinon d'un peu d'ennui.

— Tant mieux pour lui, soupira-t-elle, en levant les yeux... Si tu savais ce que je donnerais pour avoir des nouvelles de Rémi, des nouvelles comme celles-ci. Tu sais, papa, j'ose croire qu'il est encore vivant... Depuis le temps... S'il était mort, on l'aurait su, n'est-ce pas ?

Il y avait une quête manifeste dans le regard et dans la voix de Françoise quand elle prononça ces derniers mots, alors qu'elle fixait intensément son père. Par réflexe, celui-ci hocha la tête avec tout ce qu'il pouvait ressentir de conviction pour lui donner raison.

— En effet, approuva-t-il sans hésiter, tout simplement parce qu'il y croyait vraiment. Cette lettre replace les choses en perspective...

— Oui, c'est bien ce que je pense moi aussi.

Tout en parlant, Françoise tendit le papier à son père.

— Remercie Didier pour moi. Cette lettre me donne au moins une raison de croire que Rémi n'est pas maltraité, conclut-elle. Vois-tu, c'est peut-être ça, le plus important. L'idée que mon mari puisse souffrir m'est tout à fait intolérable. Plus, je crois, que de savoir qu'il puisse être mort.

Françoise se tut brusquement et elle secoua la tête dans un grand geste de négation avant de reporter les yeux sur le sol d'ardoise, comme pour mettre à l'abri une certaine intimité qu'elle ne voulait partager avec personne pour le moment.

— Non, pas ce soir, murmura-t-elle, bien plus pour elle-même que pour son père. Je n'ai pas envie d'en parler plus longuement. Pas maintenant.

Le temps d'une profonde inspiration libératrice, puis Françoise leva la tête et ajouta :

— Merci d'avoir pensé à me montrer la lettre, papa. Tu avais raison, ça m'a fait du bien de lire ces quelques mots. Je suis simplement triste de ne pouvoir partager tout ce que je vis avec Rémi. Si au moins je savais où il est…

Françoise poussa alors un long soupir qui chassa l'essentiel de cette discussion. Elle posa encore une fois les yeux sur son père avec l'impression d'avoir un avant-goût de l'avenir, comme une éclaircie devant elle, parce qu'à travers le vécu de cet homme, c'était son avenir et celui de son enfant qu'elle tentait d'apercevoir. Après tout, François Nicolas aussi avait déjà fait la guerre, n'est-ce pas ? Et il en était revenu indemne, tandis qu'à la maison, sa femme et son fils l'attendaient impatiemment. À partir de ce retour, la vie, leur vie à trois, avait alors repris tout son sens, comme avant. Pourquoi en irait-il autrement avec Rémi ?

— Pour l'instant, je vais concentrer mes énergies sur la récolte et sur lui, ajouta-t-elle avec force, tout en posant brièvement la main sur son ventre à peine arrondi. M'occuper de ce bébé, tout faire pour mettre au monde un enfant en santé, c'est un peu m'occuper de Rémi, n'est-ce pas ? Quant au reste, je vais m'en remettre au destin parce que moi, je ne peux rien faire de plus. Maintenant, tu vas m'excuser, papa, mais je vais monter me coucher. Je ne sais trop pourquoi, mais je pense à dormir presque tout le temps.

— Comme ta mère, lorsqu'elle était enceinte de toi.

Cette précision fit rougir Françoise, sans qu'elle sache d'où lui venait ce trouble. Décidément, elle réagissait d'une bien drôle de façon, depuis quelque temps, alors qu'un rien la mettait dans tous ses états !

Et tandis que Françoise montait à l'étage, s'apprêtant à s'installer pour la nuit, à des kilomètres de là, sous les combles d'une vieille maison parisienne, son amie Brigitte, elle, arrivait tout juste d'un dîner en agréable compagnie, même si la conversation avait été un peu lourde.

Ce dîner la laissait songeuse sur tous ces mois qu'elle venait de vivre et surtout sur ceux à venir alors qu'elle s'était engagée à poursuivre la route aux côtés de gens qui, jusqu'à tout récemment, n'étaient que des étrangers pour elle.

En effet, dès l'armistice signé, la jeune femme n'était pas restée longtemps à l'usine de munitions d'Argenteuil. Pas question pour elle de travailler au service de l'ennemi. Sans préavis, avant même que les Allemands ne s'installent pour de bon en France, elle avait plié bagage, quittant l'usine et la petite chambre qu'elle louait pour une poignée de francs chaque semaine et idéalement située à un jet de pierre de son travail.

Toute cette aventure n'aurait finalement duré que quelques mois et n'aurait rien donné de plus qu'une modeste réserve financière.

Pourtant, en quittant sa Normandie natale, Brigitte Lacroix avait sincèrement cru que ce serait tout son avenir qui passerait par ce séjour à Argenteuil. En effet, la paye offerte était appréciable, le loyer trouvé plutôt raisonnable et, comme elle mangeait frugalement, habituée qu'elle était de toujours tout partager avec sa famille nombreuse, elle pourrait ainsi engranger de belles économies.

« Le temps d'une guerre, se disait-elle, pourvu qu'elle dure un peu, et j'aurai mis suffisamment d'argent de côté pour m'offrir enfin ce cours de secrétariat dans une école privée. »

Brigitte en rêvait depuis des années.

À force de feuilleter et de consulter des brochures, d'en discuter avec son amie Françoise qui partageait à peu près tout avec elle, la jeune femme avait eu le temps de se faire une idée assez précise de ce qu'elle recherchait aussi intensément et, de ce fait, l'école avait déjà été soigneusement choisie. Une école à prix d'or, d'accord, mais qui semblait de qualité supérieure, et qui garantissait, selon les résultats obtenus, bien entendu, une position dorée par la suite. Bien des si, des peut-être et des espoirs dans cette équation remplie de rêves, mais Brigitte n'en avait cure.

Sans prétention aucune, la jeune femme connaissait ses capacités et elle les voyait sans limites.

C'est pourquoi elle s'imaginait aisément assise derrière un pupitre de bois verni, sombre et luisant, un téléphone dernier cri à portée de main et une machine à écrire posée devant elle, rutilant de tous ses chromes ; ses doigts aux ongles nacrés, parfaitement manucurés, voltigeraient sur le clavier. Consciencieuse et efficace, dactylo hors du commun, elle serait rapidement promue secrétaire de direction, cela tombait sous le sens. Alors, elle recevrait les clients, s'occuperait du courrier, peut-être aussi d'un peu de comptabilité pour faire changement et, tous les matins, elle prendrait la dictée en sténographie et ferait le café pour un patron reconnaissant. Puis, le vendredi, elle toucherait un salaire substantiel, qui lui permettrait quelques folies, elle qui n'en avait jamais faites jusqu'à maintenant.

Et elle porterait enfin des bas de soie !

Voilà ce qui avait motivé Brigitte à quitter son petit village pour s'installer à Argenteuil : à dix-neuf ans, il était temps qu'elle prenne sa vie en main, ailleurs qu'aux côtés d'une mère fatiguée qui ne s'apercevait de votre présence que pour vous donner des ordres du matin au soir. C'était donc une existence plutôt terne qu'elle avait laissée derrière sans grand regret pour en commencer une autre, qu'elle espérait lumineuse et satisfaisante.

Dans le train l'emmenant à Argenteuil, la jeune femme avait l'estomac chargé de papillons et l'esprit débordant de mirages tous plus invitants les uns que les autres.

Malheureusement pour elle, le rêve n'avait pas duré un an, car Philippe Pétain, ce curieux personnage, avait choisi de signer un armistice infamant.

Déçue par la tournure des événements, bien décidée à ne pas rester dans une usine qui désormais fournirait des munitions à ceux qu'elle considérait comme des ennemis, parce que malgré ses ambitions, elle avait tout de même quelques principes bien enracinés, Brigitte n'avait pas eu non plus l'envie de retourner chez elle pour reprendre une existence plutôt banale, là où elle l'avait laissée tomber, l'automne précédent.

Une brève heure de réflexion et sa décision était prise : pas question pour elle de retrouver la famille et de reprendre sa place derrière le fourneau à préparer la tambouille d'une bande de gamins ingrats. Pour Brigitte, cela ne faisait aucun doute ; étant la seule fille de la maison et de surcroît l'aînée d'une tribu de sept garçons, c'était là le sort indéniable qui l'attendait si elle prenait la décision un peu saugrenue de retourner chez ses parents.

Quelques jours auparavant, on avait déclaré Paris ville ouverte, elle le serait donc pour elle aussi. Ce n'était pas parce que les Allemands avaient envahi son pays que ce même pays allait cesser brusquement de vivre et de respirer. Du travail, elle en trouverait à Paris, voilà tout, et l'école de secrétariat n'était pas obligatoirement fermée pour cause d'occupation !

Quant aux parents…

Un haussement exagéré des deux épaules avait soutenu cette seconde réflexion qui s'était résumée à un temps d'arrêt plutôt expéditif pour ne pas dire carrément symbolique.

Tant pis pour les parents!

Une fois qu'elle serait bien installée, deux lettres envoyées au village rassureraient à la fois ses parents et Françoise, la seule personne sur terre dont elle s'ennuyait ferme, Brigitte n'avait aucun scrupule à le reconnaître.

La jeune femme avait donc fait le court chemin entre Argenteuil et Paris, par un beau matin d'été, dans une charrette bringuebalante qui débordait des premiers légumes de la saison. Comme le lui avait expliqué le producteur maraîcher, il espérait en tirer un bon prix avec tous ces soldats allemands qui avaient envahi la capitale.

Brigitte n'avait pas répondu, car la réponse aurait été cinglante.

Selon ses convictions toutes personnelles, on ne vendait pas de légumes aux Allemands. On ne vendait rien du tout aux Allemands, point à la ligne!

Depuis quelque temps, tout ce qui pouvait toucher ceux que son père avait toujours appelés les Teutons, qu'importe que ce soit de près ou de loin, la hérissait au plus haut point.

La tête comme une girouette pour ne rien perdre du paysage, une main posée sur cette même tête pour retenir son bibi qui tressautait au moindre cahot, Brigitte avait donc fait semblant de n'avoir rien entendu des propos du maraîcher. Comme ce dernier n'avait rien ajouté, la conversation entre eux était tombée à plat.

En cet instant bien précis, la jeune femme avait la nette impression de jouer sa vie comme on joue la dernière carte d'une main. Elle avait néanmoins l'esprit d'une touriste pressée de changer d'air et qui souhaitait irrévocablement s'établir ailleurs pour un long moment, sinon pour le reste de ses jours.

Une première nuit passée sur un banc de parc, en périphérie du Champ de Mars, troué comme une passoire par les abris, avait remis les pendules à l'heure. Sursautant au moindre bruit, Brigitte avait alors mesuré la précarité de sa situation et l'urgence d'y remédier.

Dès le lendemain, tout en marchant dans le quartier, elle avait trouvé à louer une ancienne chambre de bonne cachée sous les combles d'une maison particulière, ma foi, bien conservée. La propriétaire, plutôt revêche, grande et sèche, garantissait la sécurité des lieux de par sa simple apparence. Pour une jeune femme qui vivait seule, c'était là un point d'importance. Les jeunes hommes avec de mauvaises intentions, Français ou Allemands, n'avaient qu'à se bien tenir, un cerbère veillait sur l'endroit.

— Pour un mois de loyer en gage de votre bonne volonté, plus le mois courant payé à l'avance, cela va de soi, et la chambre bleue est à vous.

Trop heureuse de pouvoir satisfaire à cette demande, et assez fière de pouvoir le faire, Brigitte avait ouvert son sac à main sans hésiter et le problème du logis s'en était trouvé aussitôt réglé.

Quant à l'école de secrétariat, Brigitte l'apprendrait rapidement, elle avait pignon sur rue à tout juste trois carrefours de là, et si elle était fermée pour l'été, elle rouvrirait ses portes en octobre, à temps pour le début d'une autre année.

— Si Dieu le veut, ma chère, si Dieu le veut ! Du moins, on l'espère, avait annoncé une dame entre deux âges qui aurait très bien pu être la secrétaire de l'établissement, ou au mieux, la propriétaire des lieux.

Sur ce point, Brigitte n'était pas arrivée à se faire une idée très précise.

— Avec ces Allemands qui sont partout, avait ajouté la dame dans un murmure et l'œil aux aguets, inconsciente de l'examen qu'elle subissait, on ne sait trop ce que l'avenir nous réserve !

Elle n'aurait pu si bien dire ! Néanmoins, malgré cette dure réalité qui frappait Paris, la dame avait rapidement conclu, au grand soulagement de Brigitte :

— Pour quelques francs, très chère, on peut tout de même vous garder une place pour octobre prochain. Sait-on jamais. Bien entendu, cet acompte est non remboursable.

Avec une certaine réticence, parfaitement justifiée étant donné l'incertitude du résultat, Brigitte avait ouvert son sac à main pour puiser une seconde fois dans un pécule qui fondait à vue d'œil, mais elle avait pu ainsi se réserver une place pour le début d'octobre, dans l'hypothèse où l'école reprendrait l'enseignement.

— Ce qui est fort plausible, notez-le bien ! Les Allemands aussi ont besoin de secrétaires, n'est-ce pas ?

Cette dernière déclaration avait rassuré Brigitte. Elle-même ne travaillerait jamais pour un Allemand, Dieu l'en garde! Mais elle pourrait tout de même, et sans déroger à ses principes, se substituer à une autre qui aurait eu cette audace, n'est-ce pas? De toute façon, la simple perspective que le cours puisse commencer sans elle lui était tout à fait intolérable.

L'instant d'après, la jeune femme était sur le trottoir, nantie d'un bordereau d'acompte en bonne et due forme, délivré par la dame, le porte-monnaie subitement tout léger, mais le cœur au diapason.

Ne restait plus qu'à trouver un emploi, précaire ou non, Brigitte s'en souciait comme d'une guigne, et la vie, même en temps d'occupation, serait presque parfaite.

Cet emploi qui permettrait à la fois de conserver son logis et de manger à satiété ou presque, elle l'avait trouvé à quelques jours de là, par une annonce placée dans la vitrine d'une blanchisserie, idéalement située à mi-chemin entre l'école et sa chambre, au bout d'une toute petite rue aperçue à la dernière minute parce qu'elle avait des allures de ruelle.

Cette blanchisserie, Brigitte l'apprendrait à l'instant où elle s'y présenterait, appartenait à un certain Jacob Reif.

Sans référence ni qualification, et encore moins d'expérience d'aucune sorte, Brigitte avait néanmoins obtenu l'emploi sans la moindre tergiversation, car des dizaines de chemises d'officiers allemands débordaient des nombreux paniers d'osier placés en rang d'oignon dans l'arrière-boutique. Brigitte les avait aperçus depuis le comptoir tandis qu'elle négociait son embauche.

— Certains d'entre eux logent à l'école militaire, vous savez, avait alors expliqué monsieur Reif qui avait suivi le regard de Brigitte. Nous sommes donc idéalement situés pour eux !

Près de la rue de Grenelle, ça tombait sous le sens. Par contre, ne venait-on pas de parler de chemises d'officiers allemands ?

Brigitte avait pincé les lèvres. Décidément, ils étaient partout, ces Allemands, comme un irritant désagréable et tenace ! Allait-elle, pour une fois, accepter de passer outre à des principes inculqués depuis la petite enfance et qui lui dictaient de ne jamais tendre la main à l'ennemi de quelque façon que ce soit ?

Bien qu'à peine perceptible, l'hésitation de Brigitte avait été bel et bien réelle…

Mais à vingt ans, la faim est une redoutable conseillère, n'est-ce pas ? Et le mirage d'un cours de secrétariat trop séduisant pour être éconduit. D'autant plus que cela était sans compter la présence d'un homme plutôt chétif qui semblait tout à fait débordé et qui la dévisageait avec une indéniable attente au fond des prunelles. Brigitte avait donc desserré ses lèvres qui s'étaient hermétiquement closes sur son désaccord, et elle avait offert son plus charmant sourire en tendant la main pour sceller l'entente. L'instant d'après, il avait été décidé qu'elle commencerait dès le lendemain et que le dimanche serait une journée de repos.

Ce soir-là, au bistro du coin, Brigitte s'était offert une choucroute à moitié garnie, le saucisson étant devenu une denrée rare puisque prisé par les Allemands. Néanmoins, ça avait été le premier vrai repas qu'elle prenait depuis plus d'une semaine. Pour souligner l'événement, elle avait poussé l'audace et la dépense jusqu'à arroser son festin d'un tout petit verre de vin blanc qu'elle avait longuement siroté pour faire durer le plaisir, mesurant tout à coup la chance inouïe qu'elle avait d'être à Paris.

Le lendemain, à six heures précises, comme promis, elle se présentait au boulot.

De part et d'autre, les confidences s'étaient fait attendre, les humeurs de l'époque n'autorisant pas une bien grande liberté d'expression. De toute façon, en ces temps oppressants et troublés, à qui pouvait-on faire réellement confiance ?

N'empêche que d'un jour à l'autre, au fil de conversations des plus banales, entre une chemise bien pliée et un pantalon soigneusement pressé, ou encore entre une tache longuement frottée et un après-midi partagé à suer au-dessus de la vapeur des repasseuses, on avait quand même appris à se connaître un peu.

Puis, tout à l'heure, en fin d'après-midi :

— Et si vous veniez dîner à la maison ?

Brigitte avait aussitôt interrompu son geste et le lourd fer de fonte s'était immobilisé au-dessus d'un col amidonné. La jeune femme avait le cœur aux abois.

Jamais tentation n'avait été aussi forte, aussi irrésistible. Pensez donc ! Une invitation, une vraie, après tout ce temps !

Brigitte avait jeté un regard en coin vers son patron.

Tout bien considéré, monsieur Jacob n'était plus vraiment ce qu'on aurait pu appeler un étranger, n'est-ce pas ?

Elle ne risquait donc pas grand-chose à accepter la proposition. Puis, il était particulièrement difficile de dire non quand la solitude est devenue votre principale compagne et que cette présence indésirable commence à vous peser de plus en plus.

La réponse, d'une voix qui aurait bien voulu se faire indifférente, mais qui n'y arrivait pas tout à fait, n'avait guère tardé.

— À quelle heure mangez-vous?

On s'était alors entendus sans discussion pour se retrouver à vingt heures.

— Juste à temps pour que vous puissiez rencontrer mes filles qui se couchent peu après et il ne sera pas trop tôt pour le repas du soir.

Ainsi donc, Jacob Reif avait des filles?

Eh bien!

À le voir besogner du matin au soir, silencieux et discret, pas très costaud et plutôt effacé derrière sa montagne de chemises allemandes, une mèche charbonneuse retombant effrontément entre ses yeux, Brigitte n'aurait jamais cru que cet homme-là puisse avoir une épouse.

Encore moins toute une famille!

À partir de ce constat, la curiosité et les suppositions avaient fait en sorte que ce samedi après-midi tristounet, assombri de nuages sombres et mouillé de gouttelettes passagères, avait passé plutôt rapidement, et c'est d'un pied tout léger que, pour une fois, la jeune femme avait monté l'interminable volée de marches menant à sa chambre.

Pour l'occasion, Brigitte avait sorti sa plus jolie robe,

celle à col bateau, en taffetas mauve, qu'elle trimbalait sans grande conviction depuis la Normandie et qu'elle avait bien failli laisser derrière elle en quittant Argenteuil, puisque les chances de la porter s'étaient avérées inexistantes jusque-là.

Le temps d'une toilette plus complète qu'à l'habitude, avec savon et eau tiède puisée à même une bassine de porcelaine émaillée qu'elle avait déposée sur un coin de sa commode, le tout suivi d'un coup de peigne vigoureux et d'un trait de rouge à lèvres, et Brigitte avait quitté de nouveau sa chambre.

— Ne m'attendez pas, madame Foucault, avait-elle lancé par-dessus son épaule en arrivant devant la lourde porte en bois qui donnait directement sur le trottoir. Je dîne chez mon patron.

— Oui, oui, on dit ça… Pas plus tard que vingt-trois heures, fillette, sinon la porte sera verrouillée.

Fillette…

C'était là le surnom trouvé par la propriétaire ! Sous des allures de vieux dragon se cachait un cœur tendre !

Alors Brigitte avait pris l'avertissement pour une boutade et un éclat de rire tout en cascades avait précédé le claquement de la porte.

Au coin de la rue, pour quelques centimes, Brigitte avait acheté un chrysanthème, marron comme sa chevelure, pour l'offrir à l'épouse de monsieur Jacob et, relisant l'adresse inscrite au verso d'un vieux ticket, elle avait pris le temps de s'orienter avant de poursuivre sa route vers le sud.

Bertha Grosmann-Reif était tout simplement

charmante, et ses deux filles, Klara, huit ans, et Anna, sept ans, toutes deux blondes et bouclées, ressemblaient à leur mère en miniature.

Spontanément et avec une certaine effronterie, les gamines avaient posé sur Brigitte leurs grands yeux bleus remplis de curiosité. Il est vrai, cependant, que les visiteurs se faisaient plutôt rares depuis leur arrivée à Paris, et bien que leur mère parlât souvent de ce joyeux temps d'avant le long voyage en bateau, alors que leur jolie maison avec jardin était régulièrement le témoin de réunions amicales, les deux fillettes n'en gardaient qu'un vague, très vague souvenir.

De son côté, madame Reif avait éclaté de rire quand elle avait vu les yeux de Brigitte s'écarquiller de surprise en découvrant deux petites filles aussi semblables l'une que l'autre, malgré la légère différence d'âge.

— Comme vous pouvez le constater, nous n'avons qu'un seul modèle ! avait-elle lancé à la blague, tandis que son mari, qui semblait lui aussi un brin mal à l'aise devant ces quelques mots suggérant une certaine intimité, couvait ses trois « femmes » d'un regard qui ne pouvait mentir quant à l'affection qu'il portait à sa famille.

Intimidée, Brigitte était alors entrée sur la pointe des pieds, la petite branche de chrysanthème la précédant de quelques centimètres.

L'appartement, bien que minuscule, était fort bien tenu, sans objets personnels sur les meubles ou photos de famille sur les murs comme on le voyait communément.

Seule marque ostentatoire d'une certaine opulence: un petit piano droit qui encombrait la pièce, coincé entre un divan défraîchi et une table de salle à manger de format réduit.

Une fois cette première surprise passée et les deux filles couchées, Brigitte avait compris rapidement que Bertha Grosmann et Jacob Reif étaient profondément amoureux l'un de l'autre, même si, à première vue, ils semblaient plutôt désassortis et qu'ils donnaient l'impression d'entretenir une relation toute teintée de contrastes. En effet, cela s'entendait jusque dans leurs propos les plus ordinaires.

Ce fut donc en cette soirée remplie de découvertes que Brigitte avait appris leur histoire, car si monsieur Jacob était d'un tempérament plutôt discret (échaudé par la vie, il ne faisait plus confiance à personne), son épouse, elle, parlait pour deux et elle estimait que le fait d'avoir invité mademoiselle Brigitte à partager leur humble repas du samedi soir faisait d'elle bien plus qu'une simple connaissance.

— Il faut qu'elle sache, Jacob, avait-elle argumenté pour la forme, prévoyant déjà qu'elle n'en ferait qu'à sa tête. C'est important. Après tout, elle partage ta vie de tous les jours. Puis, viendra peut-être le moment où nous aurons besoin d'aide, et comme nous ne connaissons personne, ici... Regarde ce qui se passe autour de nous! Est-on vraiment à l'abri?

Ce à quoi monsieur Jacob n'avait rien trouvé à répliquer. Comme souvent, cette fois-ci encore, son épouse avait raison.

— D'accord, avait-il obtempéré. Mais alors, c'est toi qui parleras. Tu sais mieux que moi raconter ces choses-là... Et que Dieu nous protège !

— C'est ça, Jacob, c'est ça ! Aidons-nous et le Ciel nous aidera.

Les préludes à l'histoire que Bertha voulait raconter avaient donc été servis en même temps que la soupe, si on peut l'exprimer ainsi. À peine assise devant son potage, Bertha ouvrait la bouche, non pour manger comme on aurait pu s'y attendre, mais pour affirmer avec une indéniable fierté dans la voix :

— Comme vous devez bien vous en douter, mademoiselle Brigitte, avec un nom comme celui de mon mari, nous sommes juifs. Juifs allemands, avait-elle précisé sans quitter Brigitte des yeux.

Avant de tout dire, tout confier, en exagérant peut-être les confidences, comme cela lui arrivait hélas assez souvent, Bertha voulait d'abord sonder le terrain, se faire une idée plus précise sur celle qui lui faisait face, de l'autre côté de la table. Après tout, Bertha Reif était bien placée pour savoir que la xénophobie n'était pas l'unique apanage des Allemands. En effet, en quelques semaines à peine, elle avait parcouru la moitié du globe avec sa famille, en pure perte, car ils s'étaient vu refuser l'accès à ce qui devait être un coin de paradis pour eux. La raison ? Un visa que l'on avait déclaré inadéquat. Était-ce suffisant pour les repousser ? Bertha estimait que non, malgré tout ce que les autorités avaient pu en dire. D'où peut-être cette attitude tatillonne qui était la sienne en ce moment.

De son côté, ne connaissant rien à la mesquinerie, Brigitte n'avait pu que hausser les épaules avec une désinvolture montrant une sincérité désarmante.

— Oui, avait-elle consenti à avouer après avoir avalé sa cuillerée de soupe, je me doutais… Non, ce n'est pas exact, je savais que vous étiez Juifs. Le nom, effectivement. Jacob Reif, ça ne sonne pas vraiment français. Et alors ?

Bertha avait jeté un regard heureux vers son mari avant de répondre, un certain soulagement dans la voix :

— Rien… Comme ça. Pour que les choses soient claires. Voyez-vous, après tout ce qu'on a vécu, cela me paraissait essentiel de savoir.

— Alors vous savez. Pour moi, Juif, Français, Italien, ça n'a pas grande importance. Il n'y a peut-être que les Allemands…

En prononçant ce dernier mot, le regard de Brigitte s'était durci.

— Mais ça, c'est une autre histoire, avait-elle ajouté dans la foulée, sans plus d'explications.

Puis, au bout d'un bref silence, elle avait conclu :

— Après tout, ce sont eux qui nous ont envahis et non le contraire. Normal qu'on se sente irrités, non ?

Il n'en fallait pas plus pour rassurer Bertha, et ce fut à ce moment-là que l'histoire avait commencé pour de bon.

Jacob et Bertha étaient nés à Berlin, à la fin du siècle précédent. Fils de médecin et fille de commerçant, tous les deux avaient connu une enfance dorée. Ils en gardaient de merveilleux souvenirs.

— À cette époque-là, voyez-vous, mademoiselle

Brigitte, l'Europe était comme un grand jardin où les arts avaient réellement une place privilégiée. Vienne, Berlin, Paris…

Puis ça avait été la Grande Guerre, celle de 1914. Bien qu'encore relativement jeunes à l'époque, ils en gardaient de pénibles souvenirs.

— Les privations surtout… J'ai eu tellement faim, si vous saviez !

Puis la paix était revenue. Jacob avait entrepris des études en médecine dentaire, tandis que Bertha s'était intéressée à la musique. Ses maîtres disaient qu'elle avait un talent naturel pour le piano. Ce fut d'ailleurs lors d'un concert donné à la Philharmonie de Berlin que Jacob et Bertha avaient fait connaissance.

Un somptueux mariage avait suivi dès l'été suivant, pourquoi attendre ?

Celui-ci avait été célébré dans le splendide jardin de la famille Grosmann, et avait réuni une grande partie du gratin berlinois, toutes allégeances confondues. Jacob venait d'ouvrir son cabinet de dentiste et, déjà, les patients étaient nombreux. Quant à Bertha, il avait été décidé qu'elle donnerait des cours de musique dans un des salons de la jolie maison qu'ils venaient d'acquérir pour loger une famille qui ne saurait tarder. En effet, tous les deux voulaient de nombreux, de très nombreux enfants.

Jacob et Bertha étaient profondément amoureux, ils étaient pleinement heureux et, surtout, ils avaient toute la vie devant eux.

Cette existence presque idyllique avait duré quatre ans. Le temps d'avoir une première fille, Klara, puis, l'année suivante, ou peu s'en faut, une seconde fille qu'ils avaient prénommée Anna.

— Le prochain sera un garçon, je n'en doute pas un seul instant, avait alors déclaré le père qui parlait pour parler, car, visiblement, il était tout à fait satisfait de ce petit bout de femme qu'on avait enfin déposé au creux de ses bras.

On était alors en 1933, et Adolf Hitler venait d'être proclamé chancelier de l'Allemagne.

— Cette arrivée au pouvoir pour le moins contestable malgré sa légalité, avait poursuivi Bertha, quand le mets principal avait été servi, a été sans contredit le début de tracasseries de toutes sortes, des privations injustifiées, et, bien vite, ce fut aussi le début de la peur pour nous et tous nos compatriotes. En fait, on ne le savait pas encore, mais l'arrivée d'Hitler au pouvoir serait définitivement le début de la fin pour nous. Et quand je dis nous, je ne parle pas simplement de notre famille, loin de là.

Le premier affront direct et personnel leur avait été signifié par une attaque à la clinique qui, en une nuit sombre de novembre, avait été pillée de tous ses biens, dossiers compris, puis sauvagement incendiée.

— Nous fûmes, je crois, les premiers de tous nos nombreux amis à être ainsi ciblés. Pourquoi nous ? À l'époque, nous l'ignorions. Jacob n'avait pas que des Juifs comme patients. Il était un excellent dentiste et sa réputation attirait tout le monde, soldats et officiers allemands inclus. Même certains SS étaient de ses patients. Pourquoi alors détruire un commerce qui leur était utile ? Nous ne comprenions pas. N'empêche qu'à partir de ce jour-là, nous avons vu nombre de nos compatriotes être inquiétés à leur tour, surtout par la Gestapo, justement et, là-dessus, Jacob n'en démord pas: ce sont les dossiers volés par les SS dans sa clinique qui ont tout déclenché. Probablement n'était-il pas le seul à penser ainsi, car, petit à petit, les gens se sont détournés de nous, de nos parents. Mais comment leur en vouloir? Nous n'y étions pour rien; n'empêche que Jacob s'en voulait de ne pas avoir mieux protégé ses papiers. C'est au cours du mois de décembre suivant que la peur s'est installée en permanence jusque sous notre toit. À partir de ce moment-là, nous n'avons eu qu'une seule idée en tête: fuir. Loin, très loin.

Tout au long du récit de ce passage troublant de leur histoire familiale, Jacob Reif avait penché la tête et, du bout du doigt, il avait fait rouler une miette de pain sur la table. Cette image d'un homme durement blessé, malheureux, avait profondément touché Brigitte. Embarrassée de pouvoir percer si facilement l'intimité de quelqu'un, elle avait détourné la tête tandis que Bertha poursuivait.

— De toute évidence, nous étions devenus «persona non grata». Pourtant, nous étions allemands de naissance, nous aussi…

Sur cette constatation navrante de vérité, Bertha avait poussé un bruyant soupir.

— Malgré cela, il est vite devenu manifeste que nous n'avions plus notre place en Allemagne. Nous en avons été profondément meurtris, d'autant plus que cette attitude malveillante à notre égard était celle de ceux qui, hier encore, se disaient nos amis. Qu'ils soient allemands ou juifs n'avait plus vraiment d'importance. On se retrouvait seuls. L'idée de partir s'est alors faite de plus en plus pressante. Mais vers où regarder ? Vers qui nous tourner pour avoir de l'aide, des conseils ? Plus personne ne nous parlait à l'exception de nos proches parents. De toute façon, où aurions-nous pu aller ? On nous avait retiré nos papiers.

Un second soupir avait alors ponctué ce long monologue.

— Jour après jour, je voyais mon mari quitter la maison pour n'y revenir que le soir, comme s'il avait été à la recherche d'un emploi, ce qu'il prétextait, d'ailleurs. Et moi, je faisais semblant d'y croire, même si je savais que les Juifs n'avaient plus le droit de travailler. Les filles avaient cessé de fréquenter le jardin d'enfance où elles n'étaient plus les bienvenues et, de mon côté, je tentais de les occuper et de les instruire de mon mieux. J'avais tout mon temps, n'est-ce pas, puisque les élèves se faisaient de plus en plus rares, pour ne pas dire inexistants. Puis un soir, Jacob est arrivé tout resplendissant. Ça faisait tellement longtemps que je ne l'avais vu aussi heureux que j'en ai pleuré de joie, moi aussi.

Un long regard amoureux entre Jacob et Bertha avait souligné la douceur de ce souvenir avant que cette dernière ne reprenne son récit.

— Pour la dernière fois en Allemagne, jouant de ses relations et de ses modestes influences, Jacob avait pu convaincre quelques anciens amis de nous aider. Voilà à quoi il passait ses journées ! C'est ainsi qu'il a réussi à nous obtenir passeports et visas, un visa de séjour que les autorités cubaines avaient appelé, à ce moment-là, un certificat de débarquement. À cent cinquante dollars américains pièce, plus un dépôt de garantie de cinq cents dollars, nous estimions sincèrement que tous les espoirs étaient permis puisque nous pensions, en toute bonne foi, détenir la totalité des papiers en règle permettant l'émigration vers une terre d'accueil. Que de balivernes, oui ! Je crois, finalement, que ceux qui se prétendaient nos amis étaient surtout bien heureux de nous voir quitter le pays, quel qu'en soit le prix. Un transatlantique allemand, le *Saint Louis,* avait été affrété et devait partir de Hambourg à quelques jours de là. Curieux, n'est-ce pas, qu'un navire allemand expatrie ainsi et aussi facilement des ressortissants allemands ? Nous aurions dû nous poser des questions, mais nous ne l'avons pas fait, soulagés de pouvoir nous soustraire à l'enfer que nous vivions. C'est ainsi qu'il fut convenu que nous serions du voyage et nous avons décidé de jouer la carte des vacances devant nos filles. La veille de notre départ, nous avons pleuré toutes les larmes de notre corps en compagnie de nos parents que nous laissions derrière, ne sachant nullement quand nous aurions l'occasion de nous revoir, et à l'aube, le lendemain, nous sommes partis. Direction, l'Amérique, et plus précisément La Havane, à Cuba, où nous étions attendus à titre d'immigrants.

La traversée s'effectuant à partir du 13 mai, en plein printemps, l'expérience en soi ne fut pas si désagréable.

— L'excitation était au rendez-vous, je ne vous le cache pas !

L'attrait de la nouveauté avait fait de cette traversée un souvenir que Bertha chérissait précieusement.

— Quand nous sommes portés par l'espoir, tout devient beau, croyez-moi ! Nous avons même eu la chance de nous faire quelques amis à bord du navire. La vie en sol étranger s'annonçait donc moins pénible que nous l'avions anticipé.

Ils étaient arrivés au port de La Havane le 27 mai 1939.

— Cela fait à peine plus d'un an, mais j'ai la curieuse impression que cela fait plus d'un siècle, avait murmuré Bertha en repoussant une assiette qu'elle avait à peine touchée. Effectivement, les autorités cubaines nous attendaient, nul doute là-dessus, mais ce n'était pas pour nous ouvrir les bras. En fait, les certificats d'embarquement que nous avions achetés en Allemagne n'avaient plus valeur légale à Cuba pour cause de malversation intestine, je crois bien, et si on nous attendait ainsi de pied ferme, c'était pour mieux nous expulser.

À ces mots, Bertha avait égrené un rire pathétique qui n'avait absolument rien de drôle.

— C'est un peu absurde, vous ne trouvez pas ? Être expulsés avant même d'avoir été accueillis… Si je me souviens bien, ce jour-là, à peine une poignée d'hommes avaient pu débarquer du navire et je me demande encore aujourd'hui pourquoi eux avaient eu ce privilège et pas nous.

Le périple avait alors recommencé. En sens inverse, cette fois. Le navire longeant les côtes de la Floride, ils avaient même aperçu les lumières de Miami qui scintillaient au loin, comme un appel, comme une tentation bien inutile, parce que là aussi, on leur avait refusé l'asile.

Le navire était entré dans le port d'Anvers, en Belgique, le 17 juin 1939, après plus d'un mois en mer. Heureusement, d'intenses négociations avaient finalement porté leurs fruits, et quelques pays européens avaient enfin consenti à ouvrir leurs frontières aux passagers du *Saint Louis*.

— Vous ne pouvez imaginer la montagne de paperasse administrative qui nous attendait ! Pire que la montagne des chemises à la blanchisserie, avait souligné Bertha avec un sourire malicieux, comme pour détendre l'atmosphère qui était devenue dense à couper au couteau au fur et à mesure que l'histoire progressait. Comme nous parlions un français impeccable et sans accent, nous avons choisi sans hésiter de nous établir en France, quitte à tout recommencer à zéro. Au moins, nous serions ensemble, et c'était tout ce qui comptait pour Jacob et moi... Rester ensemble avec les filles en attendant de recevoir le feu vert pour retourner en Amérique, car Jacob avait tenu mordicus, entre autres choses, à faire une demande d'immigration officielle pour les États-Unis, même si les délais semblaient fort longs et l'acceptation hypothétique. N'ayant personne qui aurait pu nous accueillir en France, nous avons spontanément opté pour Paris, estimant que dans une grande ville, il serait plus facile de trouver du travail... N'oublions pas qu'à ce moment-là, la guerre entre la France et l'Allemagne n'était pas encore déclarée et pour nous, l'espoir d'une vie meilleure était réel.

Ce fut ainsi que, d'une maison à une autre, la famille

Reif s'était finalement retrouvée dans le VIIe arrondissement puisque Jacob s'y était trouvé du travail.

— Pas comme dentiste, non ! Ça aurait été trop beau ! Mais quand même, Jacob a trouvé une place de blanchisseur en rachetant à bas prix le commerce du vieux monsieur Joubert qui était tout heureux de se départir de ce que lui-même qualifiait de gouffre financier. Une entente entre les deux hommes permettait de régler la note à tempérament. Je vous l'avoue, les premiers mois n'ont pas été faciles. Monsieur Joubert avait raison : le commerce faisait tout juste ses frais. Jusqu'à ce que l'armée allemande s'installe dans Paris. Curieusement, c'est grâce à ceux qui nous ont tout pris, qui nous ont chassés de chez nous, qu'aujourd'hui, on peut survivre. Pourquoi n'ont-ils pas fermé le commerce de Jacob comme ils l'ont fait avec tant d'autres appartenant à des Juifs ? Je l'ignore, et je ne tiens pas à savoir. J'ose croire que la qualité du travail de mon mari y est pour quelque chose… Vivre au jour le jour, voilà ce que la dernière année m'a appris… Et ne plus jamais tenir quelque chose pour acquis.

Ce constat étant fait, Bertha Reif avait semblé consulter son mari du regard avant de conclure sur un ton las :

— Voilà où nous en sommes. Nous vivons au quotidien, une journée à la fois, mon mari et moi, et nous prions le Ciel de protéger nos filles. Je voulais que vous sachiez la vérité pour peut-être prendre certaines décisions… À la lumière de ce qui se passe en Angleterre, devant la haine féroce que les Allemands portent envers les Juifs, nous comprendrions, mon mari et moi, si jamais vous jugiez préférable de trouver autre chose et…

— Pourquoi ? Pourquoi est-ce que je voudrais m'en aller ?

Brigitte s'était redressée sur sa chaise.

— Pourquoi trouver autre chose ? Pourquoi voulez-vous que je cherche un autre emploi ?

— Parce que nous sommes juifs, et que les lois de l'Allemagne concernant les Juifs ont suivi les Allemands qui occupent Paris. Ce n'est probablement qu'une question de temps avant qu'ils ne décident de...

— Et après ? avait coupé Brigitte qui voyait fort bien où voulait en venir Bertha, mais refusant d'y souscrire.

Un bref silence avait suivi cette dernière réplique qui semblait tout à fait catégorique. N'empêche que Bertha avait relancé Brigitte par deux simples questions.

— Et si le commerce de Jacob était encore une fois incendié ? avait-elle suggéré, échaudée par une première expérience de ce genre.

Puis, dans un souffle, Bertha avait ajouté avec une indéniable réticence dans la voix :

— Et si jamais, pour une raison ou pour une autre, on décidait de vous inquiéter parce que vous acceptez de travailler avec nous ?

Peine perdue, Brigitte ne semblait nullement bouleversée par une telle perspective. Elle haussa même les épaules avec une certaine désinvolture avant de répondre.

— Je le répète : et après ? Je traverserai la rivière une fois arrivée à la rivière, pas avant... Vous avez bien dû vous en rendre compte, non ? Je ne porte pas particulièrement les Allemands dans mon cœur...

À ces mots, ça avait été au tour de Brigitte de pousser un long soupir. Elle avait rarement parlé de son enfance, rarement porté de véritables jugements sur ce qui avait été sa vie au sein de sa propre famille. À l'exception peut-être de Françoise, personne ne savait toute la rage qu'elle avait réussi à camoufler jusque-là, une rage alimentée par la déception profonde de ceux qu'elle aimait, par toutes ces injustices qu'elle aurait tant voulu réparer. Mais ce soir, à la lueur d'une lampe vacillante posée tout à côté d'une petite branche de chrysanthème baignant dans l'eau d'un simple verre et autour d'une table chichement garnie de quelques bouchées de pain et d'un tout petit morceau de fromage qu'ils allaient bientôt partager à trois en guise de dessert, Brigitte avait senti grandir en elle l'envie de dire les choses exactement comme elle les percevait depuis toujours ou presque.

— Voyez vous, avait-elle donc repris d'une voix grave, les yeux rivés sur son assiette, mon père est revenu défiguré de cette guerre qu'on appelle la Grande Guerre. À cause d'un obus, il a eu le visage réduit en bouillie, et il n'est plus qu'une caricature humaine. Mon père est de ceux qu'on appelle les gueules cassées. Tout au long de mon enfance, j'ai donc côtoyé un homme amer et rancunier, un homme refermé sur lui-même, fuyant les voisins, n'embrassant jamais ses enfants et vivotant tant bien que mal aux côtés d'une femme résignée, elle aussi, fatiguée de tout, de la vie surtout, je crois bien, et ça, c'est aux Allemands que je le dois. C'est ce qu'on m'a appris quand j'étais môme, ce qu'on m'a répété jour après jour, et c'est ce que je crois encore aujourd'hui. Alors, non, je ne quitterai pas mon emploi à cause d'eux et de leurs foutues convictions bancales.

Aux yeux de Brigitte, sans même avoir besoin d'y réfléchir, rester travailler avec Jacob Reif, c'était comme faire un pied de nez aux Allemands. C'était un peu comme si, à travers elle, son père allait enfin pouvoir prendre sa revanche.

Brigitte avait alors relevé les yeux et elle avait longuement fixé Bertha et Jacob à tour de rôle.

— Non, je ne partirai pas, avait-elle alors répété avec fougue.

Et dans sa voix, il y avait une détermination qui ne laissait place à aucune répartie possible.

La soirée s'était terminée sur cet échange, peu après que Brigitte eut compris, à demi-mot, que les Reif en étaient à leur cinquième logement en quelques mois à peine, par crainte d'être repérés. Ici, dans le VIIe arrondissement, loin des quartiers juifs, Jacob osait croire que sa famille était enfin en relative sécurité. De plus, Bertha et les filles ne sortaient jamais, et c'est Jacob ou le propriétaire qui voyait à faire les courses.

De retour dans sa chambre bien avant les onze heures exigées, Brigitte avait troqué sa jolie robe contre une vieille chemise de nuit fatiguée et elle s'était assise à la fenêtre de sa mansarde, grande ouverte sur la nuit étoilée. Elle contemplait les toits de tuiles qui luisaient faiblement sous les rayons projetés par la lune, à la fois laiteux et lumineux. Elle pensait à Françoise qui allait avoir un bébé. Cette nouvelle un peu surprenante, Brigitte l'avait apprise la semaine précédente dans une courte lettre envoyée par Françoise elle-même, lui demandant la discrétion parce que personne, à cette date, n'était au courant. Si Brigitte avait pu spontanément souscrire à la joie de son amie qu'elle devinait aisément à travers les mots, elle s'était dit, tout aussi spontanément, qu'elle ne voudrait surtout pas être à sa place.

Puis la jeune femme pensa à sa propre famille, une famille dont elle s'ennuyait plus qu'elle n'aurait voulu l'avouer, et elle soupira en se disant que la Normandie lui semblait bien loin, ce soir. Son odeur de pommes et de mer entremêlées lui manquait cruellement parfois.

Brigitte se demandait aussi jusqu'où la vie s'amuserait à la surprendre, l'emmenant ainsi hors des sentiers battus.

Et pourquoi, grands dieux, sa route avait-elle croisé celle de la famille de Jacob Reif?

CHAPITRE 8

Pointe-à-la-Truite, le mercredi 5 février 1941

Dans la cuisine de Gilberte, par une journée de fortes bourrasques

Le nez à la fenêtre, Célestin contemplait la cour arrière de la maison d'un air maussade.

— C'est pas mêlant, Gilberte, lança le grand gaillard d'une voix assez forte pour contrer le bruit du vent qui soufflait à la fenêtre, tandis qu'il se tordait le cou et s'écrasait le nez contre la vitre pour tenter d'apercevoir l'autre bout de la maison, si ça continue comme ça, je te dis qu'on verra même plus le lilas au coin de la galerie. Non monsieur, pas pantoute ! Il va être toute enterré dans la neige, notre beau lilas. Il va-tu nous donner des fleurs pareil au printemps, tu penses ?

Sans attendre de réponse, Célestin se redressa et poussa un long soupir découragé.

— Une autre tempête comme celle d'à matin, analysa-t-il sans quitter la cour des yeux, pis on verra même plus par la fenêtre. C'est pas des farces, ça là. Si ça continue comme ça, m'en vas être obligé de pelleter les fenêtres, astheure ! L'entrée pis la galerie, ça va, mais les fenêtres…

Second soupir de consternation et Célestin conclut :

— J'ai jamais vu ça, moi, de la neige de même. Toi,

Gilberte, t'as-tu déjà vu ça, autant de neige?

Profitant du fait qu'elle était retenue à la maison par le mauvais temps, Gilberte avait allègrement troqué le plumeau du presbytère contre une bonne tasse de thé chaud et, installée à la table, elle était occupée à décortiquer le journal arrivé la veille.

En effet, quand il faisait tempête comme ce matin, et qu'on ne pouvait penser aller travailler, quoi de mieux, n'est-ce pas, que de s'installer confortablement pour lire?

Aux yeux de Gilberte, c'était le summum du bien-être.

C'est pourquoi, quand Célestin l'interpella, celle qu'on appelait en catimini «la vieille fille» grogna par habitude, sans avoir réellement prêté attention à tout ce qu'avait dit son frère, véritable moulin à paroles qu'un rien pouvait mettre en branle. Étant donné les nouvelles venues d'Europe et rapportées dans le quotidien d'hier, en effet, il était tout à fait légitime de ne pas vouloir être dérangée.

En vérité, à l'instant où Célestin s'était adressé à elle, Gilberte était profondément concentrée, car elle tentait de comprendre pourquoi la guerre qui sévissait en Angleterre depuis l'automne, hostilités déclenchées peu de temps après que cet Hitler et ses hommes eurent traversé les pays du Nord et la France, s'accaparant tout sur leur passage, ce que les journaux d'ici avaient baptisé la «bataille de France», pourquoi donc cette bataille avec l'Angleterre semblait maintenant vouloir se déplacer vers l'Afrique?

— L'Afrique, c'est quand même loin de la France pis de

l'Angleterre, non? se demanda Gilberte dans un murmure.

Devant cette interrogation sans réponse, elle se promit de consulter dès le lendemain la mappemonde qui ornait un des murs du presbytère. C'était une immense carte du globe, assez détaillée, et qui faisait bien la moitié de la cloison entre le bureau de monsieur le curé et la salle à manger. Cette mappemonde était entourée d'images pieuses, comme il se doit sous le toit du Bon Dieu, et monsieur le curé y plantait régulièrement des punaises pour indiquer les différentes missions occupées par les Pères Blancs, une congrégation dont son frère faisait partie.

— Veux-tu ben me dire ce qui se passe en Europe? ajouta Gilberte en replongeant les yeux dans l'article du journal et tout en secouant la tête d'incompréhension. Mais qu'est-ce qu'ils ont d'affaire à aller se battre jusqu'en Afrique? Peut-être ben que monsieur le curé le sait lui... Avec son frère qui vit là-bas. Demain, je vas lui en parler.

En attendant, Gilberte avait beau lire et relire l'article qui faisait la une du quotidien, elle avait beaucoup de difficulté à suivre la logique d'un tel revirement et à lire des noms comme Benghazi ou Cyrénaïque, parmi tant d'autres aussi obscurs, ici et là dans le texte.

Tout comme elle avait beaucoup de difficulté, d'ailleurs, à comprendre les ambitions démesurées d'un seul homme pour qui posséder à peu près la moitié de l'Europe semblait toujours insuffisant.

— Voyons donc! argumenta encore Gilberte à voix basse, fatiguée de lire indéfiniment les mêmes phrases sans en comprendre le sens profond ni les enjeux véritables. Il n'y a donc pas personne là-bas capable d'y faire entendre raison, à ce monsieur Hitler ? Me semble qu'il ambitionne, lui là, non ? Parce que, si je comprends bien, c'est encore lui qui est en arrière de tout ça.

— À qui tu parles, Gilberte ?

Cette fois, la question fut posée d'une voix suffisamment forte pour que Gilberte ne puisse y échapper. Elle répondit donc, mais sans lever les yeux de son journal.

— Je parle à personne, tu le vois ben ! Je marmonne, Célestin, je fais juste marmonner.

— Pis pourquoi tu marmonnes de même, comme tu dis ? insista Célestin en se retournant. C'est-tu parce que t'es choquée après la neige qui arrête pas de tomber depuis hier soir pis que ça t'empêche d'aller travailler ?

Ramenée à des considérations beaucoup plus terre à terre qu'une guerre lointaine qui prenait des proportions hors de contrôle, et à laquelle, finalement, elle ne comprenait plus grand-chose, Gilberte éclata de rire.

— Non, mon beau Célestin, c'est surtout pas la neige qui tombe qui pourrait me rendre de mauvaise humeur, déclara-t-elle sans se retourner parce qu'elle était occupée à replier soigneusement le journal. Si c'était le cas, je serais mieux d'aller vivre ailleurs, dans un pays où il fait toujours chaud, tiens, parce qu'ici, à Pointe-à-la-Truite, de la neige, on en a toute une barge à chaque hiver. Pis du frette, aussi.

— C'est pas mal vrai, ça. Oui monsieur.

— Mais c'est pas si désagréable, compléta Gilberte en repoussant le journal au milieu de la table où il resterait en attente tant et aussi longtemps qu'elle ne l'aurait pas lu de la première à la dernière page.

Par la suite, le journal serait placé dans une vieille boîte à beurre, tout à côté du poêle, et il finirait ses jours couvert des pelures de légumes qu'elle mettait aux rebus durant l'hiver ou comme combustible pour ce même poêle à bois que Gilberte s'entêtait à utiliser pour cuisiner.

Gilberte déplaça enfin sa chaise pour que son regard arrive à croiser celui de Célestin avant de préciser :

— Quand ça vire en tempête comme maintenant, ben, ça me fait des petites journées de congé, pis je te dirais, mon homme, que j'haïs pas ça pantoute, avoir des petits lousses imprévus comme ça, de temps en temps.

Devant cette confession, Célestin fit un immense sourire à l'intention de sa sœur.

Ben chus pareil que toi, Gilberte ! Ben pareil ! Moi avec j'aime ça quand tu restes ici, avec nous autres, Germain pis moi. Ça fait une journée pas pareille que les autres, ça fait comme une sorte de vacances, pis tu le sais, toi, que j'aime pas mal ça, les vacances. Oui monsieur. J'aime ça surtout quand je peux traverser jusqu'à l'Anse pour aller voir mon frère Antonin. Mais pas l'hiver, par exemple. L'hiver je le vois jamais, mon frère Antonin, à cause qu'il y a trop de glace sur le fleuve.

Jetant un dernier coup d'œil à l'extérieur, Célestin poussa encore une fois un long soupir rempli d'incertitude et de questionnements.

— Je me demande ben si la tempête va jusque de l'autre côté du fleuve, se demanda-t-il à mi-voix.

Puis se tournant vers la cuisine, il haussa le ton.

— Tu le sais-tu, toi Gilberte, si la neige tombe aussi fort à l'Anse qu'elle tombe ici?

— Non, malheureusement, je le sais pas plus que toi.

— Ah!

Un simple mot, mais qui disait une grande déception, sans la moindre équivoque, ce qui poussa Gilberte à suggérer:

— Mais le poste de radio, par exemple, il devrait être capable de toute nous dire ça, lança-t-elle joyeusement. Va nous allumer ça, cet appareil-là, mon Célestin, pis tu devrais avoir la réponse à ta question. Ça va être l'heure des nouvelles dans pas trop longtemps.

Effectivement, les nouvelles commençaient tout juste. Restant donc debout à côté du réfrigérateur, là où était posé l'appareil pour le mettre hors de portée de Germain qui passait son temps à changer les chaînes, Célestin tendit une oreille attentive.

Une voix grave donna quelques précisions sur cette guerre que Gilberte trouvait difficile à saisir, ça Célestin le savait parce qu'ils en discutaient régulièrement, puis suivit une émission spéciale qui, en principe, devait faire le point sur cette tempête inattendue qui touchait tout l'est de l'Amérique.

Cela prit un bon dix minutes pour faire le tour des régions touchées par l'intempérie.

— Eh ben! lança Gilberte tout en se relevant pour aller baisser le son de l'appareil quand les nouvelles furent terminées. C'est pas qu'une petite tempête, ça là! As-tu compris, Célestin, ce que l'annonceur vient de nous dire dans le radio ? Tu l'as eue, ta réponse ! La tempête est sûrement aussi forte de l'autre bord du fleuve parce que ça part de Boston aux États-Unis, tout ce mauvais temps-là ! On rit plus !

Sur ce, Gilberte reprit sa place en soupirant de contentement.

Une bonne chose réglée !

Par la force des choses, elle n'irait pas travailler aujourd'hui. Les quelques scrupules qu'elle entretenait n'avaient qu'à passer leur chemin, car elle pouvait se permettre de prendre tout son temps. S'ils disaient à la radio que c'était la tempête du siècle, c'était justifié de rester à la maison, n'est-ce pas ?

— Comme ça, la tempête part des États-Unis ? demanda alors Célestin, question de vérifier s'il avait bien compris, son regard passant du poste de radio à sa sœur. T'es ben sûre de ça, Gilberte ? Me semble que les États-Unis, c'est pas mal loin d'ici, non ?

— Oui, mon homme, ça commence aux États-Unis. C'est de même qu'il a dit ça, l'annonceur du radio. Je suis d'accord avec toi que ça commence à faire loin en tit-péché, mais c'est ça qui est ça. Pis dans l'autre sens, la tempête commence à Montréal pour s'en aller jusqu'à l'océan. C'est-tu assez gros pour toi comme tempête, ça là ?

Célestin approuva d'un vigoureux hochement de la tête.

— Ben si c'est grand comme tu dis, Gilberte, pis que ça va loin comme les États-Unis pis Montréal, c'est sûr que c'est une pas mal grosse tempête pis comme ça, c'est sûr qu'il neige chez mon frère Antonin.

— Pas de doute, Célestin, il doit sûrement neiger à l'Anse. Comme ici…

Sur ce, Gilberte s'étira longuement.

— Pis? demanda-t-elle en posant les yeux sur Célestin qui venait de s'installer face à elle, à l'autre bout de la table. Qu'est-ce qu'on fait de notre journée, mon Célestin? Astheure qu'on sait toi pis moi que j'irai pas travailler aujourd'hui, faudrait ben occuper notre temps.

— Je sais pas trop…

Un dernier regard à l'extérieur pour être bien certain que rien n'avait changé depuis les quinze dernières minutes, puis Célestin revint à sa sœur.

— Sais-tu à quoi je pense, Gilberte?

Devant cette phrase mille fois répétée, Gilberte eut un premier réflexe d'impatience en fermant brièvement les yeux.

Combien de fois encore à expliquer qu'elle ne pouvait deviner? Par moments, Gilberte aurait eu envie de trépigner d'exaspération! Néanmoins, Célestin étant Célestin, il était clair qu'il ne se dompterait jamais!

C'est pourquoi Gilberte changea rapidement cette réaction première par un petit sourire moqueur avant de rétorquer, comme elle le faisait généralement, avec ce qui ressemblait à une patience infinie dans la voix:

— Comment veux-tu que je le sache, Célestin? Je suis pas comme un petit bonhomme installé dans ta tête, mon homme, pour savoir tout ce que tu penses.

Célestin eut alors un petit rictus de contrition.

— C'est vrai ça… Tu me le dis tout le temps, pis moi, je l'oublie tout le temps! Mais c'est pas grave, parce que je vas te le dire pareil, à quoi je pense... Tantôt quand je regardais dehors, je voyais notre jardin, c'est ben certain, parce qu'il était là, juste devant mes yeux. Mais je voyais d'autres choses aussi... Tu sais quoi, Gilberte ? Ben notre jardin plein de neige, il m'a fait réfléchir à quand j'étais petit. Oui monsieur ! Des fois, je réfléchis, moi, je suis capable de faire ça, pis plein de neige comme ça, ça m'a rappelé le temps où Antonin pis moi, on demeurait ensemble dans la même maison pis dans la même chambre parce qu'on était pas encore devenus des hommes partis faire notre vie. On était même pas encore des hommes, ricana alors Célestin, juste des ti-culs, comme Prudence disait des fois.

— Des ti-culs...

Gilberte ébaucha un sourire nostalgique.

— C'est vrai qu'elle disait ça, des fois, notre Prudence, quand elle parlait de toi pis Antonin. Mais ça me dit pas pourquoi tu en parles, là maintenant.

— C'est à cause de la tempête, voyons donc... Quand il faisait une tempête comme aujourd'hui, une grosse grosse grosse tempête qui fermait l'école pis les chemins, on aimait ça, Antonin pis moi. Ouais, on aimait ça ben gros parce qu'on pouvait sortir jouer dehors pour faire un bonhomme de neige... Toi, tu t'en rappelles-tu, de ça, Gilberte ?

— C'est ben certain que j'ai pas pu oublier ça.

— C'est en plein ce que je me disais, avec... Prudence aussi, elle aimait ça quand on faisait un gros bonhomme devant la maison. Elle disait tout le temps qu'avec notre bonhomme, on pourrait jamais se tromper de maison quand on revenait de l'école en plein hiver pis qu'il y avait des gros bancs de neige tout partout. Des bancs de neige tellement hauts, des fois, qu'ils cachaient même les maisons.

— C'est vrai que Prudence disait ça aussi, souligna alors Gilberte, un indéniable vague à l'âme soutenant sa voix. C'est elle aussi qui tenait à descendre en personne jusque dans le caveau à légumes pour choisir la plus grosse carotte qu'elle pouvait trouver pour y faire un nez, à votre bonhomme.

— Ouais, c'est vrai... Tu vois, ça, je l'avais un petit peu oublié. Mais astheure que t'en parles, Gilberte, je me rappelle que Prudence rapportait des morceaux de charbon, avec, pour faire les yeux pis la bouche... Ouais, c'est à ça que je pensais, moi t'à l'heure, quand je regardais la cour pleine de neige: à nos gros bonshommes de neige. C'est juste quand il y avait une tempête de même que mon frère Antonin aimait ça sortir jouer dehors. Dans ce temps-là, quand c'était la tempête, il se lamentait jamais qu'il avait froid, mon frère Antonin. Non monsieur! Jamais, jamais...

Un silence fait de souvenirs et d'émotions communes traversa la cuisine avant que Célestin n'ajoute:

— Pis c'est toujours moi qui mettais la tête sur le bonhomme. Oui monsieur! Parce que même quand j'étais petit, c'était moi le plus grand pis le plus fort... Ouais, c'était comme ça que ça se passait durant les tempêtes quand j'étais un ti-cul pis que je restais encore à l'Anse...

À ce dernier souvenir, le grand gaillard se mordilla les lèvres avant de conclure:

— Je le sais pas, moi, si Antonin pense à nos bonshommes de neige, lui avec. Surtout quand il y a une tempête comme celle d'à matin. Qu'est-ce que t'en penses de ça, toi, Gilberte ?

— Je dirais que oui, mon Célestin ! Je crois bien qu'Antonin, à l'heure où on se parle, il est en train de regarder dehors, comme toi, tout à l'heure. C'est souvent que vous avez fait les mêmes choses en même temps, quand vous étiez petits. Si toi t'as regardé dehors, Antonin peut très bien regarder dehors, lui avec. Pis si c'est ça qu'il fait, ben, il peut pas faire autrement que de penser à vos bonshommes.

Le sourire de Célestin valait à lui seul le fait de déformer peut-être un tout petit peu la vérité.

— Ça me fait plaisir de penser ça, moi avec, avoua ce dernier, tout heureux de constater que sa sœur avait la même opinion que lui. Ben gros plaisir… Savoir que mon frère Antonin fait la même affaire que moi en même temps, c'est comme si on était encore un peu ensemble. Ouais… C'est pas mal vrai ça ! Sais-tu quoi Gilberte ? Ça me tente d'aller dehors ! Oui, oui, dehors dans la tempête comme quand j'étais petit, ajouta le grand gaillard quand il vit les yeux de sa sœur s'écarquiller de surprise. Ça occuperait le temps, non ? C'est toi qui cherchais quoi faire, tantôt ! Pis Germain avec, il aimerait peut-être ça venir avec moi… Pis, pis, pis…

Bousculant sa chaise, Célestin s'était relevé, tout fébrile.

— Oh oui ! J'ai une idée, Gilberte ! Une vraie bonne idée… On va faire un bonhomme de neige sur le terrain de Lionel. Pour Prudence.

— Pour Prudence ?

— Ben oui, pour Prudence. T'as pas compris ça, toi, que Prudence se rappelle ben plus les vieilles affaires que les nouvelles ?

Cette vérité finement observée par un homme plutôt lent toucha sincèrement Gilberte. Fallait-il que Célestin aime cette vieille dame toute ridée pour avoir remarqué ce fait indéniable, lui qui normalement ne remarquait pas grand-chose hormis certains détails qui venaient bousculer ses habitudes, brisant curieusement la monotonie de son quotidien ?

— T'as raison, Célestin. Même Lionel le dit ! C'est vrai que les vieux souvenirs semblent plus faciles à retrouver pour Prudence.

— Bon ! Tu vois ben que j'ai raison avec mon bonhomme de neige. Elle va sûrement s'en rappeler, Prudence, du temps qu'Antonin pis moi on était petits, parce que ça fait vraiment longtemps, tout ça. Pis si elle se rappelle des choses, ça va lui faire plaisir à Prudence. Oui monsieur ! Elle aime toujours ça quand elle se rappelle de quelque chose, Prudence. Je sais ça moi. Pis si je sais ça aussi bien, c'est parce qu'on le voit dans ses yeux qui viennent comme toutes brillants quand elle arrive à retrouver un beau souvenir… Pis, Gilberte ? Qu'est-ce que t'en dis de mon idée ?

Comment dire non à tant de générosité ? Gilberte offrit un beau sourire rempli d'émotion à ce grand homme tout simple qui était son frère.

Et tant pis pour la tempête qui soufflait à sa fenêtre !

— J'en dis que c'est une vraie de vraie bonne idée, ton

idée, mon Célestin ! lança-t-elle avec un entrain qui n'était pas feint.

— Ben là, je suis content ! On va s'habiller chaudement pis on va sortir les pelles. Après on va s'en aller chez Lionel. Pour Lionel pis Marguerite aussi, ça va faire une belle surprise… C'est beau un bonhomme de neige devant une maison. Pis dérange-toi pas pour lui en haut, fit-il finalement tout en pointant le plafond avec son pouce. C'est moi qui vas aller aider Germain à se préparer parce que tout seul, il est pas mal lambineux pour s'habiller, tout le monde sait ça.

Devant tant d'empressement, Gilberte n'avait plus qu'à s'activer !

— On fait comme tu dis ! approuva-t-elle gaiement, en se levant. Pis pendant que tu vois à Germain, moi, j'vas m'occuper de la carotte. Je dois ben avoir ça, une vieille carotte toute ratatinée qui demande juste de finir sa vie de carotte en devenant le nez d'un bonhomme de neige ! Pis j'vas essayer de trouver des boutons noirs ou ben brun foncé pour faire les yeux pis la bouche. Depuis que Lionel nous a fait installer une fournaise au « fioul », c'est ben pratique, mais on a plus de charbon pour nos bonshommes.

Ce fut ainsi que, une petite vingtaine de minutes plus tard, à travers les volutes de neige folle et marchant parfois à reculons pour contrer les bourrasques, un curieux trio traversa une partie du village de Pointe-à-la-Truite en direction de la petite maison jaune, là où habitait Lionel, le médecin attitré de l'endroit. Il y vivait avec Marguerite, sa seconde épouse, et Prudence qui était atteinte, comme l'aurait dit Célestin, d'une maladie de la mémoire. Prudence qui demandait depuis de nombreux mois, maintenant, une attention de tous les instants, ce que ses propres filles, Constance et Fernande, n'avaient pas la liberté de lui offrir.

C'était donc en direction de cette maison-là qui avait vu bien des générations de gens passer, depuis Albert Lajoie, ancien forgeron du village, jusqu'à Lionel Bouchard, actuel médecin du canton, en passant par Victoire Lajoie-Bouchard, épouse de l'un puis de l'autre, que se dirigeaient les trois compères aux têtes grises et blanches, bien à l'abri sous les tuques de laine tricotée serrée pour garder chaud. Au milieu des sifflements du vent, on pouvait entendre leurs rires parce qu'ils pouffaient comme des enfants.

Célestin, le plus grand et le plus fort, comme il n'avait pas manqué de le souligner, se tenait au milieu du groupe pour donner la main à Germain qui peinait à avancer dans la neige accumulée sur le chemin. Alors que de l'autre main il tenait une pelle à long manche, il pouvait en même temps servir d'appui à sa sœur Gilberte qui n'avait plus les jambes aussi solides qu'auparavant, comme elle l'affirmait elle-même sans fausse pudeur chaque fois qu'elle devait se déplacer sur une route enneigée.

— Qu'est-ce que tu veux que je te dise, mon Célestin ? On vieillit toutes ! Attends d'avoir mon âge, tu verras ben !

Cahin-caha, ils arrivèrent chez Lionel et, une heure plus tard, un immense bonhomme montait la garde devant la demeure du médecin de la Pointe. Assise devant la fenêtre du salon, bien au chaud sous l'épaisseur feutrée d'une couverture de laine brossée, Prudence avait assisté à la naissance du bonhomme tout en se berçant machinalement. Elle avait tout observé, sans perdre patience, comme trop souvent, hélas, il lui arrivait de le faire depuis quelques mois. Les sourcils froncés, son esprit obscurci par le passage du temps mais s'attardant peut-être ce matin dans quelque méandre de cette mémoire devenue de plus en plus capricieuse, la vieille dame n'avait pas quitté la scène des yeux. Puis, au moment où Célestin avait placé cérémonieusement la carotte, battant des mains une fois le bonhomme terminé, comme il le faisait rituellement depuis sa plus tendre enfance, la vieille dame avait esquissé un sourire fragile, émouvant, que le grand gaillard avait eu le temps de remarquer du coin de l'œil.

— T'as vu, Gilberte, t'as vu le sourire de Prudence ? demanda-t-il tout excité quand ils furent de retour chez eux. Ça, ça veut dire que Prudence se rappelait le bon vieux temps, comme tu dis des fois.

— T'avais ben raison, mon Célestin. C'est vrai que notre Prudence avait l'air vraiment heureuse, tout à l'heure. Comme avant…

— Pis madame Marguerite, elle, est pas mal gentille d'avoir pensé à nous faire rentrer pour nous réchauffer.

— Ça c'est sûr.

— Pis ses biscuits au beurre étaient presque aussi bons que ceux de monsieur Paul ou ceux de madame Victoire… Oui monsieur ! Pis leur café, aussi… J'aime ça, moi, aller chez Lionel pour boire du café. J'aime donc ça, le café. Pas mal plus que le thé chaud, tu sauras, pis…

Non, non, fais pas ces yeux-là, Gilberte, j'aime pas ça quand t'as l'air fâchée comme ça, pis tu le sais... Je l'ai compris depuis longtemps que le café, ça coûte trop cher pour en boire tous les jours. Pas besoin de le répéter. C'est quand même pas une raison pour m'empêcher de dire que j'aime ça, par exemple.

— D'accord, tu peux le dire... pour cette fois-ci, concéda Gilberte, qui, pince-sans-rire, exagérait le froncement de ses sourcils. Mais j'ai pas envie que tu me rabattes les oreilles avec ça jour après jour.

— Promis, je le dirai pas trop souvent.

— Tant mieux, parce que ça m'agace, surtout quand on est au magasin général pis que tu te plains ben fort devant tout le monde qu'on boit pas souvent de café chez nous... En parlant du magasin général... As-tu vu, tout à l'heure? Monsieur Onésime nous regardait passer derrière sa vitrine. C'est vrai qu'il doit pas avoir grand-chose à faire à matin à part surveiller les voisins... J'espère ben que monsieur le curé m'a pas vue, lui avec. Le presbytère est pas ben ben loin du magasin.

— Pourquoi tu dis ça, Gilberte? Ça te dérange que monsieur le curé te voye marcher dans la rue?

— Non, ça me dérange pas... en temps normal. À matin, par exemple, ça fait drôle un peu de penser que je reste chez nous en congé en disant qu'il fait trop mauvais pour sortir, mais qu'en même temps, je peux me rendre sans problème chez Lionel qui demeure plus loin que l'église pis le presbytère.

— Pis ça?

— Ben ça pourrait faire jaser. Si monsieur Onésime du

magasin nous a vus passer, c'est parce qu'il était installé devant sa vitrine pour regarder la tempête. Pis si lui faisait ça, j'ai pour mon dire qu'il doit ben y en avoir des tas d'autres qui ont faite pareil que lui. D'autre monde comme monsieur le curé, par exemple.

L'idée se défendait, soit, mais sa logique n'atteignit pas Célestin. Il haussa exagérément les épaules avant de s'entêter.

— Je vois pas le problème, moi… Si jamais il t'en parle, ton monsieur le curé, t'auras juste à lui dire que c'était pour faire plaisir à Prudence. Ouais, c'était pour elle que tu marchais comme ça dans la rue, pas pour t'amuser. C'est juste pour ça qu'on est sortis de même, Germain, toi pis moi, pour faire plaisir à Prudence. Je suis sûr que monsieur le curé va comprendre ça parce qu'on dirait ben qu'il aime notre Prudence, lui avec. Pis en plus, quand il va savoir que la mémoire de Prudence est revenue un peu à cause de notre bonhomme de neige pis que ça l'a même faite sourire, ben, il pourra pas être fâché après toi.

— Ouais, vu de même…

À son tour, Gilberte esquissa un sourire.

— T'as ben raison, mon homme… Bon, astheure que c'est dit, en attendant de savoir si monsieur le curé est au courant pis comme aujourd'hui c'est pas un jour assez spécial pour boire du café, pis vu surtout que t'aimes pas trop le thé, qu'est-ce que tu dirais d'une bonne tasse de bouillon de poule bien chaud avant qu'on passe à table ?

— Ben là, je suis d'accord avec toi, Gilberte. Oui monsieur ! C'est pas mal meilleur que le thé, pis ça fait du bien en dedans parce que c'est chaud… Ouais, d'accord pour le bouillon de poule, Gilberte! Veux-tu que j'aille chercher Germain, en attendant que ça soye prêt? Lui avec, il aime pas mal ça le bouillon. Assez même pour lâcher ses damnées autos de métal.

Célestin était déjà en train de repousser sa chaise parce qu'il s'était installé à la table en revenant de chez Lionel. Comme Gilberte le lui avait conseillé, plus d'un an auparavant, le grand gaillard essayait tant bien que mal de lire le journal, lui aussi. Pas tous les jours, l'exercice aurait été éprouvant pour lui et parfois, lui donnait mal à la tête. Mais de temps en temps, il y jetait un coup d'œil, remarquant, aux photos sur lesquelles il s'attardait, qu'il y avait de plus en plus souvent de portraits de militaires armés jusqu'aux dents, lui semblait-il.

Cela voulait dire que la guerre n'était pas finie, n'est-ce pas?

Néanmoins, cela ne l'effrayait plus, comme aux premiers temps du conflit, puisque de toute évidence ses prières avaient été exaucées. En effet, la guerre ne semblait pas vouloir s'installer à la Pointe. Pas du tout, même. De plus, comme il l'avait demandé au Bon Dieu tous les dimanches à la messe, personne de sa connaissance n'était parti se battre, ce qui était une bonne affaire.

Laissant le journal grand ouvert pour y revenir plus tard, Célestin le repoussa vers le centre de la table, exactement comme le faisait Gilberte, et il se leva pour se diriger à l'étage des chambres où s'était réfugié Germain, en compagnie de sa panoplie d'autos de métal.

À des lieues de toute cette réflexion, Gilberte, de son

côté, poursuivait sur sa lancée, tandis qu'elle sortait du réfrigérateur un gros pot de grès contenant le bouillon gélatineux, doré à souhait. Sans hésiter, elle se mit à en transvider une bonne part dans une vieille casserole toute cabossée.

— Bonne idée d'aller chercher Germain, reconnut-elle, parlant par-dessus son épaule.

Puis se retournant franchement, elle ajouta :

— Coudonc ! As-tu remarqué, Célestin ? On dirait bien, mon homme, que t'as juste des bonnes idées, aujourd'hui ! D'abord Prudence, comme de raison, pis astheure notre beau Germain !

Cette remarque fit en sorte que Célestin s'arrêta pile en redressant les épaules. C'est vrai qu'il avait de bonnes idées, aujourd'hui.

Ça devait être à cause de la tempête pis de tous les beaux souvenirs qu'elle avait réveillés dans sa tête. À bien y penser, lui, Célestin Bouchard, il n'y était pas pour grand-chose.

Devant cette réflexion, le grand gaillard courba l'échine, un peu déçu. Pour se reprendre aussitôt et se redresser de plus belle. Tant pis si la tempête y était pour quelque chose dans ses bonnes idées. Comme le disait si bien Gilberte : l'important, c'était le résultat !

Ce fut donc un homme un brin imbu de lui-même qui passa de la cuisine au salon avant de monter à l'étage des chambres.

Le temps d'une bonne ébullition et, quand les deux hommes revinrent au rez-de-chaussée, toute la maison embaumait.

— Noël, déclara Germain en entrant dans la cuisine, le nez en l'air. Mon nez sent Noël.

— C'est vrai ce que tu dis là, mon beau Germain, admit Gilberte en se tournant vers lui. Ça sent la dinde qui est en train de cuire depuis longtemps. T'as vraiment un bon nez, toi ! Maintenant, assis-toi à ta place, pis je vas te donner une tasse avec du bouillon dedans. Fais ben attention, par exemple, parce que c'est très chaud.

Inutile d'ajouter cette précision, même si Gilberte le répétait invariablement par précaution !

De fait, à l'instant où la tasse fut devant lui, Germain eut le réflexe de la repousser le plus loin possible, ce qu'il faisait systématiquement avec tasse, bol et assiette dès qu'il apercevait la moindre vapeur, le moindre filet de chaleur se dégageant des aliments.

Depuis toujours Germain détestait tout ce qui était chaud. Il disait que ça brûlait sa bouche et il préférait plutôt manger tiède, voire froid, au grand désespoir de Gilberte qui, elle, mangeait brûlant.

— Voir que ça peut être bon, de la viande à peine tiède ! argumentait-elle encore parfois. Ça doit être raide sans bon sens pis sans saveur ! Là-dessus, mon beau Germain, je te comprendrai jamais. Je sais ben pas d'où tu tiens ça, cette manie-là, mais c'est sûrement pas de moi !

En attendant donc que le bouillon refroidisse, Germain tira vers lui le journal resté ouvert au beau milieu de la table, autant par réflexe que par envie car c'était depuis l'enfance qu'il aimait regarder les images. Ce n'était donc jamais une punition pour lui quand, exaspérée par sa présence parfois envahissante et qui l'empêchait de vaquer à ses occupations, Gilberte l'envoyait se détendre au salon.

— Va, mon Germain, va dans le salon pis prends une revue. Ça va te faire du bien de te reposer un brin. On se reparlera tantôt, entendait-on régulièrement sous le toit de la plus petite maison du village.

De l'autre côté de la table, juste en face de Germain, Célestin était songeur et silencieux. Probablement revoyait-il en pensée le bonhomme de neige et le sourire de Prudence parce qu'une onde de contentement illuminait son visage tandis qu'il buvait sa boisson à petites gorgées gourmandes mais précautionneuses. Pour sa part, debout devant l'évier et les reins contre le rebord du comptoir, comme il lui arrivait souvent de s'installer, Gilberte en faisait autant. Soufflant sur le bouillon et buvant tout doucement, comme pour faire durer le plaisir, elle contemplait avec affection cette petite famille qui était la sienne et qu'elle ne changerait pour rien au monde.

Ce fut à ce moment de douce quiétude familiale que Germain poussa un cri, faisant sursauter à la fois Gilberte et Célestin, au risque de se brûler avec le bouillon encore très chaud.

— Là, là, maman. Le monsieur gentil! Là, dans le journal.

Si Germain disait reconnaître quelqu'un, on pouvait lui faire confiance! Gilberte fit un pas vers lui, subitement curieuse.

Sans comprendre le phénomène et surtout sans savoir

d'où Germain tenait cette mémoire des visages, Gilberte avait vite compris que l'esprit particulier de son neveu avait cette faculté presque magique de photographier le visage des gens qu'il rencontrait. Jamais, par la suite, il n'oubliait un de ces visages et même le passage du temps se comptant parfois en mois ou en années n'y changeait rien.

Ce fut donc avec un intérêt marqué que Gilberte s'approcha de la table. Si Germain pensait avoir déjà vu la personne photographiée dans le journal, cela voulait sans doute dire qu'elle aussi le connaissait, car Germain n'allait nulle part sans elle ou presque.

De son côté, Célestin, tout aussi curieux, se leva pour contourner la table et, à son tour, il se pencha sur le journal où lui, par contre, n'avait rien remarqué de spécial tout à l'heure quand il l'avait feuilleté.

L'index posé sur le coin supérieur de la page, Germain leva un sourire ravi vers Gilberte.

— Là, maman. Regarde ! Le monsieur gentil.

Gilberte se pencha. Du doigt, Germain pointait la photographie d'un jeune soldat. En arrière-plan, un drapeau de l'Angleterre semblait flotter dans le vide et le jeune homme qui portait un calot sur sa tête fixait l'objectif avec un large sourire sur les lèvres.

Gilberte fronça les sourcils. Effectivement, ce visage lui disait quelque chose, à la rigueur on pouvait même y reconnaître un certain monsieur Constantin, mais de là à identifier avec précision ce visage encore jeune…

Gilberte inspira bruyamment, agacée. Quant à Célestin, sa réflexion était si intense qu'encore une fois, ses sourcils broussailleux cachaient ses yeux réduits à une fente brillante.

Où donc avait-il déjà vu cet homme? Parce que lui aussi trouvait un air connu à celui qui, de prime abord, n'était qu'un étranger.

Machinalement, comme Gilberte le lui avait déjà conseillé, Célestin porta les yeux sur la ligne écrite en petits caractères, sous la photo. Le temps de déchiffrer les lettres qui lui semblaient curieusement familières, et son visage se détendit. Il posa aussitôt un index boudiné à côté du doigt un peu tordu de Germain.

— Ben oui on le connaît! constata Célestin. Regarde Gilberte, regarde le nom! C'est écrit là: Constantin. C'est facile à lire parce que ça ressemble à Célestin. C'est pour ça que je l'ai vu aussi vite… Constantin… Germain avait raison, c'est le monsieur gentil, comme il dit tout le temps…

Mais à peine Célestin avait-il prononcé ces quelques mots que son visage s'assombrit.

— Ben là… Ben non…

Le grand gaillard tourna vers sa sœur un regard chargé d'incompréhension.

— Je comprends pas trop…

Il regarda autour de lui avec effarement avant de se repencher sur la photo du journal.

Nul doute, c'était presque le même visage et c'était le même nom, il ne s'était pas trompé.

— C'est sûr que c'est monsieur Constantin, nota-t-il d'une voix éteinte qui trahissait son désarroi. Germain se trompe jamais, pis c'est ben le nom qui est écrit en dessous de la photo, mais en même temps, on dirait que c'est pas lui. Ça me fait tout drôle, Gilberte... Ça se peut-tu, ça, quelqu'un de vieux qui recommence à être jeune ? J'ai jamais vu ça, moi.

— Pis tu le verras jamais non plus. Ça serait trop beau.

— Ben c'est quoi, d'abord, qui se passe dans le journal, aujourd'hui ? On dirait vraiment, sur la photo, que c'est une sorte de monsieur Constantin. Pis en même temps, c'est pas vraiment lui... Oh, oh, oh ! J'aime donc pas ça moi quand je comprends pas, pis là, je comprends pas pantoute.

Perplexe, Célestin se grattait vigoureusement la tête, les narines dilatées et la tignasse en bataille.

— Peut-être qu'ils ont pris une vieille photo de monsieur Constantin... Ça doit être ça... Ça se pourrait-tu, ça, Gilberte, que dans le journal, ils prennent des vieilles photos de l'ancien temps ?

— Ça se pourrait, oui. Mais ici, je pense pas que ça soye le cas.

— Ben c'est quoi, d'abord ?

— C'est juste quelqu'un qui ressemble beaucoup à monsieur Constantin, répondit alors Gilberte qui avait finalement lu les quelques lignes sous la photo.

Sa voix était songeuse.

— C'est vrai que ça ressemble un peu, pis même beaucoup à monsieur Ernest Constantin, mais en plus jeune. T'as pas tout à fait tort, mon Célestin. Pis c'est Germain qui a eu le bon œil. Quand on prétend qu'il oublie jamais un visage, on dirait ben que c'est vrai.

Même si d'aucuns disent qu'on exagère pis qu'ils veulent pas nous croire…

— Parce que Germain le connaît, lui ? coupa Célestin, déconcerté par le fait que l'homme de la photo pourrait être connu de Germain, mais pas de lui.

— D'une certaine façon, oui. À cause de la ressemblance, il pense reconnaître monsieur Constantin, même si c'est pas lui.

— Ah ! C'est pas lui… Me semblait aussi… Pis ça se peut ça ? Ça se peut quelqu'un qui ressemble autant que ça à un autre ?

— Bien sûr. Il y a même des jumeaux qui sont tout à fait pareils.

— Ouais, c'est vrai… Je l'avais un peu oublié, mais je le savais pareil parce que Prudence me l'a déjà expliqué. Les jumeaux, des fois, ils sont vraiment pareils. Mais pas pour Antonin pis moi. Non monsieur ! Antonin, c'est pas juste mon frère, c'est mon jumeau, ça c'est vrai, mais on se ressemble pas, par exemple. Pas pantoute, même ! Lui il est petit pis malin, pis moi, je suis grand pis fort… C'est comme ça que notre père disait pis il avait pas mal raison, je pense… Mais ça me dit pas qui c'est qu'on voit dans le journal… C'est qui, Gilberte, le monsieur de la photo ? C'est qui, coudonc, si c'est pas monsieur Constantin, mais que ça lui ressemble pas mal pis que c'est le même nom ?

— Et si je te disais qu'à première vue, comme ça, je pense que c'est le fils de monsieur Constantin qu'on voit sur la photo, est-ce que tu comprendrais un peu plus ?

— Le fils ? Le garçon de monsieur Constantin, tu veux dire ?

— Ouais... C'est ce que je pense à cause du nom pis de la ressemblance.

— Ben là... Tu parles d'un adon, tout ça ! Pis, pis... Pourquoi on voit la photo du garçon de monsieur Constantin dans le journal ? Il a fait quelque chose de spécial ?

— Par les temps qui courent, c'est pas vraiment spécial, mon pauvre Célestin. Non, de moins en moins spécial, parce qu'on dirait ben qu'il part pour la guerre, le garçon de monsieur Constantin. C'est ça que j'ai lu en dessous de la photo : André Constantin s'est porté volontaire pour rejoindre l'armée de Sa Majesté. C'est comme ça que c'est écrit dans le journal.

— Oh ! C'est grave, la guerre, pis c'est dangereux. Oui monsieur ! C'est Lionel qui l'a dit, pis mon frère Lionel, il sait pas mal bien ces choses-là... Ça veut dire que monsieur Constantin doit pas être ben ben content.

— Pas vraiment non. Si je me fie à ce qu'il m'a déjà dit, l'été dernier, monsieur Constantin doit pas être content pantoute, ça, c'est sûr.

Gilberte se souvenait fort bien de la conversation qu'ils avaient eue tous les deux, l'été précédent, quand Ernest Constantin et elle avaient justement parlé de la guerre et de cette possibilité que ses fils veuillent s'engager comme volontaires, avant même que le pays n'impose ses volontés.

— Je sais pas ce qu'ils ont dans le corps, mes garçons, mais sur quatre, il y en a trois qui ne parlent que de ça : s'enrôler, partir, aller se battre ! Qu'une chose aussi abjecte que la guerre puisse les attirer à ce point me laisse grandement perplexe. Je ne comprends pas, madame Gilberte. Je ne comprends pas du tout et ça m'inquiète. Trois sur quatre, c'est énorme, vous ne trouvez pas ?

Gilberte n'avait pas osé demander pourquoi le quatrième n'adhérait pas à la même philosophie que celle de ses frères. Peut-être était-il fiancé ou quelque chose du genre. Mais comme, après tout, ça ne la regardait pas, Gilberte avait donc préféré ne pas en parler. Elle s'était alors concentrée sur ceux qui voulaient partir se battre.

— La pomme ne tombe jamais loin du pommier, avait-elle finement observé après un court moment d'introspection.

— Justement, avait alors approuvé Ernest Constantin. N'oubliez pas qu'une grande partie de leur éducation m'est attribuable. Cela fait si longtemps que mon épouse, Marie, est décédée... Alors, inévitablement, je me pose toutes ces questions qu'un père doit se poser en pareil cas... Qu'est-ce que j'ai fait, grands dieux, que je n'aurais pas dû faire, ou plutôt, qu'est-ce que j'ai oublié de faire pour que tous les trois, tous les trois, répéta-t-il en articulant lentement, ils aient cette même obsession d'aller se battre ?

À ces mots une image bien précise s'était imposée à Gilberte et, dans la suite logique de cette conversation, elle avait revu son père, infatigable, s'acharnant du matin au soir pour que sa famille ne manque de rien. Matthieu Bouchard, s'il ne prêtait que très rarement à rire, était un homme de devoir, de convictions profondes ; en effet, sa famille n'avait manqué de rien, même si elle n'était pas riche. Gilberte, sans trop s'en rendre compte sur le coup, en avait tiré de grandes leçons, de celles qui tracent la route de toute une vie. Maintenant qu'elle y pensait avec un certain recul, cela lui semblait très clair. Alors, pour réconforter monsieur Constantin qu'elle appréciait de plus en plus comme ami, au fur et à mesure que l'été avançait, elle avait ajouté:

— Moi, je vois rien à vous reprocher ici, monsieur Ernest. Rien pantoute. J'ai pour mon dire que le sens du devoir, c'est par l'exemple qu'on l'apprend. Pis c'est ce que vous avez faite... Votre devoir de père, monsieur Ernest, vous avez faite votre devoir de père envers vos garçons qui l'ont très bien compris. Au lieu de vous poser toutes sortes de questions inutiles qui vous font de la peine, vous devriez être fier de vos garçons parce qu'eux autres, c'est à pleine page des journaux qu'ils voient l'invitation à rejoindre l'armée. On peut pas leur reprocher de vouloir faire leur devoir de citoyen, même si on est contre la guerre.

Voilà ce que Gilberte avait dit à celui qu'elle avait d'ores et déjà considéré comme un bon ami, dès l'été précédent, quand ils avaient partagé un moment en tête à tête.

En effet, un premier émoi d'adolescente vite passé, au moment de l'arrivée d'Ernest Constantin à la Pointe, Gilberte Bouchard s'était longuement questionnée.

Pouvait-on vraiment tomber amoureuse à son âge? Plus de soixante ans, ce n'était quand même pas rien. Ce n'était plus ce qu'on pouvait assurément appeler la prime jeunesse, n'est-ce pas?

Ni même l'âge mûr. Alors…

En revanche, elle avait vite admis qu'elle appréciait la compagnie de monsieur Constantin. C'était la vérité de dire qu'elle attendait avec impatience la fin du jour pour le retrouver et reprendre une discussion abandonnée la veille quand la noirceur les avait surpris. Parfois ils étaient confortablement installés sur la longue galerie de l'auberge en train de déguster un café, ou certains soirs ils étaient moins confortablement assis parce qu'ils devaient se contenter d'une petite chaise droite sortie de sa cuisine pour pouvoir veiller dehors en sirotant un thé glacé.

L'été précédent ayant été particulièrement clément, ils s'étaient ainsi souvent rencontrés.

Et chaque fois avec un plaisir sincère.

Était-ce là des signes à prendre en considération ? Ce plaisir partagé à être ensemble signifiait-il autre chose que ce que Gilberte pouvait y voir à première vue ?

Elle ne savait trop.

Cependant, il lui fallait l'admettre : jamais de toute sa vie Gilberte Bouchard n'était tombée amoureuse de qui que ce soit et, au bout du compte, elle ne s'en portait pas plus mal. Alors…

Alors, pourquoi en irait-il autrement avec Ernest Constantin, je vous le demande un peu ?

N'empêche que ladite Gilberte prisait grandement, et de plus en plus d'ailleurs, les heures passées en compagnie de monsieur Ernest. Que voulait dire cet attachement, ces heures à espérer le soir ?

C'était à rendre fou, toutes ces interrogations, et, par

moments, Gilberte avait eu l'impression qu'elles finiraient par la faire tourner en bourrique.

Plus l'été avançait et plus elle tenait à toutes ces conversations qu'ils partageaient, autrement plus intéressantes que les éternelles explications qu'elle devait régulièrement donner à Célestin et Germain. Et en pensant de la sorte, Gilberte ne dénigrait rien, loin de là ! Elle constatait, voilà tout.

Le temps avait donc filé, enveloppé de questionnements, de prises de position, de revirements.

Puis ça avait été la saison des mariages, et Gilberte n'avait plus eu vraiment le temps de s'attarder à ses états d'âme. Au service de la cause, accaparée de plus en plus par son travail, elle s'était mise à profiter sans vergogne de tous les moments agréables passés en compagnie d'Ernest Constantin sans chercher plus loin. C'était probablement ce que l'été 1940 avait à lui offrir : une belle amitié. Pourquoi alors bouderait-elle son plaisir ?

De toute façon, il y avait trop à faire dans une semaine pour gaspiller de précieuses minutes en vaines réflexions !

Monsieur Constantin et elle s'étaient donc rencontrés régulièrement durant la semaine, c'était déjà beaucoup, et, le vendredi, une fois son ouvrage sur le chantier terminé, monsieur Ernest prenait le train en direction de Québec pour retrouver sa famille tandis que Gilberte, de son côté, consacrait son temps et ses énergies à préparer l'église pour les nombreuses cérémonies de la fin de semaine, et tout le monde était heureux.

Quelque part au début du mois d'août, par commodité plus qu'autre chose, on avait laissé tomber le « monsieur » et le « madame ». Cela faisait un peu guindé, Gilberte l'avait admis sans difficulté.

— D'accord, vous avez raison !

Néanmoins, on avait continué à se vouvoyer. Pour une dame de son âge, cela allait de soi. C'était plus convenable.

Puis octobre était arrivé avec ses premières froidures et ses feuilles d'or dans les arbres. Le chantier routier avait été abandonné pour l'hiver et, pour la dernière fois, Ernest Constantin avait attendu le train en compagnie de Gilberte.

— La saison des travaux est terminée. L'été a passé plus vite que je ne l'avais anticipé.

— C'est vrai que la belle saison m'a semblé courte, cette année, avait approuvé Gilberte.

Court silence d'introspection, puis, sur un ton de regret, Ernest Constantin avait ajouté :

Je vais m'ennuyer de nos échanges.

— Moi aussi, qu'est-ce que vous croyez ?

— Alors, si on s'écrivait ? Je ne peux imaginer attendre jusqu'à l'été prochain pour vous reparler.

— S'écrire ? Ben là…

Gilberte en avait rougi de confusion. Parler de tout et de rien, même de choses sérieuses et parfois compliquées, ça pouvait toujours aller. À quelques exceptions près, Gilberte avait une opinion sur tout et savait l'exprimer, d'autant plus qu'Ernest Constantin n'étant plus ce qu'on appelle un étranger ; elle se sentait réellement à l'aise avec lui.

Mais de là à lui écrire ?

Gilberte hésitait. Elle n'avait qu'une quatrième année ou peu s'en faut. Saurait-elle alors exprimer ce qu'elle ressentait, ce qu'elle estimait ? Trouverait-elle sans trop de difficulté les mots faciles à écrire qui sauraient traduire ce qu'elle pensait réellement ?

Un regard en coin vers celui qui partait pour de longs mois avait cependant scellé sa décision, sans qu'elle pousse plus loin la réflexion.

— Pourquoi pas ? avait-elle lancé précipitamment avant de changer d'avis. J'ai peut-être pas été ben ben longtemps à l'école, mais je sais écrire pareil. Vous excuserez les fautes, c'est toute !

Un homme avisé en vaut deux, n'est-ce pas ?

Quelques lettres avaient donc été échangées régulièrement durant l'automne, mais depuis qu'une très jolie carte de souhaits avait été reçue quelques jours avant Noël, plus rien.

« Ça devait être ça qui le travaillait, songea alors Gilberte, les yeux rivés sur la photo du journal. Pauvre homme. Il doit ben être toute chamboulé, pis il sait pas trop comment l'écrire. C'est pas facile, parler de ces choses-là. Même pour un homme comme lui, instruit pis toute… On a beau dire, ça doit te revirer un père de savoir qu'un de ses enfants s'en va pour la guerre. Sens du devoir ou pas. »

— Pis Gilberte ? demanda Célestin, se méprenant sur le silence de sa sœur et croyant qu'elle cherchait encore à vérifier. C'est-tu vraiment le garçon de monsieur Constantin qu'on voit là ?

À ces mots, Gilberte sursauta.

— Ouais, mon homme, je suis certaine que c'est lui.

— Ben là... Pauvre monsieur Constantin, souligna alors Célestin d'une voix navrée. Il doit être pas mal malheureux, je pense.

— C'est ce que je me dis moi aussi.

— On peut-tu faire quelque chose pour le consoler?

Le consoler...

Avec ses mots un peu naïfs, malhabiles, mais débordants de bonnes intentions, Célestin avait tout de même exprimé ce que Gilberte ressentait intimement. À partir de là, ne restait peut-être qu'une unique solution à leur portée.

— Oui, mon Célestin, confirma alors Gilberte, on peut peut-être faire quelque chose.

— Ah oui? C'est quoi, d'abord, qu'on peut faire, nous autres, ici à Pointe-à-la-Truite, pour aider monsieur Constantin qui vit dans la ville de Québec? C'est pas mal loin ça, Québec. C'est là que t'étais, hein Gilberte, quand t'as eu ta maladie, l'an dernier?

— Oui, j'étais à Québec, t'as ben raison. À l'hôpital de l'Hôtel-Dieu. Mais c'est pas si loin que ça, Québec! C'est juste un peu loin, rectifia Gilberte... Tu te souviens quand tu venais me voir à Baie-Saint-Paul?

— Ben oui, ça je m'en rappelle très bien... C'est avec Lionel pis madame Victoire que je suis allé te voir, la première fois. Pis Julien était là, lui avec, parce qu'il était encore un petit garçon qui suivait ses parents partout. Pis c'est là que j'ai connu Germain, aussi. Baie-Saint-Paul, hein Gilberte? C'est là que tu restais, pis c'est vrai que c'était pas trop loin. T'as pas mal raison.

— Ben si t'avais continué sur le même chemin pendant à peu près une heure de plus, t'aurais été rendu à Québec, précisa Gilberte.

— Ah oui? Juste une heure de plus? Ben, c'est pas si pire, comme ça... Eh ben, j'aurais jamais cru ça...

Le grand gaillard secoua la tête, vraiment surpris d'apprendre que, finalement, la ville n'était pas aussi loin qu'il le pensait. Puis il baissa les yeux vers sa sœur.

— Pis Gilberte? enchaîna-t-il aussitôt, parce qu'il ne voulait surtout pas perdre de vue son idée. On va faire quoi pour aider monsieur Constantin? On va aller à Québec? Ça serait vraiment pas pire, ça!

Célestin était tout enthousiaste à l'idée d'entreprendre un petit voyage. Surtout un voyage à la ville, lui qui, jusqu'à maintenant, avait dû se contenter d'en entendre parler sans la voir parce qu'il s'imaginait que Québec, c'était un peu comme le bout du monde. Mais maintenant qu'il savait, ça changeait tout. C'était Gilberte elle-même qui l'avait dit: Québec, ce n'était pas si loin que ça.

Une visite serait peut-être possible, non?

Incapable de résister, Célestin enfilait mentalement toutes sortes de suppositions quand Gilberte, de par sa réponse, l'arrêta bien net, en plein envol.

— On pourrait lui écrire, déclara-t-elle joyeusement, inconsciente qu'elle venait d'interrompre abruptement la réflexion et les intentions de Célestin.

Ce fut si subit, si décevant pour lui, qu'il sembla se tasser sur lui-même.

— Ah! Tu veux écrire?

Visiblement, Célestin était consterné par la proposition de sa sœur. Si la ville de Québec n'était pas si loin, pourquoi n'iraient-ils pas en personne saluer monsieur Constantin pour le consoler ? On n'avait qu'à demander à Julien ou à monsieur Paul de les conduire. Ce n'était pas compliqué, ça, puisqu'ils avaient des autos tous les deux. Et si jamais eux ne pouvaient pas, bien, il restait le train… Tout le monde le disait : même en hiver, le train était la meilleure façon d'aller à Québec. Surtout en hiver, parce qu'à bien y penser, Célestin venait de se souvenir que pendant cette saison, la route était fermée.

Heureusement, restait le train !

Ouais, ça c'était une vraie bonne idée d'aller à Québec en train, tandis qu'écrire une lettre…

Si la lecture, pour Célestin, était une activité possible même si elle était limitée, l'écriture, cependant, était hors de ses capacités, tant pour la dextérité fine qu'elle demandait que pour la grammaire, qui lui était totalement étrangère.

— Ben là, soupira-t-il, de plus en plus désappointé par la tournure des événements. Tu veux écrire à monsieur Constantin ? Juste ça ? C'est un peu plate, je trouve. Oui monsieur ! Tu le sais, Gilberte, que je suis pas capable d'écrire. Je peux signer mon nom, mais c'est à peu près toute.

— Je sais ça, mon Célestin. Mais, qu'est-ce que ça change à ma proposition ?

— Ben… Me semble que ça change toute… On pourrait pas y aller, à Québec ? Me semble que…

— Je t'arrête tout de suite, mon homme. Non, on peut

pas aller à Québec. J'ai mon travail que je peux pas arrêter comme ça sur un claquement de doigts, pis un voyage comme celui-là, même juste pour une journée, ça coûte pas mal cher. Mais une lettre, par exemple, ça coûte presque rien, juste les sous pour le timbre, pis j'ai pas besoin de prendre congé pour l'écrire.

— Ouais... C'est un peu vrai ce que tu dis là. Mais moi ? Je sais pas faire ça, écrire une lettre, pis j'aimerais ben dire à monsieur Constantin que je suis...

— Quand tu veux écrire à ton frère Antonin, qu'est-ce qu'on fait ? coupa Gilberte avant que la conversation ne s'enlise encore une fois dans les détails.

— Ça, par exemple, c'est un peu facile ! J'ai juste à te dire c'est quoi je veux raconter à Antonin pis toi, tu l'écris ! Oui, monsieur ! C'est une bonne solution comme tu dis.

— Alors ? Pourquoi ça serait différent avec monsieur Constantin ?

— Ouais... Là aussi, c'est un peu vrai ce que tu dis, Gilberte... J'y avais pas pensé pis ça serait moins compliqué qu'un voyage.

Célestin parlait lentement comme s'il digérait sa déception en même temps qu'il comprenait la logique implacable de la proposition de Gilberte. Il leva alors les yeux vers sa sœur pour demander :

— Comme ça, tu vas écrire à ma place tout ce que je veux lui dire à monsieur Constantin ? Comme on fait pour Antonin ?

— Pourquoi pas ? Je vais même écrire que c'est Germain qui a reconnu son fils André dans le journal.

Ça va lui faire plaisir de voir que tous les trois, on pense à lui.

— Ah oui? Tu penses vraiment que ça va faire plaisir à monsieur Constantin de savoir que même moi, je pense à lui?

— J'en suis certaine. Après, pis tu vas m'aider pour les détails, on va lui raconter l'histoire de la tempête avec notre bonhomme de neige qui a fait sourire Prudence.

— Tu veux écrire ça? Ben coudonc... Pourquoi, Gilberte, tu veux parler de notre bonhomme de neige à monsieur Constantin? Me semble qu'un bonhomme de neige, c'est pas tellement intéressant à lire.

— Ça dépend pour qui, mon homme. Tu le sais bien que monsieur Constantin aime beaucoup notre bonne Prudence, pis ça, vois-tu, ça rend notre petite aventure intéressante, même pour monsieur Constantin. Savoir qu'on a affronté une grosse tempête pour faire sourire Prudence, ça va peut-être lui changer les idées pis le faire sourire, lui avec. Pis quand la lettre va être finie d'écrire, je vas signer mon nom en bas de la page, pis toi aussi, tu vas signer le tien.

— Ouais, ça je suis capable...

Tout à coup, la proposition lui semblait nettement plus intéressante, du fait qu'il allait être sollicité.

Célestin redressa les épaules.

— Pis Germain, lui? demanda-t-il alors, son esprit et son cœur jamais bien loin de ce neveu qu'il aimait comme un fils.

— M'en vas signer pour lui, crains pas. On oubliera sûrement pas notre beau Germain. Après tout, c'est grâce à lui si on a remarqué la photo dans le journal... Pis demain, en partant pour mon travail au presbytère, m'en vas aller maller la lettre en passant.

— Non, Gilberte, affirma Célestin avec un large signe négatif de la tête. C'est moi pis Germain qui va aller porter la lettre au bureau de poste. Ça va nous occuper pendant que tu vas être à ton travail. T'auras juste à me laisser les sous pour le timbre. C'est comme ça qu'on va faire notre part, nous autres avec, comme le disait notre père. Faire notre part. Oui monsieur !

— C'est comme tu veux, mon homme. C'est vrai que ça va vous faire une occupation, à Germain pis toi, pis de mon bord, ça va me sauver du temps... Astheure, va dans ma chambre, Célestin, pis regarde dans le petit meuble à côté de mon lit. C'est là que je mets mon beau papier à lettres. Prends deux feuilles de celui qui est bleu, pis prends aussi une feuille spéciale, celle qui a une rose blanche dans le coin, c'est mon papier préféré, ajouta Gilberte en haussant le ton parce que Célestin avait déjà quitté la pièce. Prends aussi la feuille de papier brouillon, celle qui a des lignes dessinées ben droites dessus. Faudrait toujours ben pas que j'écrive toute croche, hein ? Dépêche-toi, mon homme. Si on veut la maller, cette lettre-là, faudrait peut-être commencer par l'écrire, pis j'ai un souper à préparer, moi là ! On gros souper parce qu'on a joué dehors comme des enfants pis que ça m'a creusé l'appétit. Qu'est-ce que tu dirais de ça, un bon pâté chinois que je ferais avec le restant du rôti ? Me semble que ça serait pas mal bon, non ?

CHAPITRE 9

En Normandie, le samedi 8 mars 1941

Dans la chambre de Françoise, à la ferme des Nicolas

Le bébé était né avec une bonne semaine de retard sur l'horaire prévu, au grand désespoir de Françoise qui en était venue à compter les heures et les minutes, tant le temps lui semblait stagner. Il faut dire aussi que c'était la période creuse de l'année. Ainsi, il n'y avait pas grand-chose à faire pour occuper les journées, et l'insomnie causée par l'inconfort ajoutait à la longueur des nuits.

Puis, ce matin, les choses s'étaient précipitées ; en moins de trois heures, bébé Nathan était né. Un beau garçon en parfaite santé qui, au dire de tous, ressemblait à son père, Rémi, comme une goutte d'eau ressemble à une autre goutte d'eau.

Nathan… Nathan Chaumette, ça sonnait bien.

Le temps d'une larme d'émotion, d'une autre d'épuisement et d'une dernière d'ennui pour son homme, puis Françoise avait refermé les bras sur le corps tout chaud de son fils en baissant les paupières. Elle voulait s'isoler de tout ce qui n'était pas le bonheur intense qui la submergeait.

Voilà ! Plus d'inquiétude à se faire, plus d'interrogations angoissantes devant l'inconnu, Françoise Nicolas, dite maintenant Chaumette, avait réussi à mettre au monde un beau bébé comme des milliers de femmes l'avaient fait avant elle. Ça avait été difficile, douloureux, sa mère l'avait prévenue, et Françoise avait bien cru, à certains moments, qu'elle allait peut-être mourir de souffrance tant elle avait l'impression que son corps se déchirait en deux. Pourtant, dans l'heure qui avait suivi, plus rien de tout cela n'avait eu d'importance. Son fils était là, il était beau, il était parfait, et Françoise avait tout oublié de cette douleur ou presque.

Comme elle l'avait souligné à sa mère, au moment où le médecin du village avait quitté sa chambre, puisque tout était allé un peu trop vite pour qu'elle puisse se rendre à la maternité de la ville voisine :

— Le jeu en valait la chandelle... C'est toi qui avais raison, maman. Malgré tout ce que j'ai pu penser sur le coup, on survit. Et as-tu remarqué à quel point il est beau, mon fils ? C'est assurément le plus beau bébé du village depuis bien longtemps !

Madeleine avait répondu par un simple sourire, comme toutes les mères le font un jour ou l'autre devant ces quelques mots répétés à l'infini. De toute façon, elle partageait entièrement l'opinion de Françoise : le tout petit Nathan était un bébé splendide, aucun doute là-dessus.

Au bout du compte, Madeleine n'avait su résister à la joie de sa fille.

En effet, une fois le secret éventé et toute la paroisse devenue complice de l'heureux événement, le bonheur et la persévérance de Françoise avaient été contagieux.

Comment Madeleine aurait-elle pu s'obstiner dans de telles conditions ? Comment jouer les indifférentes ou les trouble-fêtes quand on vous questionne depuis la poste jusqu'au bar-tabac en passant par la mercerie de madame Blaise, le Café de la Fontaine Victor-Hugo et la boulangerie des Fafard, venus s'établir au village quelque temps seulement avant le déclenchement de la guerre ?

— Regardez-moi cette belle mie toute blanche ! Allez ! Un petit gramme de plus pour la future maman ! Je rognerai sur ma part.

Ainsi, au bout d'à peine quelques jours de bouderie induite surtout par la peur et les souvenirs, comme l'avait si bien suggéré François, Madeleine s'était laissé contaminer à son tour. D'un revers de la pensée, elle avait décidé d'abolir les craintes vicieuses et les souvenirs malsains et elle avait choisi de donner une chance à la vie. L'attente du bébé s'était donc faite à deux et parfois à trois, quand le producteur de calvados, généralement taquin ou alors parfois un brin sentencieux, décidait de s'en mêler.

Et ce matin, on avait enfin connu le petit Nathan.

Le temps d'un premier cri et Madeleine s'était découvert un trésor d'affection pour ce bébé. Grand-mère, c'était quand même quelque chose, non ?

Et c'était un garçon, comme son Jasmin parti trop jeune.

Avant de quitter la pièce à son tour, pour que Françoise puisse se reposer, Madeleine posa donc un regard attendri sur sa fille qui, elle, n'avait d'yeux que pour le poupon. Si l'envie de tenir le bébé tout contre elle était vive,

Madeleine se souvint brusquement de cette première intimité entre une mère et son enfant, et elle reconnut que sa place n'était plus là. Tout doucement, sans faire de bruit, elle referma la porte sur elle.

Soutenue par des coussins, Françoise était assise dans son lit. Par la fenêtre, à travers les rosaces du voile de dentelle qui couvrait la vitre, la jeune mère pouvait contempler un coin du verger dénudé, aux arbres noirs et tordus de l'hiver, et, en étirant le cou, elle apercevait le toit de chaume de la maison de leur plus proche voisin, un peu moins grisâtre qu'hier, lui sembla-t-il curieusement.

En arrière-plan, le ciel, d'un bleu délavé, se teintait subtilement de rose et d'or sur la ligne d'horizon. Cette luminosité du jour ne pouvait tromper : le printemps ne devrait plus tellement tarder. Ce printemps des bêtes et des champs qui savent mieux que l'homme quand la froidure s'apprête à baisser la garde pour de bon, incapable de résister plus longtemps à la chaleur des rayons. À preuve, dans l'étable, les veaux avaient commencé à naître ; au verger, les bourgeons gonflaient au soleil ; et au jardin, les anémones piquaient une à une le brun du sol de leurs taches colorées.

Françoise exhala un long soupir mêlé de bien-être et d'ennui. Bien-être de savoir que la naissance était enfin derrière elle, que tout s'était très bien passé et que son fils était en santé ; ennui, parce que, quelque part en Allemagne probablement, et tout aussi probablement dans un baraquement insalubre, Rémi, le papa de Nathan, ne savait toujours pas qu'il avait désormais un fils.

Pour Françoise, cela ne faisait aucun doute que Rémi était toujours vivant.

Comment, alors, aurait-elle pu ne pas penser à lui en un tel instant ?

Néanmoins, cette soif d'amour et de présence qui l'habitait douloureusement depuis le départ de son mari, en mai, était enfin soulagée : le petit Nathan dormait paisiblement au creux de ses bras, et tout ce qu'elle vivait désormais était empreint de plénitude. Sans compromis ni regret d'aucune sorte. C'était ce que l'attente lui avait appris au fil des derniers mois : vivre l'instant présent dans tout ce qu'il pouvait avoir d'intense et de bon à lui offrir, oubliant qu'il y avait eu un hier, et ne présageant pas trop demain, car déchirement et espoir déçu risquaient d'être au rendez-vous.

Maintenant qu'elle était mère, Françoise n'avait plus le droit de penser au malheur.

Elle se doutait bien que Rémi était prisonnier quelque part, même si jamais elle n'avait reçu confirmation de la chose. À cause de cela, elle serait présente pour deux en attendant le retour de son mari. Elle voulait vivre intensément tous ces moments de la vie de leur fils, choisissant délibérément de ne garder que les beaux instants pour éviter le chagrin et en faire un florilège qu'elle offrirait au papa à son retour.

Depuis le premier cri de son fils, Françoise se sentait envahie d'un irrésistible besoin d'absolu qui n'avait rien à voir avec la religion des clochers ou celle des envolées grandiloquentes de leur curé. Bien entendu, elle était croyante, tout comme ses parents. Chaque dimanche, ils fréquentaient ensemble l'église de la paroisse, ils y retrouvaient leurs voisins aux fêtes chrétiennes d'importance et ils taillaient régulièrement de longues bavettes sur le parvis, tandis que les hommes refaisaient le monde à leur façon et que les femmes réinventaient quelques recettes qu'elles devaient alléger à cause des restrictions. Mais comme le disait si bien son père :

— Je ne serai jamais si près de Dieu que dans mon verger, Françoise. C'est là qu'Il habite, crois-moi. Quand tu seras seule au milieu des pommiers, écoute bien le bruit du vent dans les arbres, respire profondément l'odeur des fruits et regarde attentivement tout autour. Je suis certain que toi aussi, tu sauras retrouver cet être de perfection qu'on appelle Dieu.

Enfant, Françoise s'était moquée de ces quelques paroles prononcées sur un ton respectueux.

Aujourd'hui, la jeune femme en comprenait le sens profond, car ce matin, peu après l'aube, elle avait elle-même participé à un miracle : son fils Nathan était né. Jamais de toute sa vie, Françoise n'avait cru en Dieu comme elle y croyait présentement.

— Seigneur, murmura la nouvelle mère, les bras refermés tendrement sur le bébé endormi et le regard noyé dans l'immensité du ciel normand, je Vous en supplie, faites que Rémi connaisse son fils un jour, et surtout, oh oui surtout, faites qu'il ne souffre pas trop.

C'était là l'unique prière que Françoise adressait au Ciel depuis qu'elle savait pour le bébé et qu'elle ne savait plus rien de son Rémi.

Un léger coup frappé à la porte la ramena

brusquement à sa chambre tandis que sa mère, Madeleine, glissait déjà une tête soucieuse dans l'entrebâillement.

— Besoin de rien? Je te trouvais bien silencieuse et j'étais inquiète. Peut-être veux-tu me confier le bébé pour dormir un peu?

— Le bébé, comme tu dis, il s'appelle Nathan, fit alors Françoise avec un peu d'humeur.

Puis elle reprit dans la foulée, sur un ton nettement plus léger:

— Non, je ne veux pas vraiment dormir. Trop énervée, je crois... Mais si tu y tiens, oui, tu peux prendre Nathan un petit moment, j'ai les bras fatigués. Même nouveau-né, à la longue, c'est lourd, un bébé. Va, prends ton petit-fils, le temps que j'écrive une lettre à Brigitte. Savoir que j'aimerais qu'elle soit la marraine la fera peut-être quitter sa tanière. Qu'en penses-tu? Bon sang de bonsoir! Ça fait des mois qu'elle vit à Paris et pas une fois elle n'a daigné en sortir pour venir nous rendre visite... La Normandie, c'est quand même pas si loin!

— C'est vrai que ça fait un bail... Depuis quand déjà ne l'a-t-on pas vue? Depuis le mariage? Et dire qu'elle était ici tous les jours ou presque, avant son départ... Bonne idée pour la lettre. Ainsi donc, je ne préviens pas le curé tout de suite?

— Pas vraiment... Pour quoi faire? Le baptême? Je sais bien que la coutume voudrait qu'on se précipite...

Sur ce, Françoise laissa échapper un long bâillement.

— Qu'importent les habitudes et tout le tralala, affirma-t-elle en se calant dans les coussins, je m'en fiche un peu. Moi, je veux que Brigitte soit là.

Françoise n'osa ajouter les quelques mots qui lui brûlaient les lèvres, à savoir que si la présence de son amie lui tenait tant à cœur, c'était en remplacement de celle de Rémi.

Françoise détourna la tête et prit une longue inspiration pour chasser le sanglot qui menaçait de la trahir.

Que du bonheur, aujourd'hui, n'est-ce pas ? Et demain, et après-demain, et l'autre jour qui suivrait et encore plus loin…

Étourdie par ses propres pensées, Françoise tendit Nathan à sa mère qui s'était approchée du lit.

— Tiens, prends-le… Pas trop longtemps, cependant. Je ne comprends pas que j'aie pu vivre sans lui auparavant.

Un regard protecteur suivit le transfert du bébé des bras de la mère à ceux de la grand-mère.

— Fais doucement, il est si petit !

— Je sais… On ne peut oublier ces choses-là… Malheureusement, ça ne dure pas. Alors, profites-en bien. Profite de ce temps si bref de l'amour exclusif, prévint alors Madeleine, retrouvant instinctivement les gestes et la douceur pour tenir contre elle le petit Nathan. Dans quelques semaines, ton fils va déjà vouloir tout toucher, tout voir, tout sentir. Et il se fichera bien des inquiétudes de sa mère, allez ! En attendant, je vais chercher du papier pour ta lettre. Montre-toi convaincante, surtout ! Ce sont les parents de Brigitte qui seraient contents de la revoir !

— Et moi aussi. Elle me manque.

— Guerre maudite, n'est-ce pas ?

La missive prit une bonne quinzaine pour partir de

Normandie et se rendre jusqu'à Paris. Une quinzaine de jours où, dès qu'elle mettait un pied dans la maison, après le travail, Brigitte demandait inlassablement à sa propriétaire s'il y avait du courrier pour elle.

— Bonjour madame Foucault ! Alors ? Toujours rien pour moi ?

— Eh ! Pas de chance !

Mais tout à l'heure :

— Eh bien si… Pour faire changement, aujourd'hui, il y a quelque chose pour vous, fillette…

Après un silence étudié, le vieux dragon se racla la gorge et renifla bruyamment avant d'ajouter :

— Toutefois, l'enveloppe est bien mince. Je ne sais trop si c'est là ce que vous sembliez attendre avec tant d'impatience… Ma foi, on dirait une banale invitation.

— Le papier coûte cher, rétorqua alors Brigitte sur un ton tout léger, sachant à l'avance qu'il n'y avait aucune invitation potentielle en vue et devinant aisément de qui venait cet envoi. Alors, où est-elle, cette lettre toute mince ? Cette « peut-être » invitation ?

— Sur le guéridon de l'entrée… Où voulez-vous qu'elle soit ? Et de qui attendiez-vous une lettre, comme ça ?

Sans satisfaire à la curiosité de madame Foucault qui s'entendait non seulement dans le point d'interrogation, mais bien jusque dans la moindre virgule de ses propos, Brigitte émit un vague grognement en guise de réponse, et, tournant les talons, elle grimpa l'escalier deux marches à la fois, pressée qu'elle était de retrouver l'intimité de sa chambre. Trop heureuse d'avoir enfin reçu cette lettre qu'elle espérait depuis un certain temps, la jeune femme claqua la porte de sa mansarde au risque de se faire réprimander. Tant pis. À l'adresse inscrite sur l'enveloppe, elle savait déjà que la lettre venait de Françoise et il lui tardait de la lire.

Enfin, elle allait savoir !

Une fois, deux fois, trois fois...

Recroquevillée sur le rebord de la fenêtre, Brigitte ne se lassait pas de lire et relire la lettre. Elle se gavait des mots au sujet de son coin de pays comme on se gave après un jeûne forcé. Elle savait écrire, son amie Françoise, elle l'avait toujours su. C'était comme un don, chez elle, cette facilité à noircir les pages, à dire les choses de belle façon, à faire des images plus vraies que vraies. Alors, à la lecture de quelques phrases bien campées, Brigitte avait eu l'impression de se retrouver dans son patelin. La chambre où était né le petit Nathan, celle de son amie, elle la voyait comme si elle y était, et l'ennui de cet univers familier fut brusquement une déferlante d'émotion.

Brigitte écrasa une larme au coin de sa paupière, renifla, reprit la lettre depuis le début.

Néanmoins, il lui fallait admettre qu'au-delà de cet ennui subit et irrépressible qui venait de l'envahir, l'important était de savoir que Françoise avait désormais un fils et que la mère et l'enfant se portaient bien, comme le disait l'expression consacrée.

— Nathan, murmura Brigitte tout en repliant enfin les deux feuillets qui constituaient la lettre. Ça sonne bien, Nathan Chaumette. Françoise a bien choisi, c'est un très joli prénom.

À son tour, naturellement, Brigitte eut une pensée pour Rémi.

Elle le connaissait bien, et elle savait que le jeune homme serait fou de joie quand il apprendrait la naissance de son fils. Mais encore fallait-il le lui dire, n'est-ce pas ?

L'émotion se jouant sur un tout autre registre que celui, habituel, de Françoise, la jeune Brigitte arrivait à réfléchir à la situation avec un certain détachement. Cela ne l'avançait guère puisqu'on nageait toujours en plein mystère.

Quoi qu'il en soit, tout comme Françoise, Brigitte était persuadée que Rémi était toujours vivant. S'il avait été tué au combat, on l'aurait su, non ?

De ce fait, Brigitte en avait déduit, elle aussi, que Rémi était probablement emprisonné en Allemagne. Elle ne voyait rien d'autre pour justifier un si long silence, car si Rémi avait été du côté français de la frontière, encore une fois, par la force des choses, on l'aurait su. L'occupation allemande avait peut-être ralenti bien des rouages administratifs dans le pays, dédoublé bien des tracasseries souvent inutiles, elle n'avait quand même pas tout chambardé, et la poste existait toujours. Alors oui, si Rémi avait été en France, normalement, Françoise aurait reçu depuis longtemps quelques nouvelles de son mari.

Ne restait donc que l'Allemagne pour expliquer ceci ou cela.

Bien que…

Cette hypothèse tenait la route jusqu'au moment où Brigitte repensait à toutes ces personnes qui affirmaient avoir reçu du courrier en provenance d'Allemagne. Les échanges étaient moins fréquents et plus lents, certains envois ne se rendaient pas, soit, mais ils existaient. Les soldats prisonniers en Allemagne écrivaient à leur famille, eux aussi, et, au bout du compte, on arrivait à échanger quelques nouvelles, on arrivait à se rassurer de part et d'autre de la frontière.

En résumé, tous les soldats français faits prisonniers, et ils étaient nombreux, avaient écrit à leur famille depuis le mois de juin, alors que la France signait l'armistice. On en parlait jusque dans la rue, en faisant la file pour le pain ou en négociant le prix d'une paire de vieilles chaussures ressemelées. Tout le monde ou presque connaissait un prisonnier et tout le monde ou presque se faisait un devoir d'en parler.

Alors, pourquoi Rémi, lui, ne donnait-il pas signe de vie ?

Serait-il blessé ? Gravement ? Au point de ne pouvoir écrire ?

Cette dernière hypothèse était tellement lourde de tristesse et empreinte des pires inquiétudes que Brigitte ne la retenait que rarement. Elle n'allait donc pas y souscrire ce matin, alors qu'elle venait tout juste d'apprendre la naissance de Nathan.

La jeune femme poussa un soupir de colère et d'impatience devant cette situation chargée d'inconnu.

Quand elle avait l'impression de tourner en rond comme en ce moment, Brigitte sentait monter en elle l'envie de trépigner, comme elle le faisait, petite fille, quand elle avait été contrariée.

C'est pourquoi, avant que toutes ces réflexions ne la fassent tourner en bourrique, Brigitte sauta en bas de son perchoir, déterminée à ne garder que la joie inspirée par la lettre de Françoise, d'autant plus que cette dernière lui avait demandé, et de façon tout à fait protocolaire, d'être officiellement la marraine du petit Nathan.

Et les joies, c'est bien connu, il faut les partager !

Sans hésiter, Brigitte sortit de sa chambre, dégringola bruyamment les marches du long escalier en colimaçon et déboula dans la cuisine sans crier gare, pratiquement au pas de course.

— Madame Foucault !

Celle-ci leva les yeux. Debout dans l'embrasure de la porte, Brigitte était radieuse. Échevelée, les joues rougies, elle avait le regard brillant et elle tenait la lettre de Françoise du bout des doigts, la secouant comme un petit mouchoir.

— C'était bien la lettre que j'espérais, expliqua-t-elle enfin d'une voix essoufflée, sans pour autant cesser de sourire.

Une courte pause pour inspirer longuement, une main sur la poitrine, puis Brigitte poursuivit.

— Ça y est ! Mon amie, mon amie Françoise dont je vous ai parlé, et bien, elle a eu son bébé !

La vieille dame leva les yeux vers le plafond, incapable de résister au plaisir de parodier Brigitte sur un ton sarcastique.

— Elle a eu son bébé !

Puis, sur un ton bougon, elle ajouta :

— Pourquoi en faire tout un plat ? Jusque-là, rien que

du normal, n'est-ce pas? ronchonna-t-elle. Une femme enceinte, fillette, ça finit toujours par accoucher un jour ou l'autre. Ces jeunes d'aujourd'hui! Ils ont toujours l'impression de réinventer le monde.

Néanmoins, en dépit de ce qu'elle venait de dire, la logeuse de Brigitte ajouta sur un ton nettement plus amène, avant même que la jeune femme n'ait pu réagir, toute figée qu'elle était par une réception aussi décevante.

— Tant mieux pour cette Françoise, même si je ne la connais pas. Avoir un bébé, c'est quand même quelque chose. Et alors, fille ou garçon?

À cette question, Brigitte retrouva ses esprits et le sourire.

— C'est un garçon. En bonne santé. Tout s'est bien passé. Il va s'appeler Nathan.

À nouveau, madame Foucault porta le regard vers le plafond avant de le poser sur Brigitte en soupirant bruyamment.

— Et puis quoi encore? Nathan! Non mais... Qu'est-ce que vous avez tous avec vos prénoms modernes?

— Et vous, qu'est-ce que vous avez contre ce qui est moderne, madame Foucault? répliqua Brigitte du tac au tac, exaspérée par tant de mauvaise foi.

— Rien. En principe, rien... Ça nous a apporté l'électricité, n'est-ce pas? Et les voitures à moteur... Nathan, vous dites?

— Oui, Nathan, et moi, voyez-vous, je trouve ça très joli. De plus, ce n'est pas moderne du tout. Si je ne m'abuse, il y a un Nathan dans la Bible.

— Peuh!

— Je vous dis!

— Peut-être, oui. Mais ce n'est pas ce qui en fait un joli prénom... Bien que... Ça dépend... Nathan qui, encore?

— Chaumette. Nathan Chaumette.

Curieusement, à ce nom, madame Foucault esquissa un sourire édenté.

— Alors là, ça peut aller. Nathan Chaumette, ça sonne bien. Je dirais même que ça sonne heureux.

— Vous trouvez?

— Je trouve... Et maintenant, pendant que je vous ai...

Tout en parlant, une fois sa curiosité satisfaite et le point fait sur la situation, si Brigitte ne lui mentait pas, bien entendu, et qu'aucun galopin ne venait envahir son salon le samedi soir, Simone Foucault se leva de table pour se diriger à petits pas jusque devant la cuisinière.

— Que diriez-vous d'un ajustement concernant la cuisine? demanda-t-elle alors, tout en remuant la soupe aux choux, devenue depuis quelques semaines, le plat le plus régulier sur sa table, les choux étant à peu près les seuls légumes à avoir traversé l'hiver sans trop de dommage.

— Un ajustement? répéta spontanément Brigitte.

Le mot sonnait à ses oreilles comme tintent quelques pièces de monnaie au fond d'une poche. Des pièces de monnaie que la jeune femme n'avait surtout pas en abondance, il faut l'admettre.

Alors, de quel ajustement voulait-on parler ici?

Parce que s'il était question d'augmentation du loyer, madame Foucault allait devoir repasser ou, plus vraisemblablement, Brigitte devrait déménager, puisqu'elle n'avait pas le moindre centime en trop. À un point tel que pour arriver à joindre les deux bouts, la jeune femme avait dû annuler son inscription à l'école de secrétariat, un travail à mi-temps étant hors de question.

— Manque flagrant de temps et d'argent, avait-elle allégué, la mine sombre. Je suis sincèrement désolée.

Malheureusement, cette désolation, même sincère, n'avait rien changé à la situation et on lui avait catégoriquement refusé le remboursement de son avance.

— Vous avez été prévenue !

Cependant, et fort curieusement d'ailleurs, Brigitte n'avait pas été vraiment déçue. Même si après tout elle était venue à Paris expressément pour suivre ce cours, elle devait avouer qu'elle ne souffrait pas tellement de ce changement à l'horaire, et la décision d'abandonner ses études avant même de les avoir commencées s'était prise sans déchirement d'aucune sorte.

Était-ce à cause des Reif ? Avaient-ils pris une place à ce point importante dans sa vie ? Peut-être, oui. Brigitte ne s'était pas interrogée longtemps sur le sujet. Chose certaine, dans l'immédiat, jamais elle n'aurait pu laisser tomber son emploi parce que, tout compte fait, elle aimait bien la vie qu'elle menait. Entre la pension avec son dragon de propriétaire et la blanchisserie, avec son aimable patron, les jours avaient un charme indéniable malgré les restrictions causées par l'occupation.

— De quel ajustement voulez-vous parler ? demanda-t-elle enfin d'une voix qui se voulait désinvolte, alors qu'elle fronçait furieusement les sourcils, se préparant au pire.

— À propos de la cuisine, je viens de vous le dire, fillette. Va-t-il falloir que je répète une troisième fois ?

— Non, bien sûr...

Brigitte avait l'impression de marcher sur des œufs, tant madame Foucault était une femme au tempérament imprévu, souvent ombrageux, pour ne pas dire irascible. Pourtant, pour l'avoir constaté à maintes reprises, Brigitte savait que le dragon pouvait parfois montrer patte de velours et qu'à l'occasion, il lui arrivait même d'oublier comment cracher le feu.

Il suffisait de savoir s'y prendre.

Ce fut donc d'une voix soumise et très pondérée que Brigitte rompit son bref silence en ajoutant :

— J'avais compris, madame Foucault, qu'on parle ici de la cuisine, c'est évident. Simplement, pourriez-vous me donner quelques précisions ? demanda-t-elle, tout hésitante. S'il vous plaît !

— Je veux parler de l'usage de la cuisine... Voilà où nous a conduits cette époque de merde : discuter pour causer d'économie sur l'utilisation d'une pièce de la maison ! Faut-il être tombé bien bas ! Donc, l'usage de la cuisine... Eh bien, fillette, je n'ai qu'une chose à vous dire : ça ne convient plus.

— Et qu'est-ce qui ne convient plus ? osa demander Brigitte, essayant d'être le plus précise possible car, elle, pour l'instant, elle n'arrivait pas à suivre la logique d'un tel discours.

— Tout !

Simone Foucault promena un regard accablé autour d'elle. Elle s'arrêta un bref instant sur la cuisinière dont elle gardait le feu au plus bas, puis sur la glacière, à peu près vide depuis des mois. Elle survola rapidement les étagères désertées de leurs produits habituels, ceux de l'avant-guerre, de l'abondance, et revint finalement à Brigitte qui avait suivi son manège avec attention, et qui commençait à se douter de ce qui allait suivre.

Subtilement, sa propriétaire allait remettre son sujet préféré sur le tapis : la guerre et ses restrictions.

Brigitte n'aurait pu si bien dire !

En effet, la vieille dame y pensait et y repensait depuis le matin, alors que le compte du gaz était arrivé.

Une vraie fortune, à payer rubis sur l'ongle. Pas de délai ni d'accommodements possibles.

— Une vraie honte de profiter des pauvres gens comme ça, avait-elle soupiré, les yeux fixés sur le montant qui lui semblait astronomique. Comme si le rationnement ne suffisait pas, les prix en profitent pour monter en flèche. C'est scandaleux ! Ça vaut aussi pour les tickets d'un pain qu'on nous donne à la becquée, comme aux moineaux. On veut tous nous voir crever, oui !

À ce rythme-là, malgré la présence d'une pensionnaire, Simone Foucault était persuadée qu'elle ne survivrait pas à cette guerre. Et si elle n'y laissait pas la peau et les os, son cœur lâcherait, malmené par les alertes qui l'obligeaient à se réfugier au sous-sol en catastrophe. En pure perte de temps, d'ailleurs, car il n'était tombé aucune bombe sur Paris, jusqu'à maintenant.

N'empêche !

Si elle devait mourir, ce serait ruinée, en plus ! Toute une perspective malgré le fait indéniable qu'elle ne serait plus là pour pleurer ses pertes. Tout de même, elle voulait laisser un bon souvenir à ceux, peu nombreux, elle l'admettait sans peine, qui pleureraient son départ.

D'où cette idée pour l'usage de la cuisine.

Économie, économie, économie !

Madame Foucault expira bruyamment.

— Voilà à quoi j'ai pensé !

Sans se retourner, remuant inutilement la soupe aux choux avec la minutie qu'elle aurait mise à préparer une béarnaise, elle présenta alors sa proposition.

— Pourquoi tout faire en double ? Double de temps, double de gaz, double de nourriture et, parfois, quelle horreur ! Double de pertes… Par les temps qui courent, ça ne convient plus.

Sur ce, la vieille dame se retourna et offrit à Brigitte un de ses rares sourires. Deux fois en l'espace d'à peine quelques minutes, c'était exceptionnel et, de ce fait, Brigitte se sentit soulagée.

Malgré tout, le vieux dragon était sans doute dans une de ses bonnes journées, et ce qui suivrait n'aurait vraisemblablement pas l'amertume d'une médecine.

À moins que ça ne soit qu'une démarche de séduction avant le coup de massue…

— Oui, d'accord, convint alors Brigitte sur le ton le plus docile qu'elle put trouver. C'est vrai qu'on multiplie bien des choses : je fais mes repas, vous faites les vôtres, je fais ma vaisselle, vous faites la vôtre, chacune à notre heure… Que suggérez-vous alors ?

— On renverse la vapeur, fillette ! On renverse la vapeur et on fait tout juste l'inverse !

— Et comment fait-on cela, madame Foucault ?

— On ne dédouble plus, on met tout en commun : la nourriture, le temps, l'usage de la cuisine, du gaz, de la lumière… Tout ! De telle sorte que mon bas de laine et votre porte-monnaie s'en trouveront allégés !

— Comme ça, pas d'augmentation de loyer ?

La voix de Brigitte était tout hésitante tandis que, de son côté, madame Foucault soupirait d'agacement.

— Mais qui parle d'augmentation ici ? Ai-je seulement prononcé ce mot ? Allons donc ! Je le sais bien, fillette, que vous ne pourriez me donner un centime de plus !

— Ça, c'est vrai.

— Bon, vous voyez bien ! Pourquoi perdre notre temps en palabres inutiles ? De toute façon, j'aurais pu tomber sur plus détestable que vous, et j'en suis fort consciente. Ça aussi, ça vaut son pesant d'or.

Un compliment, en plus ? Brigitte en était bouche bée.

— Alors là… C'est gentil de me dire ça.

— Je ne dis pas ça pour être gentille, qu'est-ce que c'est que cette idée ? Je dis ça uniquement parce que c'est la vérité ! Vous êtes somme toute assez aimable, plutôt ponctuelle, relativement discrète et silencieuse et pas trop gourmande. Ça, voyez-vous, je l'ai surveillé de près avant de vous faire ma proposition. Quelqu'un qui gratte consciencieusement le pot du beurre au souper et réussit à regratter encore le lendemain matin trouve crédit à mes yeux et ça me suffit pour faire le compte. Alors ? On fait comme je dis ?

— Je suis bien d'accord avec vous, pour le partage et tout ce qui s'ensuit, mais on s'organise comment pour faire comme vous dites ? C'est que je ne suis pas là de la journée, moi !

— Ça aussi, je le sais, qu'est-ce que vous croyez ? Vous partez à l'aube et ne revenez que sur le coup de dix-neuf heures. J'ai des oreilles pour entendre et des yeux pour voir !

— Ben justement… On fait comment pour partager les tâches ?

— Au quotidien, vous ferez la vaisselle, fillette. Les chaudrons, les bols, les ustensiles. Tout quoi ! À l'eau tiède, ça me crevasse les doigts et j'en ai ma claque.

C'était tout ? Que la vaisselle ? Brigitte haussa alors les épaules. Elle avait l'habitude d'avoir les mains dans l'eau ! Elle passerait donc des chemises tachées aux assiettes collantes sans trop de difficulté.

— D'accord pour la vaisselle, accepta-t-elle sans la moindre contestation. Et pour le coût des aliments ?

— Déjà que vous me donnez vos coupons pour le pain et la farine parce que c'est moi qui me tape les files d'attente… Pour le reste, bien, je garde les notes et s'il n'y a pas de notes, vous me faites confiance. Durant l'été, vous mettrez vos bras à contribution et serez de service au jardin, tout comme moi, pour le potager. Quant au reste, on verra à l'usage. Ah oui ! Le dimanche, puisque vous êtes libre, c'est vous qui prendrez la place devant le fourneau. Un peu de répit, ça ne sera pas pour me déplaire. J'irai marcher au parc… Voilà ! Je crois bien avoir fait le tour de la question. Si ça vous convient, on commence de suite. J'ai de la soupe aux choux pour deux, jeune fille!

Jeune fille?

Brigitte eut alors la sensation d'avoir gagné du galon, passant de la fillette à la jeune fille. Dans la bouche d'une Simone Foucault, revêche et avare de compliments, une épithète plutôt qu'une autre, ça voulait dire beaucoup.

Brigitte en resta sans voix, la gorge nouée par l'émotion.

Les deux femmes passèrent à table.

Si ce jour-là madame Foucault avait oublié de saler la soupe, l'esprit préoccupé par les affres de la guerre, Brigitte ne s'en rendit pas compte. Les quelques larmes de gratitude versées discrètement au-dessus de l'assiette se chargèrent de l'assaisonner.

CHAPITRE 10

À Fürstenberg-sur-Oder, dans le Brandebourg en Allemagne, le lundi 10 mars 1941

Au Stalag III-B

Rémi avait délibérément choisi la couchette du haut, celle dont personne ne voulait parce qu'à l'arrivée, on était encore en été, et que sous le toit de tôle, c'était cuisant. Même que pour les quatorze autres couchettes supérieures, on avait dû tirer à la courte paille. Mais pas dans le cas de Rémi. Certes, il était tout à fait conscient que, pour l'instant, c'était à peine tolérable, mais l'hiver, par contre, il aurait moins froid que tous les autres car la chaleur dégagée par les corps et celle diffusée par le poêle de petite dimension perdu au fond du dortoir finirait par monter.

Encore plus que de suer, Rémi détestait avoir froid.

Il avait été fait prisonnier le 6 juillet précédent, au bout d'une longue journée de chassés-croisés meurtriers avec les Allemands, parce que son régiment avait résisté à cet armistice de pacotille. Une journée de combats inutiles où plusieurs de ses compagnons de la première heure étaient tombés sous les balles ennemies.

Trop abruti par l'horreur qu'il venait de vivre, Rémi en avait même oublié de pleurer.

Par la suite, étonné d'être encore en vie, il avait été

enfermé avec une bonne centaine d'hommes, dont plusieurs lui étaient inconnus. Deux semaines d'anxiété et une attente interminable dans une caserne française avaient mené à son transfert vers l'Allemagne en compagnie d'une vingtaine d'hommes, tous de la même nationalité que lui, devenus presque des amis par la force des événements. La promiscuité des dernières semaines avait joué en leur faveur et des liens s'étaient rapidement tissés.

Le trajet vers Fürstenberg avait été, lui aussi, interminable, angoissant d'incertitude et surtout particulièrement inconfortable. Après une marche à n'en plus finir à travers d'innombrables villages entourés de champs, au bout de nombreuses nuits passées à la belle étoile et condamnés à des repas chichement distribués, ils étaient enfin arrivés devant une gare allemande qui ressemblait à s'y méprendre à une gare française. Même dimension, mêmes guichets, mêmes rails s'enfonçant dans le boisé voisin.

À peine le temps de soupirer d'aise en se disant qu'enfin ils n'auraient plus à marcher, les hommes s'étaient retrouvés coincés dans un wagon pour le bétail, assis à même le sol, les uns contre les autres. Il y faisait chaud, il manquait d'air et l'odeur des corps encrassés était difficilement supportable. Plus d'un fut malade à s'en vomir les tripes et, dans la touffeur de juillet, l'odeur était alors devenue absolument intolérable.

Des baraquements en tôle entourés de barbelés et surveillés en permanence par des militaires armés, juchés sur des miradors, avaient été le but ultime de ce long périple. C'est à ce moment-là, après le dénombrement, qu'avait eu lieu l'attribution des lits.

Dès le lendemain, malgré les pieds couverts de cloques douloureuses et les ventres ballonnés par les indigestions, on les avait emmenés, lui et ses compagnons, vers le village voisin. Les fermes désertées par les paysans allemands partis au combat avaient besoin de bras, car les femmes et les enfants ne suffisaient pas à la tâche.

Ce fut ce soir-là, au retour de la ferme, que Rémi avait enfin pu écrire une longue lettre à Françoise, et une autre, plus courte, à ses parents.

Depuis toutes ces semaines sans nouvelles de lui, ils devaient sûrement s'inquiéter.

L'écriture de ces lettres avait occupé une bonne partie de la soirée. Dès le lendemain, avant de quitter le baraquement, à l'instar de ses compagnons d'infortune, Rémi avait remis ses deux missives dans des enveloppes non cachetées pour vérification auprès des surveillants. Mais comme le jeune homme avait fait bien attention aux termes employés et aux détails donnés, il n'avait aucune crainte. Ça prendrait le temps qu'il faudrait, mais il était certain que ses lettres finiraient par arriver à destination.

Comme chacun de ses compagnons, Rémi avait mieux dormi cette nuit-là, et il s'était mis à attendre impatiemment une réponse qui se laissa désirer.

On était en août, le 3 pour être précis.

À partir de là, tous les matins, beau temps mauvais temps, Rémi était parti du stalag pour se rendre dans une ferme quelconque, selon les besoins. De l'aube au crépuscule, en compagnie des autres prisonniers, tant français, russes que polonais, et sous la surveillance de quelques vieux soldats allemands trop âgés pour le combat, Rémi avait travaillé sans relâche, cultivant ainsi plus d'une centaine d'hectares de blé et autant de seigle, et un autre bon gros lopin ensemencé de pommes de terre.

Le soir, quand il revenait au baraquement, Rémi se renseignait invariablement au sujet du courrier qui ne venait jamais. Ni pour lui, ni pour les autres.

Pourtant, l'été tirait déjà à sa fin.

Peu après, ce fut le temps des récoltes, comme en Normandie ça devait être le temps des pommes. La nature avait des droits que ni les hommes ni la guerre ne pouvaient modifier.

Cela faisait maintenant plusieurs semaines que les lettres étaient parties du stalag, mais personne, encore, n'avait reçu de réponse.

Quand, par un doux soir de septembre, Rémi avait demandé, selon son habitude, si le courrier était arrivé, il avait eu droit à un long regard colérique et à cette réponse laconique :

— Perdu ! Courrier perdu. C'est tout.

Ce fut l'explication donnée par un gardien qui baragouinait quelques mots d'un vilain français.

Depuis son arrivée à Fürstenberg, Rémi avait perdu au moins quatre kilos, mais ce n'était rien à côté de la sensation qu'il avait ressentie à ce moment-là, alors qu'il venait de perdre aussi presque toutes ses illusions. Devant cette désinvolture affichée, à la faim et à la saleté se greffa une colère attisée par l'attente et l'impuissance.

Et il n'était pas le seul à entretenir sa rage.

Le lendemain, Berthold, un pêcheur breton d'à peu près son âge et habitant la région de Saint-Malo, avait proposé de saboter la batteuse, en guise de représailles pour le courrier perdu, et tous les hommes s'étaient mis d'accord : aidé par quelques amis, Rémi cacherait une pierre dans une des gerbes de blé et on verrait bien ce que ça donnerait.

Ce fut suffisant, et amplement, pour vandaliser la batteuse qui avait un moteur électrique.

Ce jour-là, par la force des choses, les hommes étaient rentrés plus tôt au camp. Comme à l'accoutumée, les gardiens les attendaient dans la cour pour faire le dénombrement. Quand Rémi, le regard mauvais, avait fait demi-tour pour se diriger vers son baraquement, tous les gardiens dans la cour s'étaient appliqués à le suivre du regard jusqu'à ce que la porte se referme sur lui.

Était-ce à cause de son métier que Rémi avait été la cible de leurs regards malveillants ?

Était-ce à cause de son entêtement à s'inquiéter du courrier qui finalement avait été perdu ?

Était-ce à cause de l'avarie du moteur de la batteuse qu'on l'avait pris en grippe, lui et pas les autres ?

Peut-être bien, après tout, car chacun, gardiens comme prisonniers, savait que Rémi Chaumette était mécanicien. Normal que les soupçons se tournent vers lui, le jeune homme en était conscient. Il aurait dû se méfier, prévoir les coups, il ne l'avait pas fait. À dire vrai, à ce moment-là, Rémi s'en fichait éperdument.

Les copains et lui, ce soir-là, avaient bien rigolé, tandis

qu'ils écrivaient leurs nouvelles lettres, et c'était toujours ça de pris. Le rire, ça faisait oublier les ventres creux et les barbelés.

Pour un moment.

À cause de la guerre et du manque de pièces, cela avait pris plus de trois semaines et deux visites des SS avant que l'outil soit réparé. Alors, pour occuper les prisonniers, on leur avait fait épierrer les champs déjà récoltés en attendant de leur faire ensacher les céréales.

Quant aux pommes de terre, c'étaient les Russes et les Polonais qui s'en étaient chargés.

Les réponses à leurs secondes lettres étaient arrivées le matin de la première neige de la saison, et, tant qu'il vivrait, Rémi Chaumette ne pourrait jamais oublier ce matin-là.

Ils étaient dans la cour pour le dénombrement, comme tous les matins, même si cette tracasserie leur semblait totalement inutile puisqu'ils ne sortaient plus que rarement du stalag. Le froid avait mis un terme à la saison des cultures et les journées s'étiraient, interminables. Néanmoins, quand l'appel avait été terminé, l'adjudant responsable de leur baraquement avait alors ouvert une besace qu'il portait sur son flanc, et il avait sorti une liasse d'enveloppes.

Nul doute, c'étaient enfin les réponses à leurs lettres !

De nombreux sourires spontanés avaient fleuri à travers les barbes drues, faisant oublier du coup les visages amaigris.

En cet instant bien précis, les prisonniers, tous sans exception, avaient eu la grâce d'être des hommes heureux. Leur espoir indéfectible était enfin récompensé et, subitement, le froid du sol gelé qui traversait la semelle trop mince des chaussures n'avait plus grande importance.

Puis la distribution avait commencé.

Une première lettre à celui-ci, deux au suivant, le chanceux, une autre pour le troisième…

L'adjudant allait de l'un à l'autre, distribuant des enveloppes de différents formats. Il y eut même quelques paquets. Bien qu'il ne parlât pas français, depuis le temps, l'adjudant avait appris le nom de tous les hommes, et les quelques erreurs commises avaient été vite rattrapées. Chacun tenait à sa lettre, de sorte qu'on surveillait de près les noms inscrits sur les enveloppes. Tout à l'heure, quand ils seraient de retour au baraquement, la lecture de ces quelques mots serait la première véritable intimité qui leur serait offerte depuis le début de tous ces longs mois de captivité. Pas question d'en gâcher la moindre parcelle.

Tous, ils reçurent leur courrier qu'ils glissèrent au fond d'une poche comme de vieux avaricieux soustraient spontanément leurs pièces à la convoitise des voisins.

Tous, sauf Rémi, qui n'avait rien reçu.

Dans une piètre imitation des milices militaires, ces fameux SS que tout le monde craignait, l'adjudant était revenu sur ses pas, lentement, pour s'arrêter devant le jeune Français qui ne comprenait pas ce qui avait bien pu se passer. Là, l'officier allemand s'était bien campé sur ses deux jambes écartées et, d'un geste autoritaire du doigt, il avait appelé celui des gardiens qui parlait quelques bribes de ce mauvais français. Il prenait bien son temps, l'adjudant, comme s'il trouvait l'instant particulièrement réjouissant, puis, un rictus sur les lèvres qu'il devait estimer être un sourire, le militaire avait sorti les deux dernières enveloppes que contenait son petit sac de toile et il les avait approchées du visage du prisonnier.

Suffisamment proche pour que Rémi puisse constater qu'il s'agissait non pas des réponses tant attendues, mais bien de ses propres lettres, celles que, à la suite des événements, on avait délibérément choisi de ne pas envoyer.

L'adjudant avait alors prononcé quelques phrases en allemand que le gardien avait traduites par deux simples mots.

— Batteuse brisée.

Sur ce, l'adjudant avait lancé les lettres de Rémi par terre et les avait écrasées, froissées, déchiquetées avec ses talons avec tellement de mépris, de prétention dans l'attitude…

Le message était clair.

Nul besoin de parler la même langue pour se comprendre, certains gestes ont parfois l'éloquence nécessaire pour le faire.

Sans l'ombre d'un doute, Rémi Chaumette n'aurait pas droit au courrier comme tous les autres prisonniers. Qu'importe qu'il soit l'unique coupable ou non, là n'était pas la véritable question. Quelqu'un devait payer pour la batteuse, et il avait été décidé que ce serait lui.

Brusquement, autour de Rémi, l'espace avait semblé se rétrécir comme une peau de chagrin, et l'air s'était mis à se raréfier tandis que, dans son regard, venait d'apparaître toute la haine sous-jacente à cette guerre insensée qui les opposait tous les deux, prisonnier et geôlier. Une haine farouche, viscérale, qui n'avait besoin d'aucun mot pour être clairement exprimée.

Rémi avait soutenu le regard de l'adjudant un court moment, le temps de calmer le bouillonnement sanguin qui frappait à ses tempes, puis il avait détourné les yeux. Ce n'était pas une preuve de couardise d'avoir agi ainsi, non, c'était plutôt l'instinct de survie qui avait dicté le geste.

Pour l'avoir déjà vu, Rémi savait très bien qu'on pouvait vous abattre pour bien moins qu'un regard haineux.

Néanmoins, ce fut ce matin-là que Rémi se jura de tout mettre en œuvre pour fuir ce lieu sinistre. Au risque d'y laisser sa peau, dès l'été suivant, alors que certaines occasions se présenteraient peut-être lors de ses sorties vers les fermes avoisinantes, il tenterait de s'évader.

Sinon, s'il ne faisait rien, ne prévoyait rien, n'échafaudait rien, il avait peur de devenir fou durant la saison hivernale qui ne faisait que commencer et qui s'annonçait particulièrement venteuse et froide.

Plusieurs mois plus tard, tandis que ce même hiver 1941 décidait enfin à jeter du lest, Rémi était encore là, vivant dans le même stalag, occupant le même baraquement et dormant sur la même couchette. Allongé sur le dos, le nez contre le toit de tôle ou presque, il attendait que le temps passe, que la nuit tombe, que le sommeil vienne. En mars, la clarté perdurait chaque jour un peu plus et les copains profitaient des quelques lueurs subsistantes pour relire les lettres arrivées au début de la semaine.

Mais pas Rémi. Non. Pour lui, les lettres étaient à oublier et le seraient pour longtemps. À moins peut-être, que l'adjudant soit muté...

Rémi secoua vigoureusement la tête comme pour abrutir les quelques idées malsaines, ou inutiles, ou dangereuses, qui menaçaient d'envahir son esprit. Se tournant sur le côté, il approcha son visage du mur et, repérant le petit trou qu'il avait perforé dans la tôle avec la pointe d'un clou en juillet pour ne pas mourir suffoqué parce qu'il faisait une chaleur torride, il y colla son œil. Depuis deux jours, au vu du temps plus clément, il avait retiré le petit morceau de papier longtemps mâchouillé pour en faire une sorte de pâte qui avait calfeutré le trou durant l'hiver.

C'est là que Rémi passerait ce début de soirée, le regard rivé sur l'extérieur, essayant tant bien que mal d'apercevoir un coin de ce grand espace au-delà des murs, en attendant la mutation espérée, ou plus concrètement, en attendant l'été quand le travail aux champs reprendrait et qu'il pourrait songer à s'évader.

Pour l'instant, à défaut d'une correspondance assidue, il ne lui restait que les souvenirs pour se rapprocher des siens. Des souvenirs qui s'embrumaient peu à peu au fil du temps qui passait, et cette petite photo de Françoise qu'il contemplait amoureusement quand l'ennui se faisait trop dur, ou parfois encore, comme en ce moment, quand le doute s'installait insidieusement, et que l'envie d'en finir se faisait trop forte.

Dieu qu'il s'ennuyait de sa femme, et l'envie de la tenir dans ses bras lui faisait monter les larmes aux yeux.

CHAPITRE 11

Pointe-à-la Truite, le mercredi 4 juin 1941

Sur la longue galerie couverte de l'auberge de la mère Catherine

Les mains d'Ernest Constantin se mirent à trembler légèrement tandis qu'il fouillait dans la poche de sa chemise et qu'il en retirait la lettre pliée en deux. Lentement, avec des gestes respectueux, il la déplia et il ouvrit l'enveloppe.

— Voici cette lettre dont je vous ai parlé tout à l'heure.

Il déposa deux feuillets sur la table basse coincée entre son fauteuil d'osier et celui de Gilberte. Il les lissa du plat de la main, puis il remit l'enveloppe dans sa poche.

— Depuis son départ, André m'en fait parvenir deux comme celle-là, pratiquement tous les mois, expliqua-t-il alors. Mais ça ne suffit pas pour calmer mon anxiété. Il faut dire, aussi, que parfois, certaines lettres retardent et elles m'arrivent deux à la fois. Quand cela se produit, je vous avoue que c'est plus fort que moi, et j'imagine le pire.

— C'est ben certain, ça là. Avec tout ce que vous m'avez raconté pendant qu'on mangeait… Ça vraiment pas l'air drôle tous les jours, là-bas, en Angleterre. Avec les Allemands qui bombardent tout le temps…

Curieuse de nature, Gilberte reluqua la lettre sans pour autant s'en saisir, ne sachant trop si c'était vraiment ce qu'Ernest Constantin espérait d'elle. Après tout, une lettre c'était privé, comme le lui avaient expliqué sa mère et Prudence; et à moins d'en avoir la permission explicite, jamais Gilberte n'aurait l'audace de lire une missive qui ne lui était pas destinée.

— Prenez-la, Gilberte, allez! insista alors Ernest Constantin. Ne soyez pas intimidée, vous pouvez tout lire, enchaîna-t-il aussitôt, comme s'il avait lu dans les pensées de sa bonne amie.

La chose ainsi présentée, Gilberte ne se le fit pas dire deux fois, d'autant plus qu'elle espérait trouver, dans les mots de quelqu'un qui vivait le conflit de près, quelques explications susceptibles d'éclairer tout ce qui lui paraissait obscur dans cette guerre qui, vue de loin, lui donnait l'impression d'être totalement inutile et de plus en plus coûteuse en vies humaines. Elle n'en pouvait plus d'essayer de décortiquer les articles de journaux pour essayer de comprendre le but ultime de ce conflit qui semblait ne jamais vouloir finir.

Un dernier regard en direction d'Ernest, et Gilberte tendit enfin la main.

Elle fut soulagée quand elle constata que l'écriture était fluide, déliée, et que les mots choisis par André, le fils d'Ernest, étaient faciles à lire et à comprendre. Sa lecture s'en trouverait donc facilitée, et elle n'aurait pas à demander de l'aide, ce qui aurait été quelque peu humiliant.

Sans être l'apocalypse que Gilberte imaginait, la vie au quotidien n'avait pas l'air des plus réjouissantes. La peur, surtout, semblait une compagne de tous les instants.

« … Ainsi, cher papa, chaque fois que je monte dans l'avion, sans la moindre exception, j'ai une pensée pour vous », lut Gilberte. « Si jamais je ne revenais pas… »

Gilberte leva les yeux.

— Dans l'avion ?

— Eh oui ! soupira Ernest Constantin qui n'avait pas quitté Gilberte du regard, épiant ses réactions, communiant aux émotions qui marquaient son visage.

— Vous m'aviez pas dit ça, que votre fils est un aviateur.

— Peut-être parce que j'essaie de l'oublier… Mais c'est un fait : André a été formé pour piloter des avions.

— Normal, d'abord, que vous soyez inquiet de même, enchaîna spontanément Gilberte, tout impressionnée. Moi avec, malgré tout ce que j'ai pu vous dire tout à l'heure sur le sens du devoir, pis de la patrie, pis tout le reste, je serais inquiète sans bon sens si jamais quelqu'un que je connaissais allait se battre dans un avion… Il y a pas ben ben de place pour se cacher, en haut, dans le ciel. À part les nuages, pis…

Gilberte se tut brusquement. Elle qui s'était promis de tout mettre en œuvre pour rassurer son bon ami était en train de faire tout le contraire. Incapable de concevoir comment elle pourrait rattraper ses paroles malencontreuses, elle baissa rapidement les yeux sur la lettre pour continuer sa lecture.

« … Mais ne vous en faites pas trop pour moi », poursuivait André. « Même si la peur est toujours là, comme une compagne fidèle, je suis un bon pilote et jamais je ne prends de risques inutiles. J'avoue cependant, même si ce n'est pas tellement chrétien de penser comme ça, que lorsque je descends un avion ennemi, ça me fait plaisir de le voir piquer en vrille vers le sol. Il ne faut pas se le cacher: à chaque fois que ça se présente, je sais bien que ça va être lui ou moi. De votre côté, cher papa, dites à Raymond que j'ai bien hâte de le voir arriver parce que je m'ennuie de la famille. Pour maintenant, c'est tout ce que j'avais à écrire. Les gens d'ici sont très gentils avec nous autres, les Canadiens français, et si on n'entendait pas la sirène des alertes retentir aussi souvent, on pourrait se croire presque chez nous. La santé est bonne et je mange à ma faim. C'est ça l'important. Embrassez Hubert pour moi, saluez bien Gérard et je vous réponds dès que je recevrai votre lettre.

Votre fils qui vous aime, André»

Gilberte prit le temps de lire la lettre une seconde fois, puis, songeuse, elle la déposa sur la table.

Avoir lu cette lettre lui donnait l'impression d'entrer dans l'univers d'Ernest Constantin sur le bout des pieds. Comme si l'histoire secrète de son ami et de sa famille commençait à lui être livrée par bribes; une sorte d'intuition lui suggérait qu'elle n'était pas au bout de ses surprises. En effet, si Ernest et elle avaient partagé de nombreuses heures de discussions l'été précédent, Gilberte ne connaissait à peu près rien de sa vie privée.

— C'est impressionnant, tout ça, arriva-t-elle enfin à articuler, laissant une main protectrice posée sur la lettre.

Tout doucement, du bout des doigts, Gilberte caressa le papier officiel avec en-tête.

— L'avion, l'Angleterre, les gens qui sont gentils… On

dirait que la vie dans un pays en guerre est comme toute mélangée… D'un côté votre fils parle de ses journées qui, par bouttes, ont l'air de ressembler pas mal à une vie normale, comme celle d'ici, mais d'un autre côté, il parle d'un avion qui tombe à cause de lui… Ça doit faire drôle, non, d'avoir à tout vivre ça dans une seule journée ? Dans ma tête à moi, me semble que ça va pas ensemble, tout ça. Parce qu'en plus, je sais à quoi ça ressemble un avion qui tombe. C'est arrivé souvent que j'ai vu des photos, dans le journal. Il y a plein de fumée. On voit même des flammes, des fois. J'aimerais pas ça, moi, voir un avion tomber. J'aimerais pas ça pantoute.

Elle n'osa ajouter, cependant, que chaque fois qu'il y avait l'une de ces photos dans le journal, il lui semblait qu'au-delà des flammes et de la fumée, elle ne pouvait s'empêcher d'imaginer l'homme qui tombait avec l'avion. La peur qu'il devait ressentir, l'horreur à l'état pur. À quoi peut-on vraiment penser quand on sait que la mort se précipite vers nous et qu'on n'y échappera pas ?

Chaque fois que Gilberte voyait la photo d'un avion écrasé, que le pilote soit allemand ou anglais, français ou canadien n'avait plus tellement d'importance pour elle. C'était un être humain tout comme elle et, à ses yeux, rien, jamais, ne pourrait justifier que cet inconnu ait eu à mourir ainsi.

Tandis qu'encore une fois, Gilberte, mal à l'aise, ressassait cette idée, Ernest ajouta :

— Et moi j'ai vu en vrai un avion qui tombait, murmura-t-il. C'était durant les nouvelles qu'on nous présente au cinéma.

Puis se tournant vers Gilberte, il demanda:

— Saviez-vous qu'un avion qui pique vers le sol, ça fait un bruit de sirène?

Tout en parlant, Ernest Constantin secouait vigoureusement la tête.

— Ça fait un bruit sinistre... Je déteste la guerre, Gilberte. Là, c'est mon fils qui m'écrit à propos des avions qu'il abat et, en soi, je devrais me réjouir malgré l'horreur de la chose, parce qu'au moins, je sais que mon André est en vie. Mais ce n'est jamais le cas. Je ne suis jamais heureux de lire ça. D'autant plus que rien ne dit qu'un jour, ça ne sera pas à son tour d'être abattu. Alors, je recevrai une lettre de l'armée qui m'annoncera la nouvelle et on ajoutera bêtement qu'on est désolés... J'ai peur, Gilberte. Malgré les lettres rassurantes d'André, j'ai peur en permanence.

Que répondre à cela?

Gilberte retint un soupir de déception, car elle ne connaissait aucun mot qui puisse être réconfortant, rassurant. Spontanément, en lieu et place d'une phrase convenue qui ne dirait pas grand-chose, Gilberte passa la main au-dessus de la table et elle vint la poser tout doucement sur le bras d'Ernest. Machinalement, elle se mit à le tapoter gentiment comme elle le faisait si souvent avec Célestin et Germain quand elle n'avait aucune réponse claire à leur fournir ou encore qu'elle tentait de les consoler. Curieusement, les deux hommes qui détestaient toute forme de promiscuité acceptaient de bon gré cette petite marque de tendresse de la part de Gilberte.

Il semblait bien qu'il en allait de même avec Ernest.

En effet, probablement appréciait-il le geste lui aussi, car il ne chercha nullement à soustraire son bras. Même qu'au bout de quelques instants, à son tour, Ernest posa une main sur celle de Gilberte. Une main chaude, enveloppante, qui serra la sienne avec une indéniable affection.

— Merci d'être là, dit-il alors tout simplement.

— Pas de quoi… Je suppose que c'est à ça que ça sert, des amis, répliqua aussitôt celle qui, faute de temps, n'avait pas eu beaucoup de véritables amis tout au long de sa vie, hormis certains membres de sa propre famille et quelques proches qu'elle voyait à l'occasion.

Un court silence sépara Gilberte et Ernest alors que l'un comme l'autre, ils s'enfoncèrent dans leurs pensées. Ce fut Alexandrine qui brisa ce silence au moment où elle passa la porte de l'auberge pour venir s'installer sur la galerie à son tour.

Le soleil était encore haut dans le ciel et, au-delà de la zone d'ombre projetée par la falaise, une myriade d'étincelles frémissait sur la mouvance des flots du fleuve tandis que quelques goélettes se dirigeaient lentement vers le quai de la Pointe.

Pour la première fois cette année, la soirée répondait en tous points à cette envie d'être à l'extérieur qu'Alexandrine avait patiemment entretenue tout au long de l'hiver, alors qu'elle s'était contentée de regarder la nature de loin, à partir de la fenêtre de sa chambre. Mais ce soir, en raison du doux temps, des rayons tièdes du soleil qui passaient encore par-dessus la cime des arbres, elle avait décidé de profiter de l'une des chaises que son fils Paul venait d'installer sur la longue galerie qui ceinturait le bâtiment.

Dès la vaisselle terminée, ce qu'elle faisait tous les soirs en compagnie de Réginald, elle s'était servi un bon thé chaud et, sans hésiter, elle avait choisi de venir le siroter face au fleuve qu'elle aimait tant.

Quand elle aperçut Gilberte et Ernest, Alexandrine eut une brève hésitation, puis elle décréta intérieurement qu'un peu de compagnie n'étant pas pour lui déplaire, elle se permettrait de les déranger.

— Belle soirée, n'est-ce pas? lança-t-elle depuis la porte qui claqua dans son dos.

Ernest Constantin sursauta, se retourna et, aussitôt, il afficha un large sourire. Il aimait bien cette dame âgée à la spectaculaire chevelure de neige qu'elle portait depuis peu attachée en torsade derrière la tête. Elle lui faisait étrangement penser à sa propre mère, décédée depuis quelques années déjà.

— Madame Alexandrine!

Tout galant qu'il était, Ernest Constantin était déjà debout et tendait la main à la vieille dame pour qu'elle puisse venir prendre sa place.

— En effet, c'est une belle soirée d'été, reconnut Ernest tout en avançant sa chaise. Tenez, prenez mon siège, chère dame. Je vais trouver autre chose pour m'asseoir avec vous.

Alexandrine ne se fit pas prier. Parcourant la galerie d'un pas toujours aussi solide, elle se dirigea vers Gilberte et Ernest. Ce fut au moment de prendre appui sur l'accoudoir du fauteuil en osier pour déposer sa tasse qu'elle aperçut la lettre abandonnée sur la table d'appoint. Ce fut plus fort qu'elle et, à peine assise, Alexandrine tendit la main. Du bout de l'index, elle souligna le blason de l'Armée du Salut qui ornait le coin gauche du papier employé par le fils d'Ernest.

— Ça me rappelle ben des souvenirs, ce papier-là, fit-elle songeuse. Ben des souvenirs.

— Vous avez déjà eu un fils à la guerre, madame?

La nature discrète d'Ernest Constantin n'avait pu résister à l'envie de poser la question.

— Ouais… Cinq ans, je crois ben, que mon Léopold a été parti. En fait, ça a duré tout au long de la Grande Guerre parce qu'il s'était porté volontaire dès le début. Pour nous autres, ça a donné cinq longues années d'inquiétude pis de larmes, croyez-moi… J'en parle pas souvent, mais j'oublie pas pour autant… Non, ça s'oublie pas des affaires de même.

Du regard, Ernest scruta avidement celui d'Alexandrine. Elle avait prononcé quelques mots qui l'avaient rejoint de façon précise, intime.

— Curieux, murmura-t-il, envahi d'une émotion vibrante qu'il aurait eu de la difficulté à identifier… Mon fils André s'est porté volontaire, lui aussi. Il est parti depuis l'hiver.

— Alors, je comprends pas mal ce que vous devez ressentir… Est-ce qu'il est encore ici, au Canada, ou ben?…

— Non, interrompit Ernest, il a quitté Valcartier en février dernier. Il est en Angleterre depuis quelques mois.

— Mon garçon aussi est passé par là, par l'Angleterre,

ajouta Alexandrine, toute songeuse, comme si elle était en train de remonter dans le temps, retrouvant ses souvenirs les uns après les autres.

La vieille dame poussa un long soupir.

— C'est loin, n'est-ce pas, l'Angleterre, fit-elle enfin sur un ton qui n'avait rien d'interrogatif. Pis après, dans le cas de mon Léopold, ça avait été la France, qui est encore plus loin. J'ai vu ça sur le globe terrestre de mon fils Paul.

Plus Alexandrine parlait et plus le visage d'Ernest s'éclairait. Brusquement, il n'était plus seul. Alors qu'il retenait ses confidences depuis plus d'un an, à l'exception de quelques débordements émotifs dont Gilberte avait été le témoin attentif, Ernest Constantin vivait en solitaire toutes ses peurs et tous ses questionnements. Mais voilà qu'il venait de croiser la route de quelqu'un semblant avoir vécu exactement ce que lui vivait. C'était réconfortant au-delà des mots pour l'exprimer, et ce n'était sûrement pas sa réserve naturelle qui allait l'empêcher d'interroger la vieille dame.

— Et alors? Comment vous vous êtes sentie, vous, quand votre garçon vous a annoncé qu'il voulait s'enrôler, qu'il voulait partir se battre?

— Pas bien pantoute!

La réponse d'Alexandrine avait fusé avec énergie, libérant du coup toute la culpabilité qu'Ernest avait ressentie jusqu'alors.

— Je comprenais pas, pis je comprends toujours pas encore aujourd'hui... Je le sais pas d'où ça peut venir une envie de fou comme celle-là... Me semble que quelqu'un de sensé se garroche pas de même après le malheur.

J'avais beau ressasser ça dans tous les sens, me semblait que j'avais pas pu élever mon gars comme ça. En tout cas, c'est pas moi qui aurais voulu partir de mon plein gré comme mon Léopold l'a fait. J'ai pour mon dire que la vie de tous les jours est ben assez dure par elle-même sans avoir envie d'en rajouter une bonne couche épaisse…

— Je pense exactement comme vous, madame Alexandrine.

— C'est juste normal pour un père qui aime son garçon, constata alors la mère de Léopold, en esquissant un sourire à l'intention d'Ernest, un sourire qui contrastait avec la sévérité de son regard sous ses sourcils froncés. Mon Clovis avec, il aimait pas tellement l'idée de voir partir son fils, mais il a rien dit. Il était de même mon mari : il respectait ben gros les gens autour de lui. Pis ça commençait avec sa famille… Inutile de vous dire que des lettres comme celle-là, conclut Alexandrine en revenant au tout début de la conversation tandis qu'elle pianotait sur la lettre du bout des doigts, ou ben d'autres comme celles avec le signe de l'armée canadienne en haut de la page, j'en ai eu pas mal. Je sais pas trop pourquoi, mais j'ai toute gardé ça dans une vieille boîte à chaussures. Pourtant, Dieu sait que de toute ma vie, jamais j'vas vouloir relire ça. Époque maudite… N'empêche que mon mari pis moi, on était tellement contents de recevoir les lettres de notre Léopold, si vous saviez.

— Je sais… Oh oui, je sais ! Je les attends avec impatience, moi aussi.

— Je comprends ça… Le pire, pour nous autres, Clovis pis moi, ça a été l'année où on a rien reçu. Pas un message, pas une seule lettre, rien pantoute. Toute une longue année, si ma mémoire est bonne. Chose certaine, je crois ben que ça a été le pire boutte de ma vie. Ça, pis le décès de mes deux enfants, comme de raison...

Silencieuse, Gilberte écoutait attentivement. Jamais, auparavant, elle n'avait entendu parler de la Première Guerre par quelqu'un qui l'avait vécue aussi intimement. Elle avait toujours conçu avec une facilité qui lui semblait toute naturelle qu'on n'avait nul besoin d'aller se battre pour en souffrir, et c'est exactement ce qu'Alexandrine était en train d'expliquer. Alors, un peu grâce à Alexandrine qui avait été longtemps une bonne amie de sa mère, et que Gilberte respectait beaucoup, grâce à ces confidences faites spontanément et de manière toute simple, elle apprendrait peut-être comment aider un peu mieux son ami Ernest.

— Une chance que durant ce temps-là, j'avais quelques-unes de mes filles avec moi à la maison, poursuivit Alexandrine. Si je me souviens ben, à cette époque-là, Rose pis Anna étaient déjà parties en ville, mais pas Marguerite pis Justine. Il y avait mon Paul avec, ben entendu, qui était parti. Lui, il était en ville pour ses études ou son travail, selon les années, mais au moins, je le savais en sécurité. Vous, monsieur Constantin, en avez-vous d'autres, des enfants?

Ernest Constantin se redressa et lui adressa un sourire rempli de fierté.

— Trois autres, oui. Trois autres garçons.

— Toutes des gars? Eh ben... Je sais pas trop si j'aurais aimé ça, moi, avoir juste des gars.

Alexandrine dodelinait de la tête, incapable de s'imaginer entourée d'une famille exclusivement composée de garçons. L'image ne lui convenait pas. Elle avait trop pleuré à cause de ses garçons.

— On ne choisit pas vraiment, n'est-ce pas? lança Ernest sur un petit ton moqueur qui eut l'heur de détendre l'atmosphère.

Sur cette vérité de La Palice, Alexandrine secoua la tête et offrit un regard pétillant à Ernest Constantin.

— C'est ben vrai.

Si, tout au long de sa vie, Alexandrine avait été une femme réservée avec les étrangers, voire intimidée, son grand âge avait atténué cette frilosité. Ne restait chez elle qu'une curiosité de bon aloi qui permettait les conversations, comme elle le disait elle-même, et puisqu'il n'y avait plus grand-chose d'autre dans sa vie en guise de distraction, hormis un peu de lecture et l'écoute du poste de radio, Alexandrine en abusait parfois.

— Comme ça, vous avez juste des garçons, répéta-t-elle. Pas tous partis à la guerre, j'espère ben?

— Pas encore, non, et pas tous. Pour l'instant, il y a André, posté en Angleterre, et Raymond, qui doit quitter Valcartier bientôt. Quant à Gérard, comme il n'est pas majeur, je peux encore le retenir à la maison, mais…

Tout ouïe, Gilberte buvait la moindre parole qui s'échangeait entre Alexandrine et Ernest. Sans intervenir, car elle n'aurait rien eu à ajouter, se sentant plus ou moins étrangère à tout ce qui se confiait en ce moment, elle en profitait néanmoins pour tout enregistrer.

C'était bien la première fois qu'Ernest Constantin

parlait aussi librement de sa famille, et Gilberte était fascinée.

Elle apprit ainsi qu'il s'était marié sur le tard, après de longues études universitaires, d'abord en droit, une discipline qu'il n'avait pas vraiment appréciée, puis en génie civil, un cursus qui lui convenait nettement mieux.

— Durant toutes ces années, je n'avais pas vraiment le temps de m'intéresser aux filles, avoua-t-il en riant. J'étais ce qu'on appelle un étudiant studieux. Mais dès que j'ai obtenu mon diplôme, que j'ai terminé mon stage de formation et que j'ai enfin trouvé un travail susceptible de faire vivre une famille...

Ce fut par un beau dimanche après-midi d'été que sa future épouse et lui avaient fait connaissance. Elle s'appelait Marie, et elle marchait avec quelques amies sur la Grande Allée, se dirigeant nonchalamment vers le parc des Braves. Dès qu'Ernest l'avait aperçue, il avait compris qu'elle serait sans aucun doute la femme de sa vie.

Quatre garçons étaient nés de cette union. André, Raymond, Hubert, à quelques années d'intervalle, et ce, dès les premiers temps du mariage. Longtemps après, alors qu'on ne s'y attendait plus du tout, il y avait eu Gérard.

— Malheureusement, la naissance d'Hubert avait laissé ma femme fragile à bien des égards, et la venue de ce dernier bébé a été une trop grande émotion pour elle. Marie en est décédée quelques mois plus tard...

À ces mots, Gilberte fronça les sourcils. Encore une fois, sans l'avoir vécu elle-même, elle pouvait aisément concevoir que la naissance d'un fils pouvait à elle seule procurer de belles et de grandes émotions. Après tout, à sa manière, elle avait eu le privilège de vivre les joies de la maternité à la naissance du petit Germain en s'occupant du nouveau-né qu'elle avait aussitôt pris sous son aile. L'émotion ressentie alors avait été d'une telle puissance!

Mais de là à en mourir...

Cependant, Gilberte eut à peine le temps de formuler une première pensée sur le sujet qu'Ernest s'ébroua et lança d'une voix étrange qui, de toute évidence, se voulait enthousiaste:

— Regardez, madame Alexandrine, regardez! Si je ne m'abuse, c'est le bateau de votre fils qui arrive au quai.

Trois regards se portèrent spontanément vers le bout du quai qu'on apercevait au-delà du muret ceinturant le cimetière, et Gilberte comprit alors qu'elle ne poserait pas la question qui lui brûlait les lèvres.

— Ben oui, vous avez raison! C'est le bateau de mon fils, s'exclama Alexandrine, tout exubérante.

La dame aux cheveux de neige s'était redressée, et elle s'était avancée au bord de son siège. Elle étirait le cou, les yeux rivés sur le quai, brusquement rajeunie de vingt ans.

— C'est ben Léopold qui nous arrive de Québec, répéta-t-elle, toute souriante. C'est un beau bateau, n'est-ce pas? Saviez-vous ça, vous, que ce bateau-là, c'est mon défunt mari qui l'a construit quasiment tout seul? On dirait pas, hein? Imaginez-vous donc que...

TROISIÈME PARTIE

Avril 1942 – Novembre 1942

Mise en place de « La solution finale »

« Je vous souhaite des rêves à n'en plus finir,
et l'envie furieuse d'en réaliser quelques-uns. »

JACQUES BREL

CHAPITRE 12

Paris, le lundi 8 juin 1942

À la blanchisserie de Jacob Reif

Rien à faire, dès qu'elle passait l'angle de la rue et arrivait près de la blanchisserie, Brigitte ne parvenait tout simplement pas à détourner son regard de l'écriteau stipulant que ce commerce appartenait à un Juif, et suggérant par le fait même qu'il était préférable de ne pas le fréquenter. C'était ce que Brigitte avait compris au premier regard, le premier matin, en avril, sans pour autant adhérer à cette suggestion. Elle n'avait même pas hésité avant de faire les quelques pas qui la séparaient encore de la porte du commerce.

Depuis, c'était toujours en fixant intensément ce même écriteau qu'elle marchait la tête haute, tous les jours, pour se rendre à son travail. Comme par défi.

En effet, depuis ce matin d'avril, une affiche discréditant le propriétaire de la blanchisserie était devenue obligatoire. Pourquoi pas plus tôt comme tant d'autres ? Jacob Reif ne le savait pas, et n'avait surtout pas cherché à le savoir. Peut-être bien que le fait d'avoir pignon sur rue, une ruelle à vrai dire, loin du regard des passants y était pour quelque chose ? Peut-être, pourquoi pas ? En ces temps incertains, toute proposition, toute supposition pouvant avoir un certain sens étaient retenues.

On avait ignoré ce commerce pratiquement invisible depuis l'artère principale. C'était une explication logique et Jacob l'avait accréditée. Il trouvait même une espèce de réconfort à se dire, à tort ou à raison, qu'aujourd'hui encore, on pouvait arriver à se faire oublier, et c'était tant mieux. De l'extérieur, Jacob Reif semblait un homme bien intégré à la communauté parisienne. Ça jouait peut-être en sa faveur. Il travaillait avec zèle, était d'une politesse exemplaire avec la clientèle, française ou allemande et, surtout, il respectait les nouvelles règles établies ; de ce fait, on ne s'était pas soucié de lui.

Mais cet oubli particulier, pour ne pas dire inusité, avait brutalement changé en avril et, un beau matin, Jacob Reif s'était heurté à son commerce placardé. Son cœur avait bondi dans sa poitrine et, avant qu'on ne l'y oblige, il s'était donc présenté de lui-même au commissariat pour être enregistré sur la liste officielle des Juifs qui n'avaient pas la nationalité française. Avait-il vraiment le choix ? Toutefois, sur un coup de tête découlant d'une intuition fulgurante et douloureuse, il avait prétendu avoir perdu tous ses papiers, d'où ce retard à se présenter.

— Je perds tout ! Parfois même la tête !

Il jouait les idiots avec une facilité déconcertante. Du même souffle hésitant et larmoyant, il avait déclaré être célibataire, sans famille, sans véritables amis, le tout avec un regard en coin et inquiet.

— Une vie de malheur, oui, dont personne ne voudrait !

Un pauvre homme comme lui, aux épaules courbées,

au ton à la fois débonnaire et apeuré, à la mèche charbonneuse indisciplinée qui zébrait son visage ne pouvait mentir, n'est-ce pas ? De toute évidence, il n'était bon qu'à laver et repasser les chemises.

Il sembla bien qu'on l'ait cru, à moins qu'on ait tout simplement voulu se débarrasser de lui au plus vite. Allez savoir ! Le policier chargé de remplir les papiers parlait sur un ton expéditif.

— Et à quelle adresse habitez-vous ?

— La même que la blanchisserie, avait expliqué Jacob Reif de cette voix larmoyante nouvellement adoptée. Je dors sur un grabat dans l'arrière-boutique. Je vous l'ai dit : je n'ai pas de famille. Pourquoi alors avoir un appartement ? Ça coûte cher et je n'en ai pas besoin.

À ces mots, le policier avait posé sur lui un regard rempli de mépris. Quel imbécile que ce petit homme ! Il n'y avait qu'un Juif, avare de ses biens, pour dormir ainsi dans son lieu de travail. Alors oui, le fonctionnaire avait cherché à se débarrasser de lui au plus vite, malgré les consignes.

Pourquoi n'avait-on pas gardé Jacob Reif, ce matin-là ? Encore une fois, mystère, mais chose certaine, quand on lui avait montré la porte pour signifier que, pour l'instant, il pouvait retourner à la blanchisserie, l'ancien dentiste n'avait pas demandé son reste.

De ce jour, butant sur l'affiche placardée en façade du commerce, la clientèle avait fui, nul besoin de le préciser. Quant à Jacob Reif, pour donner foi à ses allégations, il s'était installé un lit de fortune tout à côté des cuves de trempage.

Désormais, seuls quelques irréductibles Français et tout autant de jeunes soldats allemands subalternes venaient au commerce régulièrement, ces derniers étant chargés des courses à faire pour les officiers. Fallait-il que le travail effectué soit de qualité exceptionnelle pour qu'on ne force pas la fermeture de la blanchisserie, comme pour tant d'autres commerces appartenant à des Juifs situés un peu partout dans la ville de Paris ?

C'était en ces termes que Jacob Reif pensait à sa vie, le soir, couché sur son lit étroit, inconfortable, parce que maintenant, à la suite de ces nouveaux événements, il préférait se présenter le moins souvent possible à l'appartement et, quand il osait le faire, c'était en catimini. Seule embellie dans son univers sombre : cette décision d'établir sa famille en dehors des quartiers juifs de la ville. Trop de ses compatriotes avaient été inquiétés et déportés vers des camps de travail, ces derniers mois. Voir toutes ces familles divisées, les femmes et les enfants restant derrière, lui donnait la nausée. Alors, sans vouloir pousser la réflexion plus loin, car c'était somme toute plutôt désagréable de s'adonner à cet exercice, il continuait de travailler tous les jours, considérant que c'était déjà un immense privilège que d'avoir encore la possibilité de le faire.

Le travail occupait les mains et l'esprit, et, de ce fait, permettait d'éviter de trop penser.

Il faut ajouter, cependant, qu'au lendemain de sa visite au commissariat, quand Brigitte s'était présentée au travail à son tour, Jacob Reif l'attendait, tout anxieux, une petite enveloppe à la main.

— Voilà les quelques sous que je vous dois. Partez, mademoiselle Brigitte. Quittez l'endroit avant qu'il ne soit trop tard.

Malgré les exhortations de son patron, Brigitte s'était entêtée.

— S'ils veulent m'arrêter, eh bien qu'ils m'arrêtent ! avait-elle lancé, farouche. Je ne vous laisserai pas tomber, monsieur Reif... Allez ! Ne faites pas cette tête d'enterrement. S'ils avaient vraiment voulu s'en prendre à moi, ça fait un bail qu'ils m'auraient arrêtée et questionnée...

— Avant on ne s'intéressait pas vraiment à moi, avait souligné Jacob Reif, avec une certaine pertinence. Avant je n'étais personne, tandis que maintenant...

Du bras, monsieur Jacob avait montré la devanture de son petit commerce.

— Regardez l'écriteau ! avait-il exigé sur un ton amer. Regardez-le bien, lisez les mots, tous les mots ! Après cela, je n'ai pas eu le choix de m'inscrire sur leur liste, n'est-ce pas ? Vous le savez, ça, je vous l'ai dit. À la lueur de cette nouvelle réalité, il me semble que ma proposition est difficilement contestable... Je vous en prie, restez loin d'ici, loin de nous.

— Pas question !

Brigitte se sentait téméraire, sans trop comprendre d'où lui venait cette intrépidité qui avait fort peu à voir avec ce qu'elle était foncièrement.

N'empêche que l'avenir allait lui donner raison.

Ainsi, le 8 juin au matin, quand Brigitte arriva au travail, Jacob Reif arborait une étoile jaune sur sa chemise immaculée.

— Et j'en ai une autre sur ma veste, expliqua-t-il à sa manière habituelle, faite de retenue et d'un peu d'embarras. Puis, j'en ai posé une dernière sur mon gilet... On m'en avait donné trois, selon les consignes. J'espère les avoir cousues solidement, ces étoiles de malheur, car j'ai vite compris que les policiers ne prêteraient pas à rire sur le sujet.

Brigitte avait la sensation de vivre un cauchemar. Comment pouvait-on stigmatiser les gens ainsi ? Madame Foucault et elle en avaient justement parlé, la veille au dîner, et elles ne comprenaient pas, ni l'une ni l'autre.

— Comment, grands dieux, comment l'homme peut-il en arriver là ? avait demandé la vieille logeuse de Brigitte, outrée de voir que même certains Français abondaient dans le sens des nazis. Le savez-vous, jeune fille, vous qui voyez des gens à votre travail, le savez-vous ce qui peut pousser un être humain à devenir aussi... aussi perfide ?

Malheureusement, Brigitte n'avait pas eu de réponse à offrir.

Et voilà que ce matin, elle se voyait faire face à cette même étoile, symbole d'oppression. Elle était trop visible, lourde de sens, éclatante de morgue.

Brigitte détourna les yeux, mal à l'aise, comme si elle était complice de ce geste insensé du fait qu'elle-même, française d'origine, n'avait pas à porter l'étoile.

— Et votre épouse ? Et vos filles ? demanda-t-elle d'une voix étranglée, tout en rangeant le sac de papier kraft qui contenait le léger goûter qu'elle prendrait à midi. Ça fait un moment que je ne les ai vues. Comment vont-elles ?

Jacob Reif esquissa alors un sourire de soulagement.

Parler de sa femme et de ses filles était toujours une éclaircie dans le ciel sombre de Paris.

— Elles vont bien, très bien, même. Cachées comme elles le sont, pour l'instant, elles n'ont pas été inquiétées. Personne ne sait qu'elles existent à l'exception de vous, de moi et de notre propriétaire qui voit à faire les courses pour elles, puisque moi je ne me présente presque plus jamais à l'appartement. Ainsi, elles n'ont pas reçu d'étoiles. De toute façon, pourquoi sortiraient-elles ? Les parcs, les places publiques et la plupart des magasins leur sont désormais interdits. Alors, elles n'ont pas besoin d'étoiles, n'est-ce pas ?

— Non…

Brigitte était songeuse.

— Non, bien sûr, qu'elles n'en ont pas besoin… Et en ce moment, à Paris, c'est peut-être une très bonne chose de ne pas en avoir besoin, conclut-elle alors sur un ton évasif.

Sur ce, Brigitte se mit au travail pour éviter d'avoir à parler, elle qui n'aurait su que dire pour réconforter son patron. Elle avait cependant l'esprit à des lieues de la blanchisserie, ne pouvant s'empêcher de revoir en boucle les jolis minois de Klara et Anna, les deux adorables filles de monsieur Reif, deux gamines à qui on était en train de voler l'enfance.

— Voir que c'est une vie, ça, grommela Brigitte tout en plaçant adroitement la manche d'une chemise sur le coussin de la repasseuse automatique.

Machinalement, elle abaissa le couvercle de l'engin et aussitôt un nuage de vapeur lui monta au visage. Le temps qu'il s'évapore et elle releva le couvercle pour recommencer avec l'autre manche.

Le chuintement produit par la machine couvrait la voix de Brigitte, qui continuait de monologuer sans arrêt. Une sorte de colère sourde grondait en elle, exacerbée par le son de sa propre voix.

— On ne garde pas des enfants comme ça, cloîtrés à longueur de journée dans un appartement exigu, maugréa-t-elle encore. Ce n'est pas normal. Ce n'est tout simplement pas humain.

Pas plus que ça ne l'était pour leur mère, la gentille Bertha, de rester cachée avec elles.

Mais qui s'en souciait?

Comme l'avait si bien dit son patron, dans l'immédiat, dans le quartier, personne ne les connaissait, personne ne savait qu'elles existaient à l'exception de leur propriétaire en qui monsieur Reif semblait avoir une confiance quasi absolue.

Cependant, le simple fait d'y penser projetait Brigitte dans le passé. Elle revoyait sa propre enfance, les champs de Normandie, les vallons et les prés entourant le verger des Nicolas où elle avait tant de fois joué à cache-cache avec Françoise. Nul besoin, non plus, d'un grand effort pour se remémorer le bruit du ressac, pour sentir monter à ses narines l'odeur saline des prés du bord de la mer quand elle y allait pour un pique-nique.

Se gaver de cette senteur marine de sel et de poisson, lourde et tenace, lui manqua brusquement.

Brigitte ferma les yeux pour camoufler le désir irrésistible qui grandissait en elle, celui d'offrir la même chose aux filles de Jacob Reif. Elle avait peur de faire naître chez son patron un beau rêve inaccessible alors qu'il y en avait déjà trop sans la moindre possibilité de réalisation !

N'empêche que l'idée était séduisante.

Du soleil à profusion, de l'air pur, du vent dans leurs boucles blondes et des rires.

Des cris de joie dans un verger qui sentait bon la pomme mûre et les fleurs écloses, et des rires.

Des jours de pluie qui lavent les joues tout en emportant les chagrins, et des rires.

Chaque fois que Brigitte pensait à ses jeunes années, il y avait toujours, en filigrane, les rires qu'elle avait partagés avec Françoise.

Alors oui, à son tour, elle aurait voulu partager le bonheur de son enfance avec deux petites filles aux yeux trop souvent mélancoliques pour qu'elles puissent elles aussi garder quelque chose de beau et de lumineux en souvenir de ce temps de la vie, qui devrait toujours être beau et lumineux.

Cette journée-là, Brigitte fut un peu moins productive, peut-être à cause de cette étoile jaune qui venait d'apparaître sur la veste de son patron, lui fleurissant la poitrine à hauteur de cœur. Quoi qu'il en soit, et qu'importe la raison, si les mains s'affairaient dans la cuve de trempage ou plaçaient habilement les chemises sur le coussin de la repasseuse, l'esprit était ailleurs, s'attardant dans quelque village de la Normandie, survolant ses maisons aux toits de chaume et retrouvant, ému, une demeure blanche et trapue, celle de ses parents dont Brigitte s'ennuyait sans vouloir se l'avouer. Quant au cœur de la jeune femme, il était resté à Paris et il pleurait sur le seuil d'un vieil appartement, situé dans un immeuble sans histoire d'une rue sans importance, là où deux petites filles et leur mère attendaient que revienne le père en espérant de toute leur âme et en priant de toute leur foi pour que l'orage finisse par passer.

Mais l'orage n'allait pas passer. Pas tout de suite, pas si facilement.

À peine un mois plus tard, Jacob Reif devança les intentions de Brigitte et, dès qu'elle mit un pied à la blanchisserie, ce matin-là, il annonça :

— Il faut faire quelque chose.

La jeune femme n'avait pas encore refermé la porte qu'elle s'arrêtait sur le seuil, interdite. Visiblement, son patron était inquiet. Lui si calme en temps normal était agité, presque fébrile. Que se passait-il ?

— Voici ce qu'on m'a donné…

Tout en parlant, Jacob Reif jetait de fréquents regards vers la porte qui donnait sur la ruelle. Comme il n'y avait personne en vue, il plongea la main dans une poche de son pantalon et il en ressortit un papier plié en quatre qu'il tendit à Brigitte d'une main tremblante.

Elle fit un pas en avant, referma enfin la porte.

— Lisez, mademoiselle Brigitte. Lisez ce court billet et dites-moi si vous comprenez la même chose que moi.

Brigitte baissa les yeux et déplia le papier.

« Je suis l'ami d'un ami et je tiens à vous dire qu'il fera très chaud dans la nuit du 16 juillet. Vous devriez aller dormir au frais. »

C'était à la fois ambigu et très clair. De toute façon, la rumeur courait depuis quelque temps déjà : quelque chose de grave, d'immense, se préparait. Le billet ne faisait qu'en préciser l'échéance sans donner clairement la teneur de l'évènement. Brigitte fronça les sourcils.

— Et qui vous a donné ce message ? demanda-t-elle, songeuse, sans lever les yeux du papier qu'elle relisait machinalement. Qui est cet ami ?

Jacob Reif détourna la tête et se mit à fixer un point invisible au-dessus des cuves que l'on devinait dans l'arrière-boutique.

— Oh, vous savez, les amis… Ce n'est que l'ami d'un ami qui connaissait un autre ami qui, lui, a préféré fuir Paris. Mais avant de partir, il a eu la délicatesse de me tenir informé… C'est pour cela que je dis qu'il est un ami.

La réponse avait été volontairement évasive. Jacob Reif savait d'instinct qu'à partir de maintenant, il vaudrait mieux ne rien dire, à personne. Non par manque de confiance, mais plutôt pour protéger tous ceux qui lui tenaient à cœur.

Et mademoiselle Brigitte en faisait indéniablement partie.

De toute façon, Jacob Reif ne pouvait confier la vérité, raconter que ce papier lui avait été glissé comme par inadvertance par un jeune policier français. Ce dernier était venu vérifier, sur ordre de la préfecture, qu'il n'y avait bien qu'un homme seul vivant à l'arrière de la blanchisserie. Alors, personne n'aurait cru Jacob Reif s'il avait dit la vérité. C'était trop gros, impossible. Et pourtant… Malgré cela, Jacob Reif ne dirait rien. En même temps, il était conscient qu'on le connaissait désormais trop bien pour que l'on continue à ignorer celui qui lavait les chemises des officiers allemands. Son tour viendrait, il en était convaincu. Ce n'était qu'une question de temps, un temps qu'il allait utiliser sans hésiter pour mettre celles qu'il aimait à l'abri.

Bertha, Klara et Anna… Les trois êtres qu'il aimait le plus au monde.

Ensuite, si tout se passait bien et que le Ciel se décidait enfin à écouter ses prières, Jacob Reif penserait à fuir à son tour.

Malheureusement, et malgré tout ce qu'il avait cru, Paris n'était plus la forteresse imprenable qu'il avait jadis choisie pour mettre sa famille à l'abri. Il s'était trompé, avait entraîné celles qu'il aimait dans son erreur, et il en gardait un goût amer dans le cœur.

Sans compter que les autorités américaines n'avaient toujours pas donné suite à sa demande d'immigration.

Monsieur Jacob reporta alors les yeux sur Brigitte.

— Il faut que Bertha et les filles partent, expliqua-t-il. Et avant le 16. C'est ce que j'ai compris.

Brigitte entendit aussitôt l'urgence dans la voix désespérée de Jacob Reif. Mais pour elle, il y avait plus que Bertha et les filles.

— Et vous ? demanda-t-elle dans la foulée des derniers mots. Je suis d'accord que le 16 juillet prochain semble effectivement une date importante à retenir, mais vous ?

— Oh moi…

Jacob Reif eut un geste vague de la main, comme on balaie parfois une poussière invisible, une insignifiance.

— Moi, ça viendra après… Tant que je suis ici, on ne se doute de rien, n'est-ce pas? Un homme seul, qui vit seul, qui gagne péniblement sa pitance… Plus vite ma femme et mes filles seront parties, plus vite je le pourrai moi aussi.

— Alors, qu'attendez-vous de moi?

— Les aider à partir. Voilà ce que j'espère de vous. Ici, c'est votre pays et vous le connaissez, tandis que nous, on ne connaît personne. À l'exception de Paris, on ne connaît ni les villes, ni les campagnes, sinon quelques noms inscrits sur les cartes. Je n'ai jamais été très bon géographe puisque je n'ai jamais aimé cette matière quand j'étais écolier. Aujourd'hui, vous m'en voyez désolé, mais il est trop tard pour faire marche arrière. Le peu que je connais de votre pays ne suffit pas pour trouver une ville, un village où se cacher… Mais vous, mademoiselle Brigitte, vous devriez savoir! N'importe où fera l'affaire. Emmenez-les n'importe où, pourvu qu'elles soient loin de Paris. En sécurité très loin de Paris… Vous comprenez, n'est-ce pas? Vous avez toujours dit que je pourrais compter sur vous.

Bien plus que l'interrogation précédente, Brigitte entendit clairement la supplication dans les derniers mots de Jacob Reif. Puis, ce fut la véritable question, limpide et dite sur un ton implorant.

— Pouvez-vous, s'il vous plaît, mademoiselle Brigitte, pouvez-vous faire quelque chose pour elles? Pour nous?

Brigitte soutint longuement le regard de monsieur Reif. Elle ne pouvait reculer, ne pouvait écarter cette demande du revers de la main et elle n'avait nulle intention de le faire. Mais par quel moyen, par quel miracle Brigitte Lacroix pourrait-elle aider cette famille à qui elle s'était attachée ? Cela faisait des semaines qu'elle y pensait sans trouver de réponse. Chaque fois qu'elle rendait visite à Bertha et ses filles, à la demande expresse de monsieur Jacob et avec la complicité de leur propriétaire, elle revenait bouleversée. Il lui fallait faire quelque chose, Brigitte en était cruellement consciente.

Mais comment aller et venir dans la ville sans posséder de papiers ? C'était beaucoup trop risqué.

Comment prendre le train sans identité ? C'était impossible, insensé d'y penser.

Et si par le plus improbable des hasards, elle finissait par trouver quelqu'un acceptant de prendre le risque de les véhiculer jusqu'en Normandie, car c'était là le seul endroit familier qu'elle estimait susceptible de pouvoir les cacher, que feraient-elles, toutes ces femmes, si, en cours de route, elles croisaient des policiers, des gardes armés, des soldats ? Personne en France occupée, tout comme en France libre, d'ailleurs, personne n'avait le droit de circuler sans papiers, et, sur le sujet, monsieur Reif était formel : tous les papiers d'identité de sa femme et de ses filles avaient été détruits.

— C'est beaucoup mieux comme ça, avait-il déclaré avec une indéniable fermeté dans la voix. En temps et lieu, on verra à s'en procurer d'autres.

Brigitte leva les yeux vers Jacob Reif et la supplication renvoyée par son regard d'homme traqué, d'époux et de père aimant mais dépassé par les événements lui fit monter les larmes aux yeux.

— Donnez-moi quelques jours, déclara-t-elle sans pourtant avoir la moindre idée de ce qu'elle allait pouvoir faire en un si court laps de temps.

— Et pourquoi pas tout de suite? insista monsieur Jacob qui ne se sentirait soulagé que le jour où il saurait sa petite famille en sécurité. Vous n'avez qu'à prendre la journée, mademoiselle Brigitte... Si on vous demande, je dirai que vous avez eu une indisposition.

Parce qu'il arrivait parfois, oui, que quelque jeune soldat allemand demande d'être expressément servi par elle.

Ce fut ainsi que Brigitte retourna à la pension. Par habitude, elle dirigea ses pas vers la cuisine où elle entra sous le regard déconcerté de madame Foucault qui pelait des pommes de terre.

— Ben dites donc, vous...

Machinalement, le regard de la vieille dame se porta vers l'antique pendule accrochée au mur avant de scruter le visage de Brigitte.

— Vous n'êtes toujours bien pas malade, jeune fille?

— Mais non...

— Tant mieux.

Madame Foucault reprit l'économe qu'elle avait déposé sur la table à l'arrivée de Brigitte.

— Je n'ai pas envie d'attraper quelque microbe sournois, expliqua-t-elle, tandis que le couteau cliquetait à nouveau. J'ai bien assez de la guerre comme souci. Ben alors, expliquez-vous! Pourquoi êtes-vous ici?

Puis, brutalement, une intuition.

L'économe retomba sur la table au milieu des pelures

blanches et brunes, et madame Foucault porta la main à sa bouche, comme si les mots à dire avaient besoin d'aide pour franchir le seuil de ses lèvres.

— Ça y est ! Votre patron a été arrêté et vous…

— Pas encore, madame Foucault, pas encore, soupira Brigitte, interrompant les paroles alarmistes de sa logeuse, qui poussa alors un profond soupir de soulagement. Mais ça pourrait venir… Je peux me faire un thé ?

Peu après, Brigitte s'installa à l'autre bout de la table, ses deux mains entourant la tasse de porcelaine ébréchée comme pour les réchauffer alors que cette belle journée de juillet qui commençait à peine laissait entrevoir qu'il ferait encore une fois beau et chaud.

Depuis qu'elle avait quitté la blanchisserie, Brigitte avait la sensation d'être frigorifiée jusqu'à la moelle des os.

Le temps de quelques gorgées réconfortantes, puis elle se jeta à l'eau et narra la dernière heure avec moult détails, tous ceux qui lui vinrent spontanément à l'esprit et les émotions qui y étaient attachées.

Tout comme monsieur Jacob avait une confiance absolue en son propriétaire, Brigitte savait pouvoir compter sur sa logeuse.

Et Simone Foucault, parisienne de naissance, connaissait Paris comme le fond de sa poche. Avec elle, Brigitte trouverait peut-être une solution.

— Il faisait pitié à voir, madame Foucault, ajouta-t-elle en guise de conclusion. Un homme traqué qui a peur, voilà ce que monsieur Reif est devenu. Comme une bête au temps de la chasse. Ça me répugne tout ça !

— On aurait peur à moins que cela, ne pensez-vous pas ?

— Bien sûr. Je comprends. Mais s'il a peur ainsi, mon patron, ce n'est pas pour lui, non ! C'est pour les siens… Et il veut que je l'aide ! Voilà pourquoi j'ai pris ma journée : pour trouver comment l'aider.

À ces mots, Brigitte leva les yeux vers madame Foucault et plongea son regard dans le sien.

— Mais comment ? Je ne sais ni vers où ni vers qui me tourner.

— C'est simple : pour dormir au frais, comme vous venez de le dire, il faut une cave. En juillet, il n'y a que ça. Ou encore la campagne, au bord de la mer… Ici, à Paris, il n'y a pas d'océan, mais il y a des caves. Des milliers de caves. Et vous, Brigitte, avez-vous une cave ?

— Moi, non, et vous le savez très bien. Mais vous, oui, et mes parents aussi… J'ai, là-bas, en Normandie, des parents qui ont une maison avec une cave et même tout un village avec des caves et des caveaux. Mais c'est loin.

— Loin ? C'est relatif…

Haussant les épaules, la logeuse de Brigitte semblait prendre l'objection avec une certaine désinvolture. Elle ajouta :

— Et votre monsieur Reif, il aimerait bien que ça se fasse aujourd'hui, n'est-ce pas ?

— Mettez-vous à sa place !

— C'est bien ce que j'avais compris… On va donc utiliser la cave.

— La cave ? Votre cave, ici ?

— Mais où croyez-vous que je possède une cave, jeune

fille? Dans le Beaujolais, le Poitou? Bien sûr, ici! C'est poussiéreux, mais c'est frais... Même si on n'est pas encore le 16... Sait-on jamais avec ces boches maudits... Ne reste plus qu'à prévenir votre patron et sa famille et voir comment le transfert peut être possible. Allez, filez! Courez prévenir votre patron.

Le transfert se fit tôt en soirée, tout juste après le dîner, alors qu'il y avait encore de nombreux passants dans les rues.

— Parfait, déclara madame Foucault quand Bertha et ses filles furent à l'abri sous son toit. Une bonne chose réglée. Pour le reste, on verra plus tard...

Ce «plus tard» arriva plus vite que prévu, au grand soulagement de monsieur Jacob. L'ami d'un ami connaissait aussi quelqu'un qui partait pour la Bretagne. Une route ou l'autre lui importait peu, alors il acceptait de passer par la Normandie.

— En voiture à foin dans laquelle il transporte des sacs de farine, semble-t-il, précisa Jacob Reif, quelques jours avant la date annoncée sur le billet. Avec la pénurie d'essence, c'est tout ce qu'il a pu trouver.

— C'est ainsi que je suis entrée dans Paris, c'est ainsi que je vais en sortir, lança Brigitte qui n'en revenait pas de voir à quel point quelqu'un comme Jacob Reif avait su se débrouiller, lui qui prétendait ne connaître personne. Le temps de reconduire votre femme et vos filles et je reviens.

Un silence chargé d'émotion pesa alors sur la blanchisserie. Puis, tant pour chasser le malaise que par conviction profonde, Brigitte demanda d'une voix ténue:

— Pourquoi ne viendriez-vous pas, monsieur Jacob ? Tout de suite, avec nous ? Il me semble que l'occasion se prête bien à…

— Pourquoi viendrais-je ? interrompit le petit homme qui n'avait de fragile que l'apparence. La question ne se pose même pas, mademoiselle Brigitte. Tant que je suis ici, à mon poste, Bertha et les filles courent moins de danger. J'en suis convaincu. Voilà pourquoi il ne sert à rien d'en discuter, je ne changerai pas d'opinion. Vous aussi, une fois chez vous, vous devriez rester avec vos parents, mademoiselle Brigitte. En ces temps tourmentés, votre place est assurément auprès d'eux.

Si Jacob Reif était entêté, Brigitte l'était tout autant.

— Je verrai, fit-elle, empruntant cette fois le ton volontiers évasif que madame Foucault utilisait quand elle savait qu'elle ne changerait pas d'avis, mais voulait à tout prix éviter l'affrontement… Je vais y penser.

— Alors demain, l'ami de mon ami sera devant chez vous. Avec un peu de chance, le matin à l'aube, il n'y aura pas trop de témoins indésirables, et comme il n'y a pas de frontière à traverser…

Sur ce, Jacob Reif glissa la main dans une poche de son pantalon et cette fois, il en ressortit une lettre cachetée.

— Pouvez-vous, je vous prie, mademoiselle Brigitte, donner cette lettre à mon épouse ? Et s'il vous plaît, embrassez Klara et Anna pour moi et dites-leur que je les aime. Maintenant, filez. Il n'y a que quelques chemises à laver, ce matin. Je peux fort bien m'en tirer tout seul.

Intimidée, Brigitte ne s'obstina pas avec lui. Pour une fois, elle obéit sans riposter et, sur un dernier regard, elle tourna les talons et repartit d'où elle était venue.

De part et d'autre, on souhaitait douloureusement cacher ses larmes.

Le lendemain soir, alors que le soleil commençait à baisser sur l'horizon, après une belle journée dans un ciel sans nuage, au bout d'une route suivie sans encombre, la charrette arriva enfin en vue du village. À quelques kilomètres de là, Brigitte reconnut le clocher.

Quelques minutes plus tard, chez les Nicolas, Françoise fut celle qui, la première, aperçut le curieux équipage. Main en visière au-dessus des yeux, elle le regarda approcher du verger.

Puis elle reconnut son amie, assise toute droite aux côtés d'un homme que Françoise n'avait jamais vu. Mais peu importe ! Depuis cette dernière année, bien des gens qu'elle ne connaissait pas avaient traversé le village, s'y arrêtant parfois ou continuant plus loin, la plupart du temps.

Brigitte leva le bras, la salua joyeusement comme au temps de leur enfance. Alors, Françoise s'élança.

— Brigitte !

La charrette bifurqua aussitôt vers la cour de la ferme des Nicolas. Sans attendre l'arrêt complet, Brigitte sauta sur le sol.

Les deux amies s'étreignirent avec émotion.

— Viens ! Maman et papa vont sûrement être très heureux de te revoir avant que tu n'ailles chez toi, dit Françoise, la main de Brigitte emprisonnée dans la sienne. Nathan ne doit pas être encore au lit, il fait trop chaud, ce soir, pour espérer qu'il s'endorme facilement.

Tu vas voir comme il a changé. C'est un vrai petit homme, maintenant !

— Oui, bien sûr, mais avant…

Brigitte regarda tout autour. Vers le verger, d'abord, puis vers la route qu'elle venait de quitter. Personne. Alors, sur un signe de sa part, l'homme qui conduisait la charrette sauta à son tour sur le sol de terre battue. Un petit nuage de poussière s'éleva jusqu'à hauteur de ses genoux. Il faisait sec, cet été, sec et chaud.

L'homme trapu, entre deux âges, à la cigarette fichée au coin des lèvres, souleva sa casquette pour saluer Françoise avant de se diriger vers l'arrière de la charrette. Une lourde bâche protégeait son chargement.

— Allez, les filles ! On sort de là.

Bertha, Klara et Anna parurent à tour de rôle. Échevelées, visiblement épuisées, elles avaient toutes trois les traits tirés et le teint blême. Leur long voyage, entre des poches de farine, arrivait à son terme.

Alors Françoise comprit aussitôt. Sans surprise. Cette femme et ses filles n'étaient pas les premières à transiter par le village, et elles ne seraient sûrement pas les dernières. Ce qui était inusité, par contre, c'était de voir que Brigitte les accompagnait. Ça lui ressemblait si peu, ce genre de cavalcade, mais comme le moment ne se prêtait pas au questionnement…

Par réflexe, Françoise regarda à son tour tout autour d'elle, porta ensuite le regard vers la route, dans un sens puis dans l'autre. Toujours personne. Il fallait en profiter. Sans dire un mot, elle fit signe à tout le monde de la suivre à l'intérieur.

Madeleine et François Nicolas étaient encore attablés. Assis sur les genoux de sa grand-mère, le petit Nathan grignotait des fraises. C'était un bel enfant et la ressemblance avec son père ne se démentait pas malgré le passage du temps.

À l'autre bout de la table, il y avait un homme que Brigitte n'avait jamais vu auparavant. Ni ici, chez les Nicolas, ni même au village. Visiblement inquiet, le jeune homme au regard perçant s'était levé précipitamment à leur arrivée.

Du regard, il interrogea Françoise.

Quand celle-ci l'apaisa d'un geste de la main, l'homme se laissa retomber sur sa chaise et il reprit sa fourchette. Malgré tout, entre chaque bouchée, il jetait des regards furtifs aux nouveaux venus.

Blotties tout contre leur mère, Klara et Anna lui rendaient la pareille.

Chacun se demandait qui était l'autre.

Un bref silence engendra alors une certaine curiosité gênante dans la cuisine. Un silence si bref, cependant, que seul François Nicolas en prit conscience, par habitude probablement, tandis qu'à son tour, il se levait. Sans hésiter, il s'approcha de Bertha, lui tendit la main.

— Bienvenue chez nous, madame.

Puis, il se tourna vers Brigitte.

— Et maintenant, si tu nous expliquais.

En quelques mots et presque autant de sous-entendus, à cause de la présence des filles de Jacob Reif, Brigitte décrivit la situation. Puis elle présenta Bertha dans les règles. Aussitôt, François Nicolas prit la situation en main.

— Le mieux serait que vous restiez ici quelques jours, madame. Le temps de vous trouver un transport vers le sud, analysa-t-il à voix haute. Le vrai sud, comme l'Italie. Et des papiers.

Se tournant vers Brigitte, il expliqua:

— Dans leur situation, c'est ce qui serait le mieux.

— L'Italie? protesta Brigitte qui n'avait jamais imaginé que leur aventure prendrait de telles proportions. Je ne connais personne en Italie, moi. Et si leur père arrive à...

— Lui aussi, nous l'aiderons à se rendre là-bas, si jamais il venait jusqu'à nous, trancha Françoise qui s'était approchée de son père.

Le regard de Brigitte passait du père à la fille, une lueur perplexe traversant l'opacité habituelle de ses yeux noirs.

— L'aider?

— Oui, Brigitte. L'aider, les aider. Comme toi tu l'as fait en accompagnant madame Reif et ses filles jusqu'ici. Maintenant, c'est notre tour. Nous allons prendre le relais et les mener en sécurité.

— Je ne savais pas que...

Françoise esquissa un sourire tout en posant un doigt sur ses lèvres, comme elle le faisait enfant quand la situation exigeait le silence.

— Tu ne savais pas et c'est très bien ainsi. Personne ne doit savoir, Brigitte. Personne. Même toi, tu ne sais plus... Maintenant, à table! Il reste suffisamment de soupe pour tout le monde. Reste assise, maman, je m'occupe du service avec Brigitte.

— Non, laissez...

Le jeune étranger était déjà debout. Retirant son couvert, il offrit sa place d'un geste précis de la main.

— Brigitte, n'est-ce pas? Venez vous asseoir. C'est moi qui vas aider Françoise à faire le service. Si j'ai bien compris, vous arrivez de Paris. Votre journée a dû être pas mal fatigante. Alors, assoyez-vous, et laissez-vous servir!

L'accent du jeune homme était franchement particulier, et Brigitte ne l'avait jamais entendu. Elle se tourna vers lui, sourcils froncés. Mais avant qu'elle n'ait pu formuler la moindre question, Françoise la devançait.

— Je te présente André.

Le jeune homme regardait fixement Brigitte.

— André Constantin, enchaîna-t-il, tout en déposant son assiette sur la table pour venir à la rencontre de la jeune femme.

Il fit quelques pas, tout souriant, et lui tendit la main.

— Je viens du Canada français, du Québec.

La poignée de main était ferme et le regard d'André, pénétrant. Brigitte lui rendit son sourire.

— Et comment avez-vous atterri ici?

À ces mots, Françoise, qui était en train de servir la soupe à l'autre bout de la cuisine, éclata d'un rire moqueur et cette cascade de bonne humeur eut l'heur de détendre un peu tout le monde.

Bertha et ses filles s'approchèrent alors de la table, intimidées.

Malgré sa gêne, Bertha était en train de saluer Madeleine d'un bref signe de la tête quand Françoise arriva avec deux bols de soupe fumante.

— Allez, les filles, dit-elle aux deux sœurs Reif. Assoyez-vous et de grâce, faites comme chez vous. La journée a dû être éreintante.

Puis se retournant :

— Vous aussi monsieur, ajouta Françoise en souriant à l'homme qui avait emmené tout ce beau monde jusqu'à la ferme.

Comme si c'était là le signal attendu, tous les voyageurs se précipitèrent vers la première chaise venue, affamés. La fatigue et la tension engendrées par cette journée éprouvante venaient de tomber.

Échangeant un sourire timide, Klara et Anna prirent leurs cuillères et les plongèrent dans le bol de soupe qui venait d'apparaître devant elles. Cela faisait des semaines et des semaines que les deux sœurs n'avaient pas vu autant de viande et de légumes différents nageant ensemble dans un même bol ! Comprenant qu'il n'y aurait aucun autre mot échangé pour l'instant, Françoise tourna la tête vers son amie.

— Atterri ! répéta-t-elle, reprenant ainsi le fil de la conversation, tout en retenant un second éclat de rire. Le mot n'aurait pu être mieux choisi, Brigitte ! André nous est effectivement tombé du ciel, droit sur un de nos pommiers.

Le regard de Brigitte passa alors de Françoise à André, qui approuva d'un signe de tête. Brigitte revint alors à Françoise. Assurément, cette dernière ne se moquait pas d'elle.

— Heureusement, poursuivait Françoise sur un ton amusé, ni l'homme ni l'arbre n'ont été blessés et son avion a eu la bonne idée d'aller s'écraser beaucoup plus loin, dans un champ en friche.

— Ah bon…

Devant Brigitte, le bol de soupe fumante venait d'être déposé par André et elle ne put résister. Sans rien ajouter, elle plongea à son tour la cuillère dans la soupe et elle en savoura une première cuillerée les yeux fermés.

Tous ces légumes frais et ce poulet tendre, ça avait le goût de la Normandie. C'était nettement mieux que la sempiternelle soupe aux choux de la pauvre madame Foucault qui, côté cuisine, manquait un peu d'imagination!

— Et si tu m'en disais plus? demanda finalement Brigitte, quelques instants plus tard, relevant les yeux vers Françoise.

Puis la jeune femme jeta un regard à la ronde. Tout autour de la table, on mangeait en silence. Qui des fraises, qui de la soupe.

— Quelqu'un va-t-il enfin m'expliquer? demanda-t-elle encore, désireuse d'avoir le fin mot de l'histoire.

— Oui, moi, déclara alors André Constantin. Je vais tout vous raconter même si par les temps qui courent, c'est un peu banal.

Brigitte reprit la route le lendemain matin avec le même homme taciturne qui, régulièrement, transbahutait ses poches de farine de Paris à quelque endroit, et de quelque endroit à Paris. La Bretagne n'était qu'un alibi. Brigitte laissait des parents heureux de l'avoir revue, mais inquiets de la voir repartir. Il en était ainsi pour la mère et ses deux filles; elles étaient reconnaissantes à Brigitte de les avoir sorties de l'enfer, mais toujours inquiètes pour le père, resté à Paris.

— N'oubliez pas de dire à Jacob qu'on l'attend, n'est-ce pas ?

À l'aube, le lendemain, Bertha triturait un carré de lin en regardant la charrette s'éloigner le long de la route, bien vite avalée par un grand tournant.

Quant à Françoise, l'amie, la presque sœur, elle espérait une visite nettement plus longue, la prochaine fois.

— Ainsi, mon fils ne sera plus intimidé par toi… Il serait normal, non, que Nathan apprenne à connaître sa marraine !

Le surlendemain matin, sa mission accomplie, Brigitte partit de chez madame Foucault pour se présenter au travail comme tous les jours. Il lui tardait de raconter à Jacob Reif les détails d'une aventure qui s'était fort bien terminée. Du moins, pour la partie la concernant. Lui dire surtout, qu'il y avait en Normandie, une mère et ses filles qui espéraient le voir arriver très bientôt, espérant que ça se ferait avant leur départ pour l'Italie. Ce choix de pays laissait Brigitte un peu perplexe, mais c'était François Nicolas qui avait pris la relève. Elle osait croire que l'issue de cette aventure serait à la hauteur des attentes de tous.

C'est pourquoi, en ce moment, Brigitte marchait d'un bon pas, le cœur léger.

Son patron serait assurément heureux de savoir sa famille à l'abri du danger et, désormais, il n'aurait plus la moindre raison de s'entêter à vouloir rester à Paris. D'autant plus que l'homme à la charrette avait dit qu'il resterait en contact avec elle. Au cas où…

— Je ne peux concevoir que des familles soient ainsi séparées, avait-il déclaré au moment où il laissait Brigitte à quelques rues de chez elle pour éviter le moindre soupçon. C'est barbare. Je vous ferai signe régulièrement pour voir si le père est prêt à partir. Oui, bientôt.

Ces quelques phrases avaient été les seules à franchir le seuil de ses lèvres de toute la journée. Malgré cela, Brigitte savait qu'elle garderait un souvenir ému et reconnaissant de cet homme silencieux qui avait mené en lieu sûr Bertha Reif et ses filles.

De retour à Paris, Brigitte et le conducteur de la charrette s'étaient quittés sur un sourire furtif et une poignée de main franche.

De toute façon, n'allaient-ils pas se revoir bientôt ?

Quand elle s'était endormie, la veille, ce n'était plus le seuil d'un vieil appartement sombre que Brigitte avait imaginé derrière ses paupières closes, non, c'était plutôt un coin du ciel bleu de sa Normandie qui l'avait emportée vers les brumes du sommeil.

C'est pourquoi, ce matin, la jeune femme était particulièrement fraîche et dispose, heureuse de se diriger vers le travail. Elle avait tant à dire et à proposer.

Elle savait que cette fois, Jacob Reif n'aurait aucun argument de taille à lui opposer et, bientôt, très bientôt, la petite famille allait être réunie.

Elle allongea le pas, le cœur en fête. La journée serait belle de projets, de mises au point, d'espoir, de quelques rires peut-être, et, ce soir, Jacob Reif dormirait dans un lit, un vrai, dans une chambre aérée chez madame

Foucault, une chambre qui sentirait bon le muguet plutôt que le détergent et le javellisant. Pourquoi pas? La maison de Simone Foucault n'était fichée nulle part, n'est-ce pas? Qui donc pourrait alors se douter de la présence de Jacob Reif sous son toit? Alors oui, le patron de Brigitte aurait droit à une bonne nuit, dans un vrai lit, après avoir mangé à satiété une riche soupe aux légumes, puisque le petit potager débordait et que Brigitte avait décrété qu'on allait délaisser les choux pour quelques mois. Il y aurait même de la salade avec des œufs mollets. Brigitte en avait parlé avec sa propriétaire, au retour de la Normandie, et la vieille dame était bien d'accord pour héberger monsieur Reif, le temps qu'il faudrait.

— Tout pour leur nuire, à ces salauds! avait-elle ajouté, faisant ainsi référence aux Allemands qui, à son dire, fourmillaient dans la ville.

Ainsi ensemble, Brigitte, sa logeuse et monsieur Jacob, ils attendraient que l'homme à la charrette se manifeste, ce qui ne devrait pas tarder puisque c'était ce qu'il avait laissé entendre.

— Je vous ferai signe bientôt, avait-il dit.

Voilà pourquoi, ce matin, Brigitte se permettait d'aligner les projets, d'autoriser son cœur à battre de joie, tandis qu'elle faisait route vers le travail.

Néanmoins, à l'angle de la ruelle, elle s'arrêta brusquement, comprenant qu'elle n'aurait pas besoin d'arriver jusque devant la porte du commerce pour savoir que rien ne se passerait comme prévu.

De l'intersection donnant sur la ruelle, la jeune femme venait d'apercevoir un policier qui lui tournait le dos.

Main en visière, l'homme en uniforme scrutait l'intérieur du commerce.

La curiosité et l'inquiétude l'emportant sur la prudence, Brigitte fit quelques pas en direction du policier, toute joie évaporée. C'était comme si, brusquement, un nuage s'était glissé entre le soleil que l'on devinait au-delà des toits et une jeune femme assez grande mais qui se sentait bien petite en ce moment.

Au bruit de ses talons sur les pavés, l'homme se retourna vivement.

— Vous cherchez ?

Brigitte s'arrêta brusquement et haussa une épaule tremblante. Quelle idiote elle était ! Elle aurait dû fuir sans chercher à savoir.

C'est alors que le nom de Jacob Reif s'imprima en lettres écarlates au milieu de la confusion de ses pensées, chassant le doute et l'indécision.

Brigitte fit un pas de plus vers la blanchisserie.

— Monsieur Reif, bredouilla-t-elle.

Consciente que l'embarras ressenti et probablement visible n'était pas à son avantage, Brigitte toussota pour raffermir sa voix avant d'ajouter :

— Je cherche Jacob Reif… Je travaille ici, avec lui.

— Ah ! C'est vous, ça.

Brigitte se sentit rougir de plus belle, non de gêne, cette fois, mais bien parce qu'une peur incontrôlable venait de l'envahir. Ça y était ! Les funestes prédictions de son patron prenaient forme : on allait s'en prendre à elle, car elle avait eu le culot de braver les interdits en travaillant avec un Juif. À moins que ce qui s'était passé la veille ait été su, et que le pauvre homme ait été arrêté.

Ce policier était probablement là pour elle.

Mais plutôt que de tourner les talons pour fuir, Brigitte eut alors le curieux réflexe de chercher à voir à l'intérieur de la blanchisserie, elle aussi, car d'où elle se tenait, la pièce avait l'air sombre.

Monsieur Jacob s'y cachait-il tout à l'arrière, craintif et implorant le Ciel ? Et en cas de besoin, saurait-il la défendre ?

Aussitôt, Brigitte eut honte de cette dernière pensée. Jacob Reif n'avait à défendre que lui-même parce que c'était lui qui était visé par les interdits, les rafles, les déportations, les camps de travail. Pas Brigitte.

Ses pas se firent donc plus assurés quand elle s'approcha finalement de la vitrine à son tour, se disant, à juste titre, que si le policier avait voulu s'en prendre à elle, il l'aurait déjà signifié.

Brigitte colla alors son visage contre la vitre.

À l'exception de l'ampoule à incandescence qui diffusait une lumière jaunâtre au-dessus des cuves de trempage, le local était plongé dans l'obscurité. Coincé entre de hauts immeubles, cette longue pièce était toujours un peu sombre et, habituellement, son patron laissait toutes les ampoules allumées.

Pas ce matin.

De toute évidence, monsieur Reif n'était pas là.

La vérité rattachée à ce fait qui aurait pu être banal en d'autres temps foudroya Brigitte qui se remit aussitôt à trembler de tous ses membres.

Son patron avait été arrêté. Il n'y avait aucune autre

explication logique ou plausible et, au plus profond de son âme, Brigitte le savait.

Elle éloigna son visage de la vitre, recula d'un pas et, machinalement, elle se tourna vers le policier, tout en essayant, en pure perte, de calmer ses tremblements.

Mais alors, que faisait-il ici, lui ? Était-ce vraiment après elle qu'il en avait ? Pourtant, l'homme en uniforme ne cherchait ni à s'approcher ni à la retenir. En fait, il ne disait rien, se contentant de la regarder fixement, comme s'il tentait plutôt de passer un message. Puis, reportant les yeux sur la blanchisserie, il dit enfin, sur le même ton qu'il aurait pris pour annoncer qu'il faisait beau, en ce matin du 18 juillet :

— L'ami d'un ami savait que vous viendriez...

L'ami d'un ami...

Les mêmes mots que ceux employés par monsieur Jacob, que ceux inscrits sur le papier.

Brigitte retint son souffle durant un moment qui lui parut interminable puis, dans une longue expiration de détente, elle dit :

— Ah oui ?

C'était là tout ce qui lui était venu à l'esprit. Néanmoins, le policier sembla s'en contenter puisqu'il ajouta :

— Oui. Il sait aussi que le voyage s'est bien passé et il vous en remercie.

Autre pause que Brigitte se garda bien d'interrompre.

— Dommage, cependant, que certains passagers aient eu à faire un détour par Drancy, précisa le policier.

Le message commençait à se faire de plus en plus limpide pour Brigitte, à cause des mots employés. Drancy, ce n'était plus un secret pour personne, faisait partie des destinations temporaires pour ceux qui s'en allaient vers les camps de travail. Ainsi donc, Jacob Reif avait été de ceux visés par la rafle dont madame Foucault lui avait parlé à son retour, alors que le message reçu par son patron avait pris tout son sens: dans la nuit du 16 juillet, des milliers de ressortissants juifs avaient été emmenés vers différents sites servant de transit avant le grand départ pour les camps de travail. Cette fois, on avait eu pitié des familles puisqu'elles n'avaient pas été séparées. Seuls les tout jeunes enfants avaient été confiés à des amis puisqu'ils étaient trop jeunes pour le travail, justement. Les célibataires ou les hommes seuls s'étaient retrouvés à Drancy et les familles avaient été emmenées au Vélodrome d'hiver.

Le cœur de Brigitte se serra à faire mal en même temps qu'une bouffée de rage affluait dans ses veines qu'elle sentit battre furieusement à la hauteur de ses tempes. Sans oser regarder le policier droit dans les yeux, par prudence, Brigitte se fit néanmoins plus attentive à ces propos.

— S'il est trop tard pour Drancy parce que le train est déjà parti, il reste quelques familles qui pensent à s'offrir des vacances au bord de la mer. L'été est encore jeune.

— C'est vrai qu'il fait beau et chaud, cette année, et que l'envie d'un peu d'air frais peut être tentante.

Ces quelques mots étaient venus spontanément aux lèvres de Brigitte, suite logique du billet reçu par Jacob Reif. Malgré tout ce qu'elle pouvait trouver d'incongru dans la situation, voire d'inquiétant, si ce policier était à l'origine du papier, il comprendrait.

Et il comprit.

— Je connais quelqu'un qui aurait besoin de farine, souligna-t-il.

Alors Brigitte comprit à son tour que l'homme à la charrette était de ses amis. On parlait de plus en plus de réseau, de résistance, de lutte parallèle et, aussi déconcertant que cela puisse être, ce policier en était.

L'envie de se joindre à lui au nom de son père, défiguré à la Grande Guerre, au nom de Jacob Reif, disparu lors de la récente rafle, au nom d'une mère et de ses deux filles qui allaient pleurer, au nom de tous ceux que la guerre stigmatisait, fut alors fulgurante.

Levant franchement la tête, Brigitte répondit :

— Et moi, curieuse coïncidence, je connais quelqu'un qui moud le blé pour en faire de la farine.

— Curieuse coïncidence, en effet.

Les mots coulaient de source, venant facilement à l'esprit de Brigitte. À son tour, elle ferait quelque chose de bien, d'utile. À son tour, elle aiderait la France à s'en sortir, à vaincre. Elle aiderait surtout à combattre les injustices, à sa manière, humble, obscure, mais efficace, une personne à la fois.

Brigitte se dit alors qu'elle était bien loin du cours de secrétariat, mais c'était tant mieux. Alors elle ajouta :

— Je pourrais conduire votre ami, si vous voulez. Je sais où se trouve le moulin. En attendant, je viendrai ici tous les matins, voir si la blanchisserie est rouverte. C'est dommage qu'elle soit fermée, car on y lavait fort bien les chemises.

CHAPITRE 13

À Fürstenberg sur Oder, dans le Brandebourg en Allemagne, le mardi 4 août 1942

Au Stalag III-B

Ça serait aujourd'hui ou jamais.

Rémi avait tout analysé et calculé. Il avait évalué le projet sous tous les angles et il en avait estimé les risques. Il y avait réfléchi jusqu'à en perdre la raison.

Il y avait consacré des heures et des heures : celles de l'attente que le temps passe quand il pleuvait à boire debout ; celles de l'oisiveté quand le temps glacial les gardait à l'intérieur ; celles de l'insomnie quand les siens lui manquaient à faire mal. Rémi s'allongeait alors sur son lit, fermait les yeux et réfléchissait. À la blague, les copains le surnommaient « Le Penseur ». En référence à l'œuvre de Rodin. Rémi laissait dire. Après tout, pourquoi pas ? C'est vrai qu'il devait avoir voué des milliers de minutes à son projet, des minutes qui devaient aujourd'hui se compter en jours entiers. Cependant, rien d'écrit, aucun plan dessiné, aucune note prise, aucun rappel griffonné ; il avait tout appris par cœur et personne ne savait à quoi il pensait ainsi.

D'abord, il y eut un premier hiver de réflexion surtout consacré à évaluer la faisabilité de la chose et à estimer ses chances de réussite.

Puis, il y avait eu un premier été occupé à décortiquer l'ordinaire d'une journée, à enregistrer minutieusement les allées et venues de tout le monde, surtout celles des gardiens aux champs. Il en avait profité pour apprendre le plus de mots allemands possible, en écoutant attentivement ces mêmes gardiens discuter entre eux.

Ensuite, il y avait eu un second hiver, destiné à tout orchestrer, à essayer de tout imaginer, tout prévoir, dans le seul but de ne pas être pris au dépourvu. Rémi s'était alors attardé aux détails.

Enfin, un second printemps était arrivé et le travail sur les fermes avait été distribué.

Rémi avait été de ceux qui avaient eu de la chance : la ferme où il passerait la belle saison était immense, des labours à perte de vue qu'il faudrait ensemencer, cultiver, puis récolter. Les gardiens n'étaient pas trop nombreux. Rapidement, Rémi avait pu constater que, s'il gardait les yeux bien ouverts, les possibilités se multiplieraient.

Et voilà qu'il avait décidé que ça serait aujourd'hui.

Depuis des semaines, maintenant, qu'il surveillait les promenades des gardiens dans les champs, et celles des vigiles, le long de la route principale et près des bâtiments. Tous ces hommes manquaient assurément d'imagination, car leur routine était d'un ennui mortel et se répétait à l'infini : trente pas vers l'est, trente pas vers l'ouest, un rappel à l'ordre et hop ! on recommence, ou peu s'en faut.

Il y avait probablement là une occasion et Rémi avait envie de tenter sa chance. De toute façon, s'il n'était pas prêt maintenant, il ne le serait jamais, ça, il le savait. Le nier aurait été absurde, vouloir tout réviser une dernière fois, complètement inutile. La situation ne pourrait jamais être plus propice qu'elle ne l'était en ce moment même. Rémi voyait en plus dans la mort du vieux chien de garde un signe du destin ou du Ciel, selon qu'on y croyait ou pas. Il ne fallait surtout pas attendre que la bête soit remplacée.

Depuis l'étape des balbutiements de cette longue réflexion, Rémi partait du principe qu'ils étaient des milliers d'hommes au stalag. Une vraie petite ville avec ses rues et ses avenues, ses cordes à linge entre les bâtiments et ses espaces dégagés pour pratiquer les sports. Un prisonnier de plus ou de moins, le temps qu'il s'éloigne, ça ne changerait pas grand-chose. Avant le dénombrement du soir, et avec un peu de chance, on ne s'apercevrait même pas de son absence.

Sur la ferme, où il devait passer la journée à travailler dans les champs de blé, quand les gardiens ouvraient la besace du goûter, alors qu'ils s'installaient à l'orée du bois pour être assis à l'ombre, ils étaient un peu moins attentifs. Bien sûr, les prisonniers devaient rester à découvert, dans le champ devant eux, mais un homme restait un homme, n'est-ce pas? Et les gardiens avaient été choisis parmi les vieux, ceux qui étaient incapables de participer au combat. La fatigue chez ces hommes usés par la vie se faisait régulièrement sentir, ça se voyait. Seuls deux officiers à cheval, plus jeunes et plus mobiles, nettement plus attentifs, étaient à surveiller de près. Malgré cela, oui, il arrivait que la vigilance se relâche à l'heure du repas. Un peu, juste assez, estimait Rémi.

Comme ses compagnons et lui étaient plus d'une cinquantaine à travailler les champs de cette ferme, il profiterait sans doute de ce moment bien précis de la journée pour se faire la malle.

Juste la consonance de ces quelques mots le faisait saliver de plaisir : se faire la malle !

Oui, finalement, ça serait aujourd'hui !

Au besoin, en dernier recours, si l'occasion idéale ne s'était pas présentée comme Rémi l'espérait, si aujourd'hui les officiers à cheval leur collaient aux fesses comme il arrivait parfois, alors il implorerait qu'on lui permette d'aller se soulager, ce qui ne serait pas nouveau. Ils le faisaient tous, à un moment ou un à autre, et ça durait maintenant depuis presque deux ans. Avec ce qu'ils mangeaient, la bouillie d'avoine, le pain sec et le petit gibier sauvage qu'ils arrivaient parfois à prendre au collet, ce n'était pas vraiment surprenant. Au campement, sans exception, malades ou pas, ils devaient utiliser les latrines sous peine de représailles.

Mais au beau milieu des champs, alors qu'il n'y avait pas de latrines…

À ce jour, tous les prisonniers étaient revenus des bois, malgré le relâchement de la surveillance à midi, alors qui aurait envie de se méfier de cet homme pressé par certains besoins naturels et qui gagnait la forêt en sautillant, en courant ou presque ?

Et si malgré toutes ses précautions, si au bout du compte son plan ne fonctionnait pas comme prévu, si on finissait par se douter de ses véritables intentions et qu'on ne le quittait pas des yeux alors qu'il se croyait invisible et invincible, si jamais les officiers revenaient à l'improviste, juchés sur leur monture, Rémi Chaumette ne le saurait pas puisqu'il ne serait plus là. Il aurait été abattu dans le dos comme un animal indésirable.

Cependant, cette perspective, bien que réelle, ne faisait pas vraiment partie de ses plans. Il allait réussir, et si jamais...

Rémi secoua la tête dans un geste de détermination.

Tant pis pour tout, ça serait quand même aujourd'hui.

Rémi en était arrivé à cette conclusion. Après tous ces longs mois de captivité, l'ennui était devenu tel qu'il lui fallait obligatoirement passer à autre chose. Tout et n'importe quoi, mais autre chose.

Puisque rien ne pouvait être pire que ce qu'il vivait depuis deux ans, il était prêt à faire le grand saut.

Rémi Chaumette, prisonnier de guerre français en territoire allemand, devait s'enfuir, coûte que coûte. Son fragile équilibre mental ne pourrait résister encore longtemps. Ne restait que l'évasion, il en était convaincu. Pour lui, rester ici était l'équivalent d'une condamnation à mort, ni plus ni moins. Alors, qu'importe qu'il soit abattu durant son évasion. Cette possibilité extrême ne serait, à ses yeux, qu'une mise à mort moins douloureuse que l'obligation de continuer à dépérir à petit feu comme il le faisait depuis deux ans, et ce, malgré les copains, les activités, les cours et la préparation des repas qui rendaient la vie presque normale par moments...

Sa décision était prise et il ne reculerait plus.

Personne du baraquement ne savait rien de ce projet, à l'exception de Gaspard Truchon, un détenu comme lui, arrivé après lui, et qui passait son temps à se morfondre de sa femme, de son fils, de sa terre en Bretagne.

— Il n'y a pas que des marins en Bretagne, disait-il invariablement, quand il se présentait à quelque nouvel arrivant. Il y a aussi des hommes qui aiment la terre, vous savez.

Gaspard était un homme jovial et souriant, malgré la détention et l'ennui des siens.

— La bonne terre de chez nous, ajoutait à tout coup un Gaspard fier propriétaire de son lopin de terre. Le bon terroir français qui met le pain chaud sur la table et les légumes frais dans l'assiette. Cela me manque tellement, si vous saviez !

L'entente entre Gaspard et Rémi avait été immédiate, comme allant de soi, quasi instinctive. Alors, oui, Rémi l'avait mis au parfum. S'il y avait quelqu'un qui puisse l'accompagner dans sa folle équipée, c'était bien Gaspard, mais ce dernier avait refusé.

— J'ai un fils, vois-tu, et je ne le connais pas encore, avait-il argumenté à mi-voix. Trois mois qu'il a, mon petit garçon, et j'ai bien envie de faire sa connaissance un jour. Alors, ton projet, ce n'est pas pour moi. À cause de Jonas. Mais je comprends.

Rémi n'avait pas insisté, et les deux hommes n'en avaient jamais reparlé.

Pour l'instant, le jour se levait à peine. Rémi pouvait le constater par le trou minuscule qu'il avait percé dans la cloison donnant sur l'extérieur, parce que, dans leur malheur, ils avaient été chanceux, ses compagnons de détention et lui, puisqu'ils étaient arrivés là peu après l'armistice et qu'ils avaient été les tout premiers à occuper le baraquement, s'appropriant du coup les lits le long du mur extérieur. Les nombreux autres arrivés après eux, à l'instar de Gaspard, avaient dû, pour la plupart, se contenter des rangées du milieu : trois lits superposés avec à peine un peu d'espace pour respirer et un barda qui dégringolait au moindre mouvement…

— Comme dans un refuge de montagne, avait rigolé un nouvel arrivant, en lançant son sac sur le lit supérieur. Bienvenue au camp de vacances !

Oui, dans leur malheur, Rémi et ses compagnons avaient eu de la chance.

Mais pour Rémi, ça ne suffisait pas. Ça ne suffisait plus, parce que le peu de liberté et d'espoir accompagnant chacune des lettres venues du pays et envoyées par ceux qui les attendaient impatiemment, lui avait été refusé. Sans raison et sans avoir le droit d'agir ainsi. Un compagnon de baraquement avait même envoyé un message à la Croix-Rouge, posté à Genève, pour signaler la situation. Il y avait un abus de pouvoir, ici, c'était flagrant, tous en convenaient aisément. Cette attitude ne respectait pas les conventions internationales.

Malheureusement, cela faisait des mois que la lettre était partie, et ils attendaient encore la réponse.

Rémi avait beau avoir droit comme tous les autres à sa part des colis de la Croix-Rouge, ce n'était pas pareil. Un morceau de chocolat vite englouti, une conserve qui met un peu de couleur dans la monotonie des repas, quelques cigarettes à partager et autant de mots d'encouragement venus d'un étranger ou d'une inconnue ne pourraient jamais remplacer les mots d'espoir écrits avec amour sur un bout de papier qui, avec un peu d'imagination, aurait encore dans son cas une senteur de pommes. Pour Rémi Chaumette, nul chocolat ne pourrait remplacer les confitures maison.

Alors de l'espoir, Rémi n'en avait plus, sauf celui né de sa détermination indéfectible quand il préparait son évasion.

Françoise…

Répéter ce nom, savoir qu'elle le pleurait probablement, le croyant décédé, attisait son envie de grands espaces, semblables à ce coin de campagne qu'il apercevait difficilement, en clignant de l'œil, quand il regardait par le petit trou dans la cloison. Néanmoins, cette minuscule ouverture permettait de savoir que la journée serait belle.

Alors, oui, plus il y pensait et plus il comprenait que ça serait définitivement aujourd'hui.

Du soleil à profusion, pas de chien fureteur aux dents acérées, une chaleur accablante qui rendrait les gardes flemmards, moins attentifs…

Couché sur le côté, le nez frôlant le mur et l'œil aux aguets devant sa petite porte sur le monde extérieur, Rémi observait le début du jour qui se reflétait dans le feuillage du boisé voisin, illuminé maintenant par les éclats du soleil levant. L'estomac noué par l'anxiété et le cœur battant à tout rompre, il repassait mentalement les étapes qu'il avait prévues, celles qui le mèneraient possiblement, non assurément, vers la liberté.

Peu de prisonniers avant lui avaient réussi à quitter le

stalag, il en était conscient, mais rien ne disait qu'il ne serait pas de ceux-là.

Le pire, à ses yeux, ne serait pas de prendre la fuite. Ce n'était là qu'un jalon, un tout petit jalon dans son projet, et il y avait tellement pensé qu'il ne pouvait rater son coup. Non, le pire serait de traverser l'Allemagne, toute l'Allemagne, sans se faire repérer.

Fürstenberg n'était pas particulièrement proche de la frontière française. Déjà il s'en doutait un peu, à cause de la longueur du trajet de la gare près de la France à la petite ville à quelques kilomètres d'ici, au moment de son arrivée ; voilà qu'il avait pu vérifier ses présomptions, tout récemment, sur une carte géographique accrochée sur le mur d'une école où il avait eu à rafistoler la chaudière du système de chauffage.

Il avait été désagréablement surpris, car il ne se croyait pas si proche de la Pologne.

De mesurer du regard la distance entre les frontières, d'additionner les lacs et les rivières, d'y ajouter les nombreuses villes qu'il aurait à traverser ou à contourner pour rejoindre la France lui avait donné le vertige.

Sur le coup, par automatisme, il s'était appliqué à visualiser rapidement une image mentale de cette carte. Retenir en catastrophe le nom de quelques villes, le parcours d'un fleuve à traverser, éviter Berlin… C'était un peu ridicule, insensé, mais il n'avait pu empêcher le réflexe.

Un ordre aboyé depuis le couloir avait mis un terme prématuré à cette analyse superficielle de la carte et son étude approximative s'était résumée avec le temps à une phrase, une seule : marcher vers l'ouest. Rémi Chaumette devrait toujours marcher vers l'ouest.

Néanmoins, depuis ce jour-là, le projet avait pris des proportions insoupçonnées, à la fois étourdissantes et démesurées.

Qu'à cela ne tienne, Rémi trouverait moyen de réussir. Il rencontrerait peut-être des gens prêts à l'aider, tous n'étaient pas nazis, en Allemagne, et une fois arrivé en sol de France, il dégoterait bien de l'aide, là aussi, même en zone occupée.

Pour se déplacer, il marcherait la nuit, s'orientant avec les étoiles ; elles seraient sa boussole.

Pour se nourrir, il chaparderait des fruits et des légumes. Au beau milieu de l'été, c'était la saison pour le faire : les jardins deviendraient alors son garde-manger.

Pour se garder alerte, il dormirait le jour, comme les hiboux, à l'abri des curieux, caché dans les étables désertées par le bétail mené aux pâturages : ces étables feraient office d'auberges.

C'est ainsi que petit à petit, Rémi Chaumette se rapprocherait inexorablement de chez lui.

Une nuit de marche en suivrait une autre, un pas à la fois.

Une étape franchie en suivrait une autre, un kilomètre à la fois.

On avait toujours dit de lui qu'il était débrouillard, Rémi en donnerait ainsi une preuve éclatante.

L'appel au réveil le fit sursauter.

Le jeune soldat français dut se retenir pour ne pas sauter en bas de ce qu'il appelait son perchoir.

Surtout ne rien laisser transpirer de ses émotions, ne rien laisser transparaître de ses intentions et retenir l'anxiété galopante qui guidait chacun de ses gestes, le rendant fébrile. Après tout, il était question de vie ou de mort.

Personne ne savait pour aujourd'hui, pas même Gaspard, et personne, surtout, ne devait savoir.

Pour que Rémi réussisse, il ne devait y avoir ni soupçon ni défiance, ni le plus infime regard particulier. Il ne devait pas y avoir le moindre doute.

L'adrénaline coulait à flot dans ses veines, et les couvertures de son lit furent tirées au cordeau en moins de temps qu'il n'en faut pour le dire.

Le dénombrement du matin se fit comme tous les jours, en ligne droite devant le baraquement, et, contre toute attente, la voix de Rémi avait sa fermeté habituelle quand il répondit à l'appel. Seule particularité, aujourd'hui : la présence de ce gardien baragouinant un peu de français, et s'il était là, aux côtés de l'adjudant qui n'avait toujours pas été muté, c'était probablement que ce dernier avait une annonce spéciale à faire.

Sans être courante, la chose arrivait de temps à autre ; Rémi ne s'en soucia pas outre mesure, ce qui aurait sans doute été le cas s'il avait su que cette annonce s'adresserait à lui, en particulier.

À peine quelques mots et Rémi comprit, sans la moindre ambiguïté, que deux ans d'attente et de préparation venaient tout simplement de s'envoler sans espoir de retour.

— Chaumette, Rémi… Départ midi avec barda.

Même succinct, le message n'aurait pu être plus clair.

Par réflexe, Rémi regarda autour de lui, tendit le cou pour apercevoir tous ses compagnons, dans l'espérance peut-être d'entendre un autre nom, de voir une autre réaction.

Personne d'autre ne fut interpellé.

À coup sûr, Rémi Chaumette était le seul à quitter le Stalag III-B.

Pour où ? Il n'en avait pas la moindre idée.

Pourquoi ? Il ne le savait pas plus.

C'était dans la nature de l'adjudant de laisser planer des mystères, comme si ceux-ci esquissaient une aura d'autorité autour de lui, et qu'il s'y abreuvait avec délices. Escorté de son fidèle traducteur, l'officier s'éloignait déjà du baraquement, tête haute et mains croisées dans le dos.

Rémi devrait se rendre à l'office pour en savoir plus.

— Stalag III-C, murmura-t-il à son retour... C'est là qu'on m'envoie, Gaspard. Dans le nord, si j'ai bien compris. Et moi qui déteste le froid. Par contre, je n'ai pas la moindre idée du pourquoi de la chose...

— Comme ça, rétorqua aussitôt Gaspard, avec un flegme indéniable dans la voix. Les Allemands aiment bien nous faire suer sans raison...

Revenu à son baraquement et tout en préparant son barda, Rémi se confiait à son ami qui était tout ouïe.

— Quand même, soupira Rémi.

Puis, à voix basse, presque un murmure, il ajouta :

— En plein le jour où je comptais aller prendre l'air chez le voisin.

Gaspard saisit à l'instant ce que Rémi cherchait à dire.

Mais plutôt que de paraître déçu pour son ami, il afficha aussitôt un grand sourire.

— Alors là, je crois comprendre un peu mieux.

Rémi jeta un regard en coin à son ami avant de reporter les yeux sur son sac qu'il remplissait machinalement.

— Qu'y a-t-il à comprendre, Gaspard? demanda-t-il, toujours à mi-voix. Il n'y a rien à comprendre. À moins qu'ils aient su ce que je comptais faire aujourd'hui, et ça, vois-tu, ça me surprendrait. Personne ne pouvait savoir.

À ces mots, Rémi tourna un regard méfiant vers Gaspard, et il lâcha, surpris lui-même par ces quelques paroles qui lui étaient venues spontanément à l'esprit:

— À moins que ça soit toi qui aies parlé, gronda-t-il avec colère.

L'accusation était gratuite et méchante, inutile, mais Gaspard ne s'en formalisa pas. Il haussa plutôt les épaules avec une sorte de détachement. Il n'était pas du genre à se froisser pour quelques mots. Puis, Rémi était à cran, frustré. Rien de plus normal, en pareil cas, qu'il soit méfiant. Cette accusation, il l'avait proférée sans même y penser vraiment. C'était du vent, un banal courant d'air, comme une manière de soupape de protection, et Gaspard ne s'y attarderait pas.

— Qu'est-ce que tu crois? demanda-t-il d'une voix calme. Que je suis un mouchard? Nenni, mon ami, nenni. Je n'ai rien dit parce que je ne savais rien de cette échéance que tu avais choisie... Et je t'aime bien, tu le sais, ça. T'es mon copain et les copains, ça se protège, ça se défend. Les copains, on ne parle pas contre eux.

La colère de Rémi était déjà tombée.

— Désolé.

— Ça va… C'est juste que pour moi, question que tu comprennes, j'ai bien l'impression que c'est le Ciel qui t'envoie ce… ce changement d'affectation, pour le dire poliment.

— Ah oui ? Tu crois ça, toi ?

Encore une fois, Gaspard haussa les épaules. C'était un peu une manie, un tic nerveux chez lui, ces haussements d'épaules répétitifs. C'était sa façon bien personnelle de se tenir à l'écart, de construire une sorte de barrière contre la fatalité afin de ne pas trop souffrir.

— Oui, je crois ça, confirma-t-il. Vraiment. Il y a sûrement quelque chose que tu ne sais pas, que tu vas probablement apprendre un jour, et alors, tu comprendras que c'est le Ciel qui t'a mis des bâtons dans les roues. Avoue au moins que ça n'était pas sans risques, ton idée.

Rémi s'immobilisa un moment, un chandail rapiécé dans une main. Gaspard n'avait pas tout à fait tort, et maintenant que le destin avait décidé pour lui, Rémi en prenait toute la mesure, malgré sa déception.

— Je le sais, avoua-t-il en soupirant.

— Ben alors ?

— Ben alors, quoi ? C'est tout ce que tu as à dire pour ton explication ? Je répondrais que ça fait chier, tout ça. Malgré les risques, le temps que ça aurait pris et les nombreuses difficultés avant d'arriver à bon port, j'étais prêt et j'allais réussir. J'y ai passé tant d'heures, j'y ai mis tellement d'espérance… Alors oui, ça fait chier.

— Je peux comprendre. Bien que…

S'interrompant brusquement, Gaspard détourna la tête un instant et, du regard, il survola le baraquement immense qui devait bien loger une bonne centaine d'hommes, sinon plus.

Ce n'était ni le confort ni l'abondance, loin de là.

L'été, on y crevait, et l'hiver, on y grelottait.

Depuis qu'il vivait là, rarement Gaspard avait-il mangé à sa faim, fumé à sa convenance, et les quelques nouvelles venues du pays, arrivées soit par lettres, soit dégotées dans le journal parisien auquel ils avaient droit, laissaient présager que ce n'était pas demain que tout cela allait prendre fin. D'accord. Et c'était frustrant. Mais au moins Gaspard Truchon était-il en vie, et cette vie, justement, il ne la risquerait pas inutilement.

Certains diraient que c'était pure lâcheté. Peut-être. Ce à quoi Gaspard répondrait, si on lui posait la question ou si on l'accusait d'être un lâche, qu'il n'avait pas vraiment choisi d'être là. Alors…

Quoi qu'il en soit, un jour, la guerre finirait bien parce que toutes les guerres finissent par finir et, ce jour-là, lui, Gaspard Truchon, il partirait d'ici, la tête haute. Il retrouverait sa Josette, il embrasserait ses vieux parents et il ferait enfin la connaissance de son fils Jonas. Parce qu'eux aussi seraient vivants, n'est-ce pas, puisque la guerre ne touchait pas la France.

Pétain avait signé l'armistice depuis deux ans déjà et, pour l'instant, on ne se battait pas en sol de France.

Ou presque pas.

Voilà ce qui attendait vraisemblablement Gaspard Truchon, cultivateur en Bretagne, qui se languissait de sa femme, de sa famille et de sa terre. Au bout de tous ces jours de détention, il retournerait chez lui reprendre sa vie là où on l'avait obligé à la laisser tomber. Pour l'instant, il estimait qu'il aurait pu y avoir pire que cela dans l'existence.

En même temps, et pour toutes sortes de raisons, Gaspard Truchon pouvait accepter qu'on ne pense pas comme lui.

Néanmoins, tout ce beau scénario, Gaspard l'avait formulé tant et tant de fois devant Rémi qu'il jugea inutile de le répéter. Il ajouta cependant à l'intention de son ami, question de ne rien oublier et de tout mettre en perspective :

— N'empêche qu'en attendant, mon vieux, et malgré la déception que j'ai à te voir partir d'ici, n'empêche que ce départ-là va t'éloigner de l'adjudant. Pis ça, mon ami, c'est juste du bon pour toi. Ouais, juste du bon...

CHAPITRE 14

À Pointe-à-la-Truite, le lendemain, le mercredi 5 août 1942

Par un bel après-midi d'été, dans la petite chambre partagée par Célestin et Germain

— Grouille, mon Germain ! Faudrait surtout pas être en retard !

Tout en surveillant son neveu du coin de l'œil, Célestin ajustait les bretelles toutes neuves que Lionel lui avait récemment offertes sans raison autre que celle de vouloir lui faire plaisir. En effet, à peine quelques semaines plus tôt, le médecin avait participé à un colloque à Québec, et il avait eu une pensée affectueuse pour son frère en apercevant ces belles bretelles, larges et colorées, alors qu'il marchait sur le trottoir devant la vitrine du magasin Holt Renfrew. La suite avait coulé de source, et c'était aujourd'hui que Célestin avait décidé de les étrenner.

— Tu le sais que Gilberte aime pas ben ben ça arriver de son ouvrage pis qu'on soye pas prêt, toi pis moi, ajouta Célestin sur le même ton affairé, tout en faisant claquer un premier élastique sur sa panse imposante. Surtout quand on a du monde qui va venir manger chez nous, comme à soir !

— Va être prêt, rassura Germain, qui se débattait au

même instant avec quelques boutons récalcitrants. Juste chemise à attacher.

Un bout de langue pointant entre ses lèvres charnues, le petit homme essayait de glisser un dernier bouton dans sa boutonnière. Avec ses doigts boudinés plutôt malhabiles, cette banalité du quotidien s'avérait une véritable corvée, voire un cauchemar. Toutefois, Germain était d'une patience à toute épreuve. Voilà une des qualités que Gilberte avait tenu à lui inculquer dès sa plus tendre enfance afin de l'aider à être le plus autonome possible. De ce fait, guidé, encouragé et applaudi depuis toujours, Germain était à l'aise quand venait le temps d'entreprendre de nouvelles choses et passablement confiant devant les gestes répétitifs du quotidien, même si, à première vue, ils semblaient hors de portée pour lui, comme se faire la barbe, qui lui prenait près d'une heure chaque matin.

Chose certaine, jamais il n'abandonnait.

C'est ainsi qu'ayant enfin réussi à glisser correctement le fichu bouton qui lui donnait du fil à retordre, Germain releva la tête. Voyant que Célestin l'observait attentivement, il afficha aussitôt cet inimitable sourire qui lui mangeait littéralement le visage et donnait à son regard un éclat particulier, tout à fait émouvant.

— Regarde ! Maman être contente !

Germain écarta les bras et bomba le torse. La chemise pendait de guingois devant le pantalon à demi attaché, mais en effet, la plupart des boutons avaient trouvé une boutonnière. Cela dit, Célestin ne put s'en empêcher et il éclata de rire devant l'allure cocasse de son neveu.

— Ben voyons donc, Germain ! Regarde comme faut !

T'es tout croche. T'as l'air d'un clown!

Le petit homme fronça les sourcils, mécontent qu'on se paie sa tête alors qu'il avait tant travaillé. Même si ce rire tonitruant venait de la part de Célestin et qu'il admirait ce géant plus que tout au monde, ça l'agaçait.

Germain essaya de se pencher pour constater ce qui pouvait causer une telle hilarité. Mais comme ce simple mouvement de la tête était relativement difficile à exécuter pour lui, puisqu'il avait un cou plutôt court et un sens de l'équilibre précaire, il se redressa bien vite pour aussitôt reporter les yeux sur Célestin.

— Non, pas tout croche, s'obstina-t-il. Boutons attachés. Comme faut.

Déjà Germain avait les yeux brillants, signe manifeste qu'une crise de larmes n'était pas loin.

C'était sans doute le message le plus éloquent qu'il pouvait envoyer à Célestin. En vérité, le grand gaillard, à l'instar de Germain, détestait tout autant que quelqu'un ose se moquer de lui.

Si le petit homme pleurait ou boudait quand il était contrarié ou blessé, Célestin, pour sa part, se mettait en colère et frappait du pied, ce qui n'était guère mieux.

Celui que Germain appelait encore parfois le géant posa immédiatement une main sur sa bouche comme pour s'assurer que son malencontreux sourire était bien effacé, puis il s'approcha de Germain qui avait maintenant son air le plus boudeur.

— Boutons attachés, s'entêta-t-il en levant vers Célestin des yeux particulièrement brillants. Maman être contente. Monsieur gentil aussi.

Ces derniers mots faisaient référence à Ernest Constantin.

À vrai dire, si les deux hommes faisaient tous ces efforts de toilette, ce qui n'était pas courant sauf le dimanche pour aller à la messe, c'était en prévision du souper auquel Ernest Constantin avait été convié.

Tout un événement d'ailleurs, que ce repas sous le toit de Gilberte, résolument élaboré, au beau milieu de la semaine par-dessus le marché. Toutefois, comme monsieur Ernest quittait toujours Pointe-à-la-Truite le vendredi soir en direction de Québec, là où l'attendaient deux de ses fils, les deux autres étant déjà partis outre-mer, ne restait plus que la semaine pour l'inviter. Cela ajoutait à l'énervement habituel d'une réception puisque Gilberte ne serait pas là pour tout superviser durant la journée.

— Pis que la maison soye ben à l'ordre, avait-elle exigé au déjeuner, au moment où elle se préparait à quitter la maison pour le travail. Je veux pas voir une seule de ces damnées autos de métal ailleurs que sur l'étagère de ta chambre, mon beau Germain. C'est-tu ben compris, ça là ? Faudrait surtout pas que monsieur Ernest s'enfarge les pieds dedans, hein ?

Encore assis à la table pour le premier repas de la journée, les deux hommes avaient levé la tête simultanément.

— Oui maman.

— Ben oui, Gilberte ! Tu peux compter sur moi.

— J'espère ben que je peux compter sur toi, mon Célestin, avait déclaré Gilberte tout en ajustant son vieux chapeau à raisins, celui qu'elle ne portait plus maintenant que pour aller travailler.

D'une main adroite, elle planta la longue aiguille garnie d'un brillant qui retenait le bibi de paille noire sur son chignon grisâtre, puis elle se mira dans la petite glace dépolie qu'elle avait collée sur le mur à côté de la porte d'entrée.

Coup d'œil à droite, coup d'œil à gauche... À part les rides de plus en plus nombreuses, ça pouvait aller!

Satisfaite, Gilberte se retourna vers Célestin.

— Sinon, ajouta-t-elle dans la foulée des derniers mots, à qui je pourrais me fier, je me le demande un peu! Si toi tu m'aidais pas, mon homme, je serais souvent mal prise. Pis Dieu sait qu'aujourd'hui, m'en vas avoir vraiment besoin de toi. J'ai rarement été énervée comme je le suis astheure... Bon, je m'en vas! T'as toujours la petite liste des choses à faire que je t'ai donnée hier soir avant de me coucher, n'est-ce pas?

Aucun doute possible, Gilberte était sur ce que le flegmatique Célestin qualifiait de «gros nerf».

À la décharge de Gilberte, cette invitation était une première!

Non pas qu'Ernest Constantin ne soit jamais venu chez elle! Depuis le temps qu'ils cultivaient leur amitié, l'homme s'était même installé régulièrement sur son perron. Là n'était pas le problème. Mais entre le fait acceptable et accepté de déguster un thé glacé par une belle soirée d'été, assis convenablement sur la galerie au vu et au su de tous, et le fait plus contestable de prendre place à sa table pour un repas complet, dans la maison à l'abri des regards, il y avait un monde de différences. Du moins pour Gilberte qui avait eu le loisir d'en mesurer toute l'étendue depuis que cette fichue invitation était sortie de ses lèvres, comme ça, impulsivement, sans autre forme de réflexion.

— Pis si vous veniez souper chez nous à la place? avait-elle lancé à brûle-pourpoint, la semaine précédente.

À peine prononcés, Gilberte regrettait déjà ces quelques mots.

Ce soir-là, elle était revenue chez elle dans tous ses états.

— Célestin! Tu sais pas ce que j'ai faite!

Accablée, Gilberte s'était laissée tomber sur la première chaise venue pour se mettre à raconter cette soirée qu'elle venait de passer en compagnie de monsieur Ernest qui, exceptionnellement et pour faire changement, l'avait invitée à manger au Manoir Richelieu.

— T'aurais dû voir ça, toi! Un vrai château. Comme dans les histoires de fées ou de princesses, ma parole! C'est encore plus beau en dedans qu'en dehors, tu sauras, mon Célestin. J'en revenais pas de voir toute le verre taillé qu'il y a là-dedans. Même les lumières au plafond sont en cristal, c'est pas mêlant. Pis oublie le fer-blanc, mon homme! C'est de l'argenterie qu'il y a sur les tables. De la vraie, celle qu'il faut frotter souvent, comme chez monsieur le curé. Pis la vaisselle, c'est pas de la pierre comme chez nous, non, non, c'est de la porcelaine. Tout leur set de vaisselle est en porcelaine, je crois ben. Pis les plafonds, à mon avis, ils doivent être hauts d'à peu près deux étages. En tout cas, quand on lève la tête, ça donne le tournis… Tout ça pour te dire, mon Célestin, que j'étais vraiment pas à mon aise, pis que c'est là que j'ai pensé à inviter monsieur Constantin à venir manger chez nous, la prochaine fois. J'étais prête à n'importe quoi pour être ben certaine que je retournerais jamais là. C'est trop intimidant, pis ça me coupe l'appétit.

Sur ce, Gilberte avait repris son souffle en inspirant bruyamment avant d'exhaler un long soupir.

— Astheure, me v'là poignée avec une invitation qui a pas d'allure sur les bras ! Que c'est que je vas faire avec ça, moi, là ?

— Ben…

Célestin s'était alors gratté énergiquement la tête, manifestation tout à fait naturelle chez lui, et qui dénotait une profonde incompréhension.

— Ben, tu vas faire à souper, non ? avait-il alors suggéré. C'est ça, je pense, qu'il faut faire quand on invite quelqu'un à manger. Oui monsieur. Faut préparer un bon repas avec toute ce qu'il faut.

— Oh toi, des fois ! avait alors lancé Gilberte avec impatience.

Pour une des rares fois de sa vie, cette femme à la patience angélique semblait vraiment exaspérée par la lenteur de son frère.

— Je le sais ça, qu'il va falloir que je prépare un repas, avait-elle déclaré un peu sèchement. Voyons donc, Célestin, je suis quand même pas une imbécile. De toute façon, il est pas là le problème.

— Ah non ? Il est où d'abord ?

— Il est dans le fait que je me demande bien ce que monsieur Constantin va penser de moi, astheure. Ça se fait pas, une femme seule inviter un homme seul à venir manger chez elle. Déjà que la première fois qu'il est venu ici, l'an dernier, je m'étais échappée… Heureusement, il avait insisté pour nous inviter à l'auberge, pis j'avais dit oui pour m'en sortir. Mais là… Bonté divine que je me sens pas ben.

— Ah non ? Pourquoi ?

— Aaaaaah ! Arrête un peu avec tes questions.

— Ben, là…

Le ton venait de monter d'un cran. Empruntant impulsivement la même voix impatiente que celle de sa sœur, Célestin avait rétorqué du tac au tac :

— Je comprends pas pourquoi tu dis ça, Gilberte… Tu le sais pourtant : quand je comprends pas, je pose des questions. C'est toi qui m'as dit de faire de même.

— Je sais ben.

— Bon, tu vois ! Pis à part de ça, Germain pis moi on est là. T'es pas vraiment toute seule. Non monsieur. Ça fait que même si tu seras pas ben ben contente que je le répète, je te demande encore une fois pourquoi t'as l'air choquée pis ben découragée ?

— Parce que j'aurais dû réfléchir avant de parler. Tu vois, moi avec ça m'arrive de dire n'importe quoi ! Pis au boutte du compte, je regrette un peu beaucoup ce que j'ai proposé, parce qu'en plus de toute le reste, ça va être de l'ouvrage sans bon sens.

— Tu penses ça ? Ben pas moi. Ça fait longtemps, moi, que je l'aurais invité, monsieur Constantin. Pis tu le sais à part de ça. Ça fait ben des fois que je t'en parle, rapport que lui, il nous invite souvent à l'auberge de monsieur Paul pour manger « en sa compagnie », comme il dit. Me semble que c'est juste normal de faire pareil à notre tour. C'est juste poli, comme tu dis, des fois. Oui monsieur !

— Peut-être bien, oui.

— Bon, enfin !

— N'empêche que c'est ben de l'ouvrage, préparer un bon souper, pis ça m'énerve.

— Ça t'énerve, ça t'énerve… Pourquoi tu t'énerves comme ça avec une petite invitation de rien du tout ? T'invites ben Lionel pis Marguerite, des fois… Même monsieur Paul avec madame Alexandrine pis Réginald sont déjà venus manger chez nous, pis pas juste une fois à part de ça. Pis t'étais pas sur le gros nerf comme là. Non, c'est ça qui est ça, Gilberte ! T'as invité monsieur Constantin comme je te disais de le faire, ben astheure, tu vas préparer ton souper. C'est toute, pis c'est pas ben ben compliqué, ça là ! T'en fais tous les jours, des soupers !

— Oh toi, des fois ! avait alors répété Gilberte, à court de mots.

Mais cette fois, toute impatience disparue, l'intonation n'avait pas été la même et une grande tendresse enveloppait ses paroles.

Voilà pourquoi, en ce moment, Célestin aidait Germain à mettre un peu d'ordre à sa toilette, simplement par politesse et pour que Gilberte soit vraiment fière de ses deux hommes.

La maison avait été balayée, comme demandé, les

poussières enlevées avec le plumeau, comme Gilberte l'avait écrit en grosses lettres carrées sur un papier brouillon rapporté du presbytère, et les petites voitures de Germain étaient toutes rangées par couleur sur l'étagère à la tête de son lit. Les deux hommes y avaient passé plus d'une heure, et ils étaient particulièrement satisfaits du résultat.

— Astheure, recule un peu pour que je te voye ben comme il faut, exigea Célestin, une fois les boutons de Germain attachés correctement et la ceinture du pantalon bien bouclée.

Germain avait fière allure. Un dernier coup de peigne et tout serait parfait. Célestin poussa un soupir de soulagement. Ce matin, Gilberte lui avait rappelé la liste interminable des corvées à faire durant la journée, et il s'en était bien acquitté. Pas de doute, Célestin Bouchard pouvait se montrer assez débrouillard quand il le fallait.

Oui monsieur !

— Ben si c'est de même, lança-t-il tout joyeux, pis qu'on est pas mal prêts, toi pis moi, on va descendre en bas pour attendre Gilberte… Pis si l'heure sur la grosse horloge nous dit qu'on a encore le temps, ben on va mettre la table ensemble. Je vas regarder bien comme il faut où sont les aiguilles, pis je vas savoir si on a le temps de faire ça. Je connais pas mal bien ça, moi, regarder l'heure. Oui monsieur.

Les deux hommes étaient arrivés devant le long escalier étroit qui menait au rez-de-chaussée.

— Si jamais on a le temps de mettre la table, tu vas m'aider, hein Germain ? demanda Célestin, vaguement inquiet de cette décision prise à l'improviste, tout en surveillant son neveu du coin de l'œil. Ça ferait une belle surprise à Gilberte, pis ça lui sauverait du temps, comme elle nous dit des fois. Comme ça, elle pourrait mettre sa plus belle robe, elle aussi. En plus, je sais quelle nappe elle veut mettre sur la table, parce qu'elle l'a toute ben repassée, hier soir. Envoye, Germain, tiens ben la rampe, on va descendre. Ça serait vraiment plaisant d'avoir le temps de toute préparer pour Gilberte. Juste pour y faire une belle surprise.

— Oui, surprise... Aider maman!

Et ils eurent le temps!

Quand Gilberte arriva à la maison, un peu fourbue et surtout terriblement nerveuse à la perspective de la soirée qui arrivait à grands pas, la table était mise presque parfaitement. Il y avait même un bouquet de marguerites dans un verre de métal que Célestin avait déposé en plein centre, et la nappe était bien égale de tous les côtés.

— Ben voyons donc...

Gilberte avait déjà accroché son chapeau à la patère. Elle s'approcha de la table, émue.

— T'es ben fin, mon Célestin, d'avoir pensé à ça.

— Oh... C'est juste qu'on était prêts un petit peu de bonne heure, Germain pis moi. La petite aiguille de l'horloge était juste sur le quatre. Pas sur le cinq, comme t'avais demandé pour qu'on soye prêts... Pis la table? C'est-tu correct? T'es-tu contente?

— Oui, monsieur!

Lorsque Gilberte empruntait cette expression qui collait à la peau de Célestin depuis toujours ou presque, cela voulait dire qu'elle était particulièrement heureuse ou fière de lui. Alors le grand gaillard redressa les épaules, soulagé. Finalement, il avait eu une bonne idée. À son tour, il lorgna la table, mine de rien.

Pas de doute, l'ensemble valait le coup d'œil. Avec les fleurs dans le vieux gobelet en acier, c'était assez joli. Et les fourchettes étaient bien disposées à côté des assiettes.

Célestin inspira alors bruyamment avant d'afficher un grand sourire tout en tournant les yeux vers Gilberte.

— Penses-tu que je vas pouvoir le dire à monsieur Constantin que c'est moi qui a mis la table presque tout seul parce que Germain a pas fait grand-chose, lui, à part mélanger les cuillères pis les fourchettes ?

— C'est sûr, mon homme, qu'on va lui en parler.

— Ben là, je suis content, Gilberte ! Ben ben content.

Le repas fut un franc succès.

Le jambon servi froid fondait dans la bouche, les légumes cueillis le matin même dans le potager et nappés de beurre chaud avaient un goût d'été, et la tarte, garnie de bleuets ramassés patiemment un à un le samedi précédent sous un soleil de plomb, était un pur délice.

— Je n'ai pas de mots, chère Gilberte, pour vous dire à quel point j'apprécie tout ça, fit Ernest Constantin en montrant la table où ils venaient de faire bombance. C'était tout bonnement exquis, vraiment parfait !

À ces mots, Gilberte éclata de rire. Maintenant que le repas était presque terminé et que tout avait été à la hauteur de ses attentes, elle était calme et détendue. Célestin avait eu raison : elle s'était mis martel en tête pour trois fois rien, comme souvent hélas ! C'est pourquoi, avec un petit clin d'œil à l'intention de Célestin, elle déclara :

— C'est ben gentil tout ça, le compliment pis toute, mais faudrait peut-être l'adresser à Célestin, ce remerciement-là, précisa-t-elle, tout en ajoutant un sourire au clin d'œil à son frère. Un dans l'autre, c'est pas mal lui qui a toute préparé. La table, les légumes, les bleuets, même les fleurs, c'est mon Célestin qui a vu à ça tout seul.

Ernest Constantin se tourna alors vers le grand gaillard, qui se balançait sur sa chaise, à la fois très heureux de constater qu'en fin de compte, sa sœur avait tenu parole en déclarant qu'il était pour quelque chose dans le succès de ce bon repas, mais en même temps, un tantinet intimidé d'être ainsi le point de mire de leur modeste tablée.

— Le pire, dit alors Constantin en se tournant vers monsieur Ernest, c'est que Gilberte voulait même pas vous inviter. Ben non ! Elle était toute énervée pis elle disait que…

— Célestin !

Rarement Gilberte s'était-elle sentie aussi mal à l'aise qu'en ce moment, sachant fort bien ce que son frère allait ajouter. Même si Célestin n'avait pas tort, il n'avait pas à étaler les états d'âme de sa grande sœur.

Et devant monsieur Ernest, en plus !

Au regard noir que Gilberte lança spontanément à Célestin, ce dernier se tut aussitôt, s'interrompant au beau milieu d'une phrase. De toute évidence, il venait de faire une gaffe, une vraie. Il n'y avait que cela pour que Gilberte le toise de la sorte.

Penaud, Célestin pencha la tête.

Toutefois, même contrit, il n'avait pas la moindre idée de la bêtise qu'il avait pu faire pour la simple et bonne raison qu'il n'avait dit que la vérité, comme Gilberte l'exigeait en toute occasion.

Encore une fois, il avait dû se tromper quelque part…

Dépité de voir qu'une si belle soirée allait se terminer ainsi, en queue de poisson comme l'aurait dit Lionel, Célestin se leva brusquement de table et sans saluer qui que ce soit, il quitta la pièce.

On l'entendit monter bruyamment à l'étage à l'instant même où Gilberte poussait un profond soupir de déception.

— C'est ben moi, ça, souffla-t-elle tristement, quand elle entendit Célestin fourrager dans ses affaires.

Nu doute possible, son frère se préparait dès maintenant pour la nuit, tout comme Germain l'avait fait quelques instants auparavant.

Gilberte était pétrie de remords. Elle n'avait pas été juste envers Célestin, et il n'était pas dit que son frère s'endormirait avec une telle déception dans le cœur. Après tout ce qu'il avait fait, il méritait pas mal mieux que cela.

Mais comment rattraper sa bourde ? Son attitude en avait été une de fuite, à la fois mesquine et injustifiable. Le pire, c'était que Gilberte ne savait trop comment réparer l'erreur commise.

Sauf peut-être en commençant par dire la vérité.

Prenant alors son courage à deux mains, Gilberte se tourna franchement vers Ernest pour avouer :

— Célestin a raison pis moi, ben, je viens d'être pas mal injuste envers lui. C'est vrai que ça me faisait peur, cette invitation-là.

Ernest Constantin reçut cette confession avec un petit, mais douloureux, pincement au cœur.

Gilberte et lui n'étaient-ils pas devenus des amis ?

C'était ce qu'il croyait bien sincèrement depuis tous ces derniers mois à se rencontrer, à discuter ensemble, à correspondre, à rire aussi, lui qui avait bien peu ri depuis le décès de son épouse, trop occupé qu'il était à élever seul sa bande de garçons. Pourquoi, alors, dans ce cas, craindre de lancer une banale invitation à souper ?

— Peur ? demanda-t-il sur un ton indiquant clairement qu'il ne comprenait pas.

— Ben oui, peur !

Gilberte était visiblement embarrassée par la tournure que prenait la conversation. À l'image de Célestin, elle s'agita sur sa chaise, repoussa son assiette, tripota une cuillère sur la table.

— J'avais peur de rater mon souper, parce que ça m'arrive des fois, voyez-vous, expliqua-t-elle laborieusement. J'avais peur aussi que vous trouviez ça pas vraiment bon. Après tout, Ernest, vous êtes habitué aux grands restaurants français, tandis que moi, je fais surtout de la cuisine de tous les jours, comme mon jambon froid d'à soir. Pis j'avais peur que mes deux hommes soyent de mauvaise humeur. Ça leur arrive de temps en temps pis ça aurait pu toute nous gâcher la soirée. Pis, pis… Bonté divine que c'est pas facile d'expliquer tout ça.

Gilberte prit une profonde inspiration.

— Pis j'avais peur surtout que...

Au fur et à mesure qu'elle parlait, Gilberte s'enflammait et le rouge lui était monté aux joues. Toutes les inquiétudes justifiées ou non qu'elle avait ressenties ces derniers temps trouvaient enfin leur exutoire, et c'était agréable comme sensation. Il restait toutefois à avouer cette fichue dernière raison pour expliquer sa peur, et celle-ci faisait encore trembler ses mains et son cœur. En même temps, Gilberte se connaissait suffisamment pour savoir qu'il lui faudrait tout dire pour être réellement soulagée.

À la pensée des mots qu'elle allait prononcer, elle se mit à rougir de plus belle. Cependant, tant pour elle-même que par souci d'équité envers Célestin, elle poursuivrait jusqu'au bout.

— J'avais peur aussi, ajouta-t-elle enfin d'une voix mal assurée, j'avais peur de ce que vous pourriez penser de moi. Une femme seule comme moi, ça invite pas un monsieur seul comme vous à venir manger chez elle... Bon, c'est dit ! Non, non, ajoutez rien, Ernest ! C'est de même que j'ai été élevée, pis tout ce que vous pourriez dire changerait pas grand-chose à ce que je ressens. Une femme de bien, ça garde sa place, pis ça lance pas des invitations à tout vent. C'est de même que mon père disait ça, pis il était pas question de penser autrement, du temps que je vivais sous son toit. Faut croire que ça m'est resté collé en quelque part dans l'esprit, pis ça devait être pour cette raison-là que ça me fatiguait ben gros de vous avoir invité. Pareil avec le fait que je vous ai pas invité avant, même si Célestin m'achalait souvent avec ça...

Finalement, à voir comment ça s'est passé à soir, je pense que c'est lui qui avait raison, pis moi, ben, je viens de m'emporter à cause de cette niaiserie-là, pis j'aurais pas dû, j'aurais donc pas dû…

Le soulagement d'Ernest Constantin fut immédiat et l'émotion ressentie empreinte de tendresse. Leur amitié n'était pas remise en question et, à ses yeux, c'était là que l'essentiel se situait. Il posa alors une main amicale sur celle de Gilberte qui jouait nerveusement avec la cuillère.

— Il ne vous reste plus qu'une chose à faire, chère amie.

Gilberte tourna les yeux vers Ernest.

— Ah oui?

Gilberte ne voyait pas où Ernest voulait en venir.

— À part de m'avoir couverte de ridicule devant vous, je m'en rends ben compte astheure, je vois pas ce que je pourrais dire de plus pour…

— Vous excuser, Gilberte! coupa gentiment Ernest Constantin. Il ne reste plus qu'à vous excuser auprès de Célestin, comme il m'arrive de le faire parfois devant mes fils.

— Ah oui?

Décidément! À l'entendre se répéter ainsi, il était évident que Gilberte allait de surprise en surprise.

— Vous aussi, des fois, vous dites des choses que vous regrettez? demanda-t-elle alors, une incrédulité manifeste soutenant sa question.

— Eh oui!

Ce fut suffisant. Subitement, Gilberte se sentait aussi

légère qu'elle avait été gênée au cours des minutes précédentes.

— Ben, dans ce cas-là...

Soulagée, Gilberte était déjà debout.

— Vous allez me donner une petite minute pour que je monte voir Célestin, pis quand m'en vas revenir en bas, on va se faire du bon café.

Quand elle redescendit, quelques minutes plus tard, Gilberte était suivie par un Célestin revigoré. Comme ce dernier ne connaissait ni mesquinerie ni rancune, son pardon avait été immédiat et total.

— C'est pas grave Gilberte. Faut pas s'en faire avec ça, voyons !

Sur ce, Célestin avait enfilé une robe de chambre par-dessus son pyjama et il suivait sa sœur comme son ombre.

— Du café, Gilberte ? Tu vas vraiment faire du vrai café ? Pas du Postum ou du thé chaud amer ?

— C'est ce que j'ai dit, non ? Du café !

— Ouais, c'est ce que t'as dit, mais on sait jamais... C'était peut-être juste une manière d'excuse pour me faire revenir en bas. Je sais ça, des affaires de même, moi. Oui monsieur !

Parfois, la perspicacité de Célestin laissait Gilberte bouche bée.

— Non, mon homme, confirma-t-elle, au bout d'un court silence. C'est pas juste une défaite pour te ramener en bas. C'est vrai que je regrette ma mauvaise humeur, j'avais vraiment pas raison de t'en vouloir étant donné que tu disais juste la vérité. Mais c'est vrai, avec, que ton propos m'avait mise mal à l'aise. Mets-toi à ma place… Mais tout ça, c'est oublié, pis pour astheure, je m'en vas faire du café, du vrai, rapport qu'à soir, c'est un peu spécial.

— C'est monsieur Constantin, le « un peu spécial » ?

— Qu'est-ce que t'en penses ? C'est en plein ça !

Le temps de faire bouillir l'eau, de mesurer le café et de le mettre à passer et aussitôt une bonne odeur de grains rôtis envahit la cuisine, avant de se faufiler dans toute la maison.

Nez en l'air, humant tout autour de lui, quelques instants plus tard, Germain, à son tour, faisait son apparition dans l'embrasure de la porte.

— Café ? demanda-t-il, une pointe de gourmandise dans la voix.

Immobile, il reniflait bruyamment, les yeux mi-clos.

— Nez dire café !

Ce fut ainsi qu'ils se retrouvèrent tous assis autour de la table à siroter une tasse de café. Noir pour monsieur Ernest, au lait pour Gilberte, et bien sucré pour Célestin et Germain.

— Doucement, mon beau Germain, c'est pas mal chaud.

— Chaud, oui, mais bon le café !

Puis les deux hommes montèrent se coucher. Pour de bon, cette fois, après avoir souhaité la bonne nuit à Gilberte et Ernest Constantin qui les entendirent discuter dans l'escalier menant aux chambres.

— Tu vas choisir un livre, Germain, disait justement Célestin, parce que m'en vas te raconter une histoire.

Avec le café qu'on vient de boire, c'est certain qu'on s'endormira pas tout de suite, non monsieur.

Qu'ils aient dix, trente ou cinquante ans ne changeait pas grand-chose dans l'univers de Germain et Célestin qui continuèrent de discuter tout en montant à l'étage.

En prêtant une oreille attentive aux rires qui provenaient de leur chambre, Ernest Constantin et Gilberte apprirent que, ce soir, ce serait *Les trois petits cochons*.

— Pis peut-être aussi *La poule rousse*, si jamais tu dormais pas encore après la première histoire.

Puis, sur fond de murmure, la voix grave de Célestin portant bien, la maison retrouva son calme.

— Allez, on fait la vaisselle.

Ernest Constantin était déjà debout, empilant les assiettes tachées de confiture aux bleuets.

Fatiguée par toutes ces émotions et ce surplus de travail, Gilberte, quant à elle, était encore assise.

— Vous n'y pensez pas sérieusement ?

— Et comment que j'y pense sérieusement ! lança Ernest en revenant de l'évier où il avait déposé une première pile d'assiettes. Pas question que vous fassiez la vaisselle toute seule, après mon départ. Allez, Gilberte, un petit coup de cœur ! Où rangez-vous le linge pour essuyer ?

Ils s'installèrent donc pour faire la vaisselle. Gilberte lavait et Ernest essuyait tandis qu'ils parlaient de leur travail respectif.

— La route avance bien. Mieux que je l'espérais. On va rejoindre Clermont dans une semaine tout au plus.

— La saison des mariages tire à sa fin. C'est ben la

première fois que ça m'arrive, mais j'ai envie de dire que c'est pas trop tôt. On a plus vingt ans!

— À qui le dites-vous!

Puis, une fois la vaisselle terminée:

— Que diriez-vous d'un dernier café, Ernest? Tant qu'à avoir les yeux encore tout grand ouverts par le premier...

— Pourquoi pas?

La soirée s'y prêtait bien, et ils sortirent deux chaises sur la galerie.

— Faut savoir en profiter, très chère Gilberte, ça achève.

La « très chère Gilberte » n'osa demander ce qui achevait comme cela. La belle saison ou le projet qui avait amené Ernest Constantin dans la région? Pour l'avoir entendu à moult reprises, elle savait que le contrat de son ami se terminerait avec l'apparition des premières feuilles rouges.

À cette pensée, son cœur tressaillit. Subitement, elle ne pouvait concevoir que la vie allait continuer comme si de rien n'était, le jour où Ernest Constantin retournerait définitivement à Québec.

La gorge nouée, Gilberte laissa donc le silence se faire complice de sa déception, de sa tristesse.

De ses espoirs les plus fous, aussi.

« Seigneur, je Vous en supplie... Faites qu'on aye l'occasion de se voir souvent, Ernest pis moi. Je sais pas trop comment ça se pourrait, mais faites que ça marche. Amen. »

Pour cacher son émoi, Gilberte but une grande gorgée

de café, le fit rouler dans sa bouche avec gourmandise, l'avala à toutes petites gorgées. Célestin avait raison, c'était vraiment bon, du café, c'était réconfortant. Dorénavant, ils en boiraient plus souvent. Tant pis pour la dépense.

Gilberte prit une profonde inspiration en se disant que la vie était beaucoup trop courte pour ne pas en profiter un peu. En fait, elle n'avait qu'à penser à Prudence pour se conforter dans sa décision.

La pauvre Prudence, si vive, si délurée tout au long de sa vie, n'était plus consciente de grand-chose, même si elle était encore en parfaite santé. Elle n'était surtout plus en mesure d'apprécier le café qu'on devait désormais l'aider à boire avec une paille. Alors oui, Célestin, Germain et elle allaient en profiter un peu avant qu'il ne soit trop tard.

Gilberte reprit une gorgée de ce café tout chaud qui avait déclenché une telle réflexion. Elle le sentit descendre agréablement le long de sa gorge.

Était-ce le goût de cette boisson qu'elle avait pris l'habitude de boire surtout à l'auberge qui suggéra le nom d'Alexandrine à son esprit ? Peut-être, oui, mais chose certaine, l'image de la belle dame aux cheveux de neige s'imposa peu à peu jusqu'à prendre la place de choix dans les pensées de Gilberte, effaçant bien vite la vision qu'elle avait eue de Prudence, ternie par les aléas de la vie.

Aussitôt, Gilberte se sentit mieux.

Rien ne disait qu'elle-même ne vieillirait pas comme madame Alexandrine, n'est-ce pas ?

Quelques vieux crapauds s'en donnaient à cœur joie et

Gilberte en profita pour laisser son esprit divaguer au rythme de leurs coassements.

De toute façon, le Bon Dieu ne lui jouerait pas de vilains tours. Elle Lui faisait entièrement confiance. Depuis le temps qu'elle Le priait, Il ne lui ferait pas faux bond. De plus, Célestin et surtout Germain avaient trop besoin de sa présence, de son efficacité, pour qu'une maladie comme celle de Prudence s'abatte sur elle.

Rassurée par cette évidence – comment monsieur le curé disait-il ça, encore ? Que Dieu était infiniment juste, infiniment bon ? – Gilberte s'appuya confortablement contre le dossier de sa chaise, résolue à ne garder en tête que des pensées agréables. Jusqu'à maintenant, la soirée avait été trop belle d'un bout à l'autre pour qu'elle en gaspille les tout derniers instants.

Juste à ses côtés, et tout comme elle, Ernest Constantin aussi était perdu dans ses pensées. Il regardait fixement devant lui, là où la faible clarté du jour persistait au-dessus du boisé de sapinage.

Mine de rien, du coin de l'œil, Gilberte l'observa. Elle aurait bien voulu avoir l'audace de lui demander à quoi il pensait.

Elle n'eut pas ce courage. Toutefois, le silence qui s'éternisait entre eux n'était ni lourd, ni embarrassant.

Un hibou hulula, lequel cri fut aussitôt suivi par celui d'un oiseau dont Gilberte ne reconnut pas le chant.

Ce fut comme un signal.

En réponse à ce dialogue nocturne, Ernest Constantin remua sur sa chaise, poussa un long soupir, puis, dans un murmure, accordant ainsi sa voix au diapason de cette soirée d'été tout en douceur de l'air et en brise légère, il déclara :

— Si j'osais, chère Gilberte, j'aimerais vous entretenir de quelque chose qui me tient à cœur depuis le tout premier jour où je suis venu ici, chez vous.

Au-delà de la confusion suscitée par ces quelques mots sibyllins, Gilberte retint surtout l'ampleur de tout ce temps passé. Comment, au fil de ces nombreux mois, Ernest Constantin avait-il pu garder le silence sur quelque chose qui semblait important, puisque lui-même venait d'avouer que ce quelque chose à dire lui tenait à cœur ?

— Depuis le premier jour ? souligna-t-elle, vraiment décontenancée par un si long mutisme, alors qu'il y avait eu tant et tant de mots entre eux. Ça fait longtemps, ça là. Ben des mois… Pourquoi avoir rien dit avant ?

— Tout comme vous, j'avais peur.

— Ah !

Qu'ajouter à cela, sinon qu'il lui serait facile de se montrer compréhensive ?

— Je vois, fit-elle alors, sans rien exiger de plus.… Pis je comprends peut-être un peu comment vous devez vous sentir en dedans de vous.

— Merci… Alors voilà. Il s'agit de mon fils Hubert.

À ce nom prononcé avec une infinie tristesse, avec ce qui lui sembla être un profond respect, Gilberte retint son souffle. Depuis le temps qu'elle espérait que son ami lui parle de ce fils dont il ne disait jamais rien…

Ernest avait déposé sa tasse sur les planches inégales de la galerie et, les coudes appuyés sur ces genoux, il pencha la tête et se frictionna longuement le visage du plat des deux mains. Après quoi, longuement, méticuleusement, il se redressa et frotta ses deux mains l'une contre l'autre. Ensuite, il prit le temps d'observer le jardin devant lui, puis, esquissant un demi-sourire, il osa enfin un regard vers Gilberte.

— En fait, c'est une faveur que je veux vous demander, très chère amie. Une faveur pour un homme que vous ne connaissez pas, mais pour qui vous pourriez faire toute la différence... Gilberte, accepteriez-vous de venir à Québec avec moi ?

Gilberte se redressa sur sa chaise.

Québec ?

Ce n'était pas ce qu'elle attendait comme confidence et, surtout, ce n'était pas tous les jours qu'on lui faisait pareille proposition.

Il n'en fallut pas plus pour que Gilberte oublie le nom d'Hubert et tout ce qui pouvait en découler, même si c'était apparemment ce nom qui avait déclenché cette conversation.

Ce fut suffisant aussi pour qu'elle oublie qu'à peine quelques heures plus tôt, elle craignait le qu'en-dira-t-on à la perspective d'une simple invitation à souper alors qu'en ce moment, on parlait d'un voyage à Québec.

Émoustillée par la perspective de ce séjour dans la capitale, elle coupa même la parole à Ernest.

— C'est ça votre faveur ? demanda-t-elle, incrédule. Aller à Québec ?

— En partie, oui.

— Ben là... C'est pas une faveur, ce que vous me

demandez là, Ernest, c'est tout un plaisir que vous me proposez…

Gilberte s'enthousiasma, dessinant avec ses mains quelques arabesques pour souligner ses propos.

— J'en profiterais pour aller voir Justine, tiens ! C'est la fille de madame Alexandrine, vous savez. Même si on a pas le même âge, on s'entend ben, elle pis moi. En même temps, je pourrais peut-être lui demander de dormir chez elle. Ouais, c'est une bonne idée, ça. Ça ferait taire les mauvaises langues. Pourvu que je trouve quelqu'un, ben entendu, pour voir à Germain, pis…

Devant ce déluge de mots, Ernest Constantin leva les deux mains pour endiguer le flot.

— Justement, interrompit-il en haussant la voix, quand vous parlez de Germain, elle est là, la faveur que je vous demande.

— Germain ? Qu'est-ce que mon Germain a à voir avec un voyage à Québec ? Je comprends pas.

— C'est tout simple : j'aimerais que vous veniez à Québec avec Germain… et peut-être aussi Célestin, pourquoi pas ?

— Nous trois ? Ben voyons donc ! Je me répète : je vous suis pas pantoute, moi là. C'est quoi finalement, votre idée ?

Comme si les mots lui étaient particulièrement difficiles à prononcer, encore une fois, Ernest Constantin se montra obscur dans ses propos.

— Il est important, je crois, que Germain soit avec vous.

— Ah oui ? Germain ? Même si je vois toujours pas le

pourquoi de la chose, je veux juste que vous sachiez que c'est tout un contrat, envisager un voyage avec Germain. Vous avez pas idée... Il aime pas ça, mon Germain, aller dormir ailleurs... Même pour aller chez son père, juste de l'autre bord du fleuve, il fait des caprices. Ça prend une bonne dose de persuasion, pis ben des promesses pour l'amener à se décider... Non, je vois pas tellement le plaisir que j'aurais à voyager avec Germain. Pour Célestin, par exemple, c'est pas pareil. Pour lui, ça serait un ben gros plaisir que d'aller...

— S'il vous plaît, Gilberte, lança Ernest d'une voix pressante. Laissez-moi vous expliquer... Après, vous prendrez votre décision, et je vous jure que je saurai la respecter, quelle qu'elle soit.

Le ton était si grave que Gilberte se tut instantanément, toute rougissante. Mais qu'est-ce qui lui avait pris, tout à coup, de se montrer si volubile et si frivole ?

Et qu'est-ce que c'était que cette lubie inattendue de partir sans son beau Germain ?

Un surplus de fatigue accumulée ? L'envie d'un peu plus de liberté ?

D'un soupir, Gilberte expulsa toute cette excitation enfantine. Brusquement, elle ne comprenait plus ce qui s'était passé en elle.

À l'exception du jour où elle avait quitté Pointe-à-la-Truite en catastrophe, à cause de douleurs intenses au ventre, jamais elle n'avait eu la prétention de voyager sans Germain. Jamais.

Ce n'était pas ce soir qu'elle allait changer sa vision des choses.

— Je suis désolée, Ernest. Je ne sais pas ce qui m'a pris de m'énerver comme ça… Allez-y! Dites-moi ben clairement ce que vous attendez de moi. Pis après, on verra ben ce qu'on peut faire avec ça.

Alors Ernest Constantin se mit à parler.

De sa vie, de sa femme, de ses enfants, de cette famille différente qui était la sienne.

— Tout comme Germain, Hubert est né avec un retard, une déficience comme dit son docteur, avoua-t-il franchement. Malheureusement, pour ma femme, cette naissance-là a été le début d'une longue maladie. Il y avait en elle une espèce de refus de la réalité qui l'a cloîtrée dans un monde interdit à tous, même à moi. Le médecin disait qu'elle souffrait de « neurasthénie ». Oui, c'est le mot qu'il employait toujours pour parler du mal dont souffrait Marie. Quoi qu'il en soit, plus jamais je ne l'ai entendue rire. Elle était là, avec nous, elle vaquait à ses occupations, mais elle était absente. C'est bien à partir de cette époque-là que j'ai eu le sentiment suffocant d'être le seul à voir aux enfants, à leur bien-être, à leur éducation… À leur dire qu'ils étaient aimés. Quant à Hubert…

Le bébé ayant été placé dès la naissance, Marie n'en avait jamais reparlé et les médecins consultés à l'époque, tous sans exception, avaient recommandé de ne pas insister.

C'est pourquoi, tous les dimanches durant des années, Ernest s'était rendu seul à l'hospice pour voir le bébé, puis le petit garçon, malgré le fait que les médecins l'assuraient qu'il perdait son temps puisque son fils Hubert ne semblait pas le reconnaître.

La naissance de Gérard, leur quatrième fils, n'avait rien changé à la situation, bien au contraire. À partir de ce dernier accouchement, Marie s'était mise à dépérir à vue d'œil.

— C'était comme si elle se refusait la joie d'aimer cet enfant-là après avoir abandonné notre petit Hubert… C'est tout ce que j'ai pu déduire devant son attitude. C'était catégorique: elle refusait d'être en présence de Gérard qui n'était alors qu'un nouveau-né. Personne n'a jamais rien compris de ce qui se passait dans la tête et le cœur de mon épouse. En quelques mois, tout était fini et je portais Marie au cimetière. Elle s'est laissée mourir, j'en suis convaincu. Je vous jure, Gilberte, que ce fut le moment le plus pénible de ma vie. Je l'ai tant aimée, si vous saviez…

Puis la vie avait repris comme avant.

— Avais-je le choix? demanda-t-il, prenant cette fois Gilberte à témoin en la dévisageant intensément. Les garçons, eux, continuaient de grandir et, compte tenu des circonstances, ils avaient doublement besoin de leur père. J'ai vite compris que malgré tout ce que je vivais, il fallait que ce père soit encore capable de rire, voyez-vous.

Après le décès de son épouse, le seul changement notoire qu'Ernest avait choisi d'apporter à leur vie familiale avait été que, dorénavant, ils seraient quatre à rendre visite au jeune Hubert tous les dimanches.

— André et Raymond étaient si jeunes à la naissance d'Hubert qu'ils ne savaient même pas qu'ils avaient un frère! C'est vous dire à quel point cet événement avait été passé sous silence.

Quant à Gérard, comme il n'était qu'un bébé au décès de sa mère, il avait toujours considéré Hubert comme étant son grand frère, malgré son lourd handicap.

— Pour nous quatre, eh bien, Hubert était Hubert ! Un jeune qui ne parlait pas, qui semblait méfiant ou indifférent, selon ses humeurs, mais qui, en même temps, savait rire à l'occasion, et se fâcher à d'autres. Et malgré tout ce que les médecins en ont toujours dit, je reste persuadé qu'il nous reconnaît, ses frères et moi. Je le vois dans ses yeux… Puis, un matin de juin, l'été dernier, alors que j'étais venu vous saluer, chère Gilberte, j'ai eu la chance inouïe de faire la connaissance de Germain.

Il lui avait été facile alors de comprendre que son fils et ce Germain capable de s'exprimer et de réfléchir étaient atteints du même syndrome : même faciès particulier, même démarche oscillante, mêmes membres courts, mêmes gestes malhabiles…

— Malgré cela, Germain fonctionne normalement, pardi !

Ce cri du cœur, Gilberte le reçut comme un appel à l'aide qui la toucha au-delà de tout ce qu'elle aurait pu imaginer. Après tout, ce jeune Hubert n'était qu'un étranger pour elle, mais un étranger qui faisait partie de la vie d'Ernest…

Un étranger qui ressemblait à son Germain qu'elle aimait tant.

Alors la tristesse ressentie fut réelle, même si les mots pour l'exprimer lui faisaient défaut. Le temps d'un très bref silence, car l'intensité de cet instant fut aussi volatile que celle d'un parfum de prix, et Gilberte vit son ami se recroqueviller sur lui-même.

— Si vous saviez tout le regret que j'ai ressenti ce matin-là.

Ernest Constantin avait repris la pause du début de cette conversation : épaules voûtées, il appuyait ses avant-bras sur ses cuisses et il frottait machinalement ses mains l'une contre l'autre.

— Un intense regret, reprit-il, que je continue de connaître jour après jour quand je regarde Germain... Si j'avais tenu tête au médecin, si j'avais écouté mon cœur, on n'aurait probablement jamais placé Hubert et peut-être que Marie se serait surprise à l'aimer comme les autres. Peut-être... Voyez-vous, Gilberte, cette incertitude continuera d'assombrir ma vie jusqu'à mon dernier souffle. Comme une ombre indésirable, menaçante, qui me rappelle inlassablement que je n'ai peut-être pas été un père à la hauteur. En fait, je ne sais trop ce que le médecin a pu raconter à ma femme dans le secret de la chambre lors d'un examen, mais il m'a toujours conseillé de ne plus jamais parler de cet enfant-là avec elle, au risque de la voir dépérir encore plus. Je n'y connaissais rien, ses propos m'ont affolé, alors j'ai obéi, vous comprenez ?

— J'aurais peut-être fait pareil, murmura Gilberte qui savait pertinemment que si son beau-frère avait insisté, avec l'autorité du père qui était la sienne, probablement que Germain aussi aurait été placé...

À cette supposition, Gilberte secoua vigoureusement la tête, comme dans un grand geste de refus.

— Mais tout ce que vous venez de dire, Ernest, poursuivit-elle, ça m'explique pas ce que mon Germain a à voir dans le fait d'aller à Québec. Je suis ben prête à vous aider, à aider votre fils, mais je vois pas pantoute comment je pourrais…

— En venant rencontrer le médecin qui suit Hubert depuis sa naissance, déclara Ernest avec fermeté. Voilà comment Germain et vous pourriez nous aider, Hubert et moi.

Ernest Constantin s'était redressé et, à nouveau, il fixait Gilberte avec insistance.

— S'il vous plaît !

Devant tant de détermination, Gilberte ressentit de nouveau la gêne du début de la soirée.

— Ben voyons donc, argumenta-t-elle, à court de mots… Moi ? Parler à un docteur ? J'ai rien fait de spécial, moi là, à part m'occuper de Germain comme j'aurais pu le faire avec mes enfants si le Bon Dieu avait voulu que j'en aye… Pis ça a pas été ben ben dur rapport que je l'aime ben gros, cet enfant-là. Ben ben gros…

Si la perspective d'un voyage à Québec avait semblé emballante à première vue, savoir qu'elle pourrait s'y rendre, non plus pour le plaisir mais bien pour y rencontrer un médecin afin de lui raconter sa vie, la rendait affolante.

— Non, répéta-t-elle avec un certain aplomb dans la voix, je vois pas pantoute ce que je pourrais y dire de plus, à votre docteur, mon pauvre Ernest. C'est lui qui connaît ça, les enfants comme mon Germain, pas moi.

— Et si moi j'ajoutais que « mon docteur », comme

vous dites, ne m'a pas cru quand je lui ai affirmé que j'avais rencontré un attardé comme mon fils Hubert, n'ayons pas peur des mots, et que cet homme-là parlait et s'occupait de lui-même avec une relative aisance ?

— Ben là… Votre docteur croyait pas ça, lui ? Quand même… Si lui en a jamais vu, c'est pas une raison pour mettre votre parole en doute. Voyons donc ! Pourquoi vous diriez pas la vérité, Ernest ? Vous êtes pas un menteur… Ça se peut quasiment pas, ça là.

— C'est la stricte vérité, Gilberte. Le docteur Girard ne m'a pas cru quand je lui ai affirmé que Germain menait une vie presque normale. Il disait que c'était impossible parce que les gens atteints de démence mongoloïde n'étaient que des enveloppes sans âme, incapables de raisonnement.

Les mots étaient durs, et Gilberte les reçut en elle comme une gifle en plein visage.

— M'en vas y en faire moi, à votre docteur, des incapables de jugement. C'est quasiment insultant, ça là. Voir que mon Germain est pas capable de penser par lui-même. À sa manière, ben entendu, mais il pense pareil !

Gilberte fulminait, choquée, blessée, et les mots qu'elle crachait n'étaient qu'une pâle copie de la colère qui l'habitait.

Puis brusquement, ce fut comme si le passé la rattrapait, emmêlé aux mots, suggéré par eux, imprimant dans sa tête une foule de souvenirs avec une clarté étourdissante.

Gilberte se tut, ébranlée.

Venue d'un autre monde, lui semblait-il, elle entendit

la voix catégorique du médecin qui avait assisté à la naissance de Germain affirmer avec aplomb que ce bébé-là ne serait qu'un fardeau pour ses parents, pour toute la famille.

Quelques jours plus tard, c'était la voix de Lionel, désolée, qui confirmait le tout.

— Vaudrait mieux le placer, avaient-ils dit tous les deux. C'est triste à dire, mais c'est à peine s'ils ont conscience d'exister.

Et qu'est-ce qu'elle avait alors fait, Gilberte Bouchard ?

Dans un premier temps, la tante de Germain avait acquiescé à ce discours. Voilà ce qu'elle avait fait. Le cœur dans l'eau, soit, l'âme déchirée, d'accord, mais elle avait quand même plié l'échine.

Qui était-elle, cette femme sans instruction, pour oser contredire deux médecins bardés de diplômes ? C'est ce qu'elle avait sincèrement cru, après avoir entendu leur diagnostic, et elle avait plié. Tout comme Ernest l'avait fait de son côté.

Pourquoi, alors, le jour suivant, Gilberte s'était-elle acharnée au point de mettre toute sa vie en veilleuse ? Car c'est exactement ce qu'elle avait fait en proposant de travailler à l'hospice : elle avait délibérément tracé une frontière dans son existence. Bien nette, bien définie. Pour elle, il y aurait désormais l'avant Germain et l'après Germain.

Pourquoi avait-elle fait ça ? À l'époque, elle ne s'était même pas posé la question. Tout était allé trop vite.

Gilberte n'eut pas besoin de fermer les yeux pour faire remonter le souvenir. Elle revoyait clairement le bureau de la mère supérieure qui ne voulait pas d'un bébé à l'hospice. Elle ressentait encore son affolement devant l'inconnu, et elle entendit de nouveau la proposition subite et irréfléchie qu'elle avait faite : si elle, Gilberte Bouchard, donnait de son temps aux malades de l'hospice, accepterait-on qu'elle vive à l'hospice et qu'elle garde le nouveau-né avec elle ?

Et on avait dit oui.

La réflexion de Gilberte s'était alors arrêtée sur cette acceptation qui avait l'allure d'un miracle. On ne discute pas les miracles, n'est-ce pas ?

Mais ce soir, devant le fait accompli, son ami Ernest l'obligeant à faire face aux décisions les plus importantes de sa vie, qu'avait-elle envie de dire, cette même Gilberte Bouchard ?

Que c'était par crainte de se retrouver seule qu'elle avait choisi de plonger tête première dans l'inconnu ?

Sourcils froncés, toute tournée vers son passé, Gilberte essayait de se souvenir avec le plus d'honnêteté possible. Par sa confession, Ernest l'obligeait à se remettre en question ; l'aide que Gilberte pourrait apporter à son ami passait probablement par là. Elle irait donc au bout de sa réflexion, quel qu'en soit le prix. Elle n'avait pas senti le besoin de le faire jadis, mais ce soir, c'était différent.

Alors oui, pourquoi avait-elle décidé de consacrer sa vie à Germain ?

Peut-être bien, après tout, que la peur d'une vie sans attache, sans autre but que celui d'aider les gens autour d'elle, avait grandement pesé dans la balance. C'était fort possible, Gilberte en était consciente.

Mais qu'importe ?

Jusqu'à ce soir, elle ne s'était jamais réellement questionnée sur le sujet. La vie allait devant elle comme un chemin se rend de soi jusqu'à la ligne d'horizon. Avec quelques courbes, des zones ombragées et des pierrailles parfois qui rendent la promenade plus laborieuse. Voilà comment Gilberte avait toujours imaginé la vie, la sienne comme celle des autres. C'était un long chemin entre la naissance et la mort. Pourquoi alors perdre son temps en vaines questions ? Suffisait de suivre la route tracée devant soi par Dieu.

Et c'est ce qu'elle avait fait.

Brusquement, Gilberte n'avait plus tellement envie de réfléchir à tout ça. L'exercice ne mènerait à rien, d'autant plus qu'elle était heureuse avec Germain et Célestin.

Un fait demeurait, cependant : si on n'avait pas accepté qu'elle vive à l'hospice avec Germain après sa naissance, si on avait refusé qu'elle s'en occupe elle-même, jamais elle n'aurait pu l'abandonner.

Ni là, ni ailleurs, ni hier, ni aujourd'hui.

Cette évidence était ancrée dans les recoins les plus intimes de son âme et de toutes ses convictions. Pourquoi chercher autre chose ?

Devant cette certitude, Gilberte soupira de soulagement. C'était ce qu'elle avait toujours cru par instinct et, en ce moment, elle comprenait que cet instinct ne l'avait pas trompée : le geste qu'elle avait fait autrefois l'avait été en toute liberté et par amour.

Voilà pourquoi, depuis, elle ne l'avait jamais regretté.

D'un coup, tout devenait limpide pour Gilberte : nul

doute qu'elle avait agi par amour, et ce n'était toujours pas sa faute si, dans tout geste d'amour, il y avait aussi une part d'égoïsme.

Ainsi va la vie !

Gilberte se tourna alors vers Ernest qui, de son côté, espérait une réponse positive même s'il avait respecté ce long moment d'intériorité.

— D'accord, Ernest, annonça Gilberte d'une voix posée, sereine. Germain pis moi, on va essayer de vous aider. Je sais pas trop c'est quoi le but que vous poursuivez mais, dans la mesure du possible, on va être là. On va y montrer à votre docteur que mon Germain sait penser. J'aurais juste une condition, par exemple.

— Laquelle ?

— Oh, c'est ben simple ! C'est Germain lui-même qui va décider… Va falloir en premier lieu qu'il soye d'accord pour faire un voyage, pis ça, c'est pas gagné. Va falloir aussi qu'il accepte l'idée de rencontrer un inconnu. Pis ça non plus, laissez-moi vous dire que c'est pas gagné d'avance. Mais j'y tiens. Faut que ça soye ben clair pour tout le monde : mon garçon, c'est pas une bête curieuse ou une étrangeté de la vie qu'on peut exhiber à tout un chacun. Pis malgré ce que les docteurs en disent, il est capable de décider tout seul, ça j'en suis sûre. Ça fait qu'on va prendre le temps qu'il faut, mais le jour où on va partir pour Québec, si on part, ça va être parce que Germain a ben compris, à sa manière à lui, c'est quoi qu'on s'en va faire là. C'est ça, ma condition. Si vous êtes d'accord avec ma manière de faire, Ernest, toute ce qui me reste à ajouter, c'est que j'ai ben hâte de faire la connaissance de votre garçon Hubert. Ouais, ben hâte. On sait jamais, peut-être ben que mon Germain pis lui, ils vont devenir des amis. Qu'est-ce que vous en pensez ?

CHAPITRE 15

En Normandie, le vendredi 7 août 1942

Chez Madeleine et François Nicolas

La cave de François Nicolas était devenue un point stratégique, un point de ralliement. On y avait installé un poste de réception à ondes courtes et, depuis, tous les soirs, différents messages leur parvenaient en direct de Londres ou d'ailleurs en France.

Petit à petit, François s'était habitué au langage codé. Son ami René aussi. Certaines phrases revenaient, certains mots avaient leur définition propre. Ils se partageaient la tâche et, parfois, Françoise s'en mêlait.

— C'est pour mon Rémi, disait-elle quand elle prenait le relais d'un homme épuisé, ou occupé à autre chose, ou encore quand elle se joignait à eux pour tenter de comprendre ce qu'on avait essayé de leur dire. C'est pour lui que je fais cela.

Malgré des apparences que Françoise disait trompeuses, malgré les regards consternés qui se croisaient derrière elle et les confidences navrées qui s'échangeaient à voix basse, la jeune femme gardait la foi.

Elle le faisait pour Nathan.

Elle le faisait pour ne pas devenir folle.

De son côté, Brigitte l'aidait en ce sens et de son mieux, car elle aussi, elle avait gardé confiance.

Un homme ne peut pas couler à pic comme un bateau, disait-elle. Il laisse certaines traces. Si Rémi était mort, on l'aurait su.

— Alors l'explication viendra à son heure, Françoise. J'en suis persuadée.

Les deux femmes en parlaient chaque fois qu'elles se voyaient, ce qui arrivait assez régulièrement, car depuis ce premier voyage de Paris jusqu'en Normandie, lorsque Brigitte avait accompagné Bertha, Klara et Anna Reif, les allers-retours entre les deux endroits s'étaient succédé, pour ne pas dire multipliés.

— Une marraine, précisait-elle avec un joli sourire discret. Je suis devenue marraine après avoir perdu mon emploi de blanchisseuse. C'est un joli nom pour un travail, vous ne trouvez pas? Marraine... Si je viens ici à partir de Paris, c'est à titre de marraine de Nathan Chaumette, mon filleul. Après tout, il doit apprendre à me connaître... Puis, je suis une sorte de marraine pour tous les autres, ajoutait-elle quand les circonstances le permettaient.

La décision s'était prise d'elle-même, sans la moindre discussion, au moment où Brigitte avait rencontré le jeune policier français devant la blanchisserie désertée. Ce matin-là, quand elle avait rebroussé chemin, elle s'était dit qu'elle devait agir. Ne serait-ce que pour entretenir le souvenir de Jacob Reif, l'homme le plus courageux qu'elle ait rencontré. Ne lui restait plus qu'à prévenir madame Foucault des derniers changements apportés à une situation déjà plutôt précaire, et le prétexte d'être une nouvelle chômeuse la servirait fort à propos en ce sens.

— Madame Foucault !

La cuisine était maintenant la seule pièce de la maison régulièrement utilisée. Brigitte y avait donc dirigé machinalement ses pas, au retour de la blanchisserie, en ce matin du 18 juillet. Normalement, à cette heure de la journée, c'était là qu'elle devrait retrouver sa logeuse.

— Pour le loyer, avait-elle lancé en guise d'introduction à tout ce qu'elle souhaitait dire, je voudrais vous dire que…

— Qu'est-ce qu'il a, le loyer ? avait coupé la vieille dame ronchonneuse, sans même lever les yeux du travail de reprisage qu'elle effectuait. Il ne vous convient plus, jeune fille, ce loyer ? Ma modeste maison n'est plus assez bien pour vous ?

— Ça n'a rien à voir.

— Ben va falloir m'expliquer, parce que moi, je ne comprends pas.

— C'est pourtant fort simple.

Au fil des quelques mots échangés, la voix de Brigitte était devenue chevrotante, ce qui avait incité Simone Foucault à lever la tête, intriguée. Elle s'était alors heurtée à un regard noyé dans l'eau.

— Mince alors !

Les deux mains fermement appuyées sur la table, la logeuse de Brigitte s'était levée sans tarder. Nul besoin d'un dessin pour comprendre ce qui se passait.

— Asseyez-vous. J'ai du thé chaud, ça va vous faire du bien.

La jeune femme avait obéi comme une enfant, sans s'obstiner. Puis, quelques instants plus tard, tout en déposant une tasse devant Brigitte, la vieille dame avait demandé, sans que ce soit une réelle question :

— Alors, ça y est, n'est-ce pas ? Votre patron a été emmené ?

La gorge nouée, Brigitte s'était contentée d'un bref hochement de la tête en guise de réponse. Tout le ferme propos contenu dans l'intention de faire sa juste part afin de voir aboutir cette guerre insensée, alors qu'elle échangeait quelques propos à double sens avec le policier devant la blanchisserie, toute cette bonne volonté, aussi sincère fut-elle, s'était évaporée. Dans l'âme de Brigitte comme dans son cœur, il ne restait plus qu'un immense désarroi, une profonde tristesse.

Jacob Reif, le si aimable Jacob Reif, son patron, avait été emmené.

Dans un geste tout à fait inattendu, madame Foucault avait alors tapoté maladroitement la tête de Brigitte avant de regagner sa place à l'autre bout de la table.

— Si tel est le cas, avait-elle prononcé d'une voix toute en aspérités qui camouflaient commodément ses propres émotions, j'en déduis que vous n'avez plus d'emploi, d'où votre souci pour le loyer. Ai-je raison ?

Madame Foucault avait repris son ouvrage, et l'aiguille s'affairait, piquant adroitement la laine d'une chaussette trouée ; la vieille dame n'avait pas vraiment besoin de se concentrer sur ce qu'elle faisait. Du coin de l'œil, elle observait donc Brigitte. De nouveau, il n'y eut qu'un bref signe de tête pour confirmer qu'évidemment, elle avait raison.

— Décidément, l'émotion vous coupe les mots, ma

pauvre fille, constata la vieille dame, reportant brièvement les yeux sur son ouvrage. Tant pis. Je parlerai pour deux, j'ai l'habitude. Si on fait abstraction du loyer que vous ne pourrez plus payer dans l'immédiat, auquel cas on finira bien par s'habituer, je présume, je comprends que, dorénavant, vous aurez le loisir d'occuper le temps à votre guise, n'est-ce pas ?

— Oui, avait murmuré Brigitte d'une voix cassée. On peut le voir ainsi, en effet.

— À la bonne heure. Ainsi, vous êtes une femme libre. C'est précieux, jeune fille, par les temps qui courent. En êtes-vous consciente ? Le mot liberté a tellement de charme, vous ne trouvez pas ? Alors, profitez-en ! Et si on parlait de ce cours de secrétariat que vous vouliez suivre ?

Cette fois, il y avait eu un vague haussement d'épaules précédant un profond soupir sans que Brigitte n'émette le moindre commentaire.

— Oh là ! rétorqua madame Foucault. On ne peut pas dire que ce soit l'euphorie... Mais je peux très bien comprendre.

L'aiguille piquait dans la laine, tirait le fil à repriser, repiquait dans la laine, tandis que la vieille dame dodelinait de la tête.

— Moi, vous savez, avait-elle enchaîné de sa voix de crécelle, être obligée de passer mes journées à piocher sur une machine bruyante pour un patron exigeant... Peuh !

L'aiguille piquait et tirait le fil de plus belle.

Puis, Simone Foucault s'était arrêtée brusquement, le long fil à repriser gris acier pendouillant entre la chaussette et sa main.

— Mais alors, si vous ne prenez pas le chemin des écoliers, qu'allez-vous faire de vos journées, jeune fille? J'aime bien votre compagnie, ne vous méprenez pas sur mes propos, mais de là à vous avoir dans les pattes à longueur de semaine…

Alors Brigitte avait parlé de sa rencontre avec le policier.

— Si j'ai bien compris, c'est grâce à lui si Bertha et ses filles ont pu quitter Paris à temps. Le message dont je vous avais parlé, de toute évidence, était de lui… De même que la charrette et le conducteur. Si monsieur Reif avait bien voulu m'écouter aussi et fuir avec sa famille…

Le temps d'un regret sincère, intense, puis, un peu plus tard dans la conversation, Brigitte avait ajouté:

— J'ai dit à ce policier que je serais devant la blanchisserie tous les matins. Si jamais on avait besoin de moi…

À cela madame Foucault avait répondu qu'elle était peut-être âgée, mais qu'elle n'était ni manchote ni gâteuse.

— Et ma maison, bien que modeste, est tout de même assez grande. Vous avez le droit d'en parler autour de vous. Si vous croyez que ça peut servir.

Ce fut ainsi, à la toute fin de la semaine suivante, qu'il y avait eu un second voyage vers la Normandie, voyage au bout duquel Brigitte s'était encore une fois présentée à la porte des Nicolas avec, cette fois, une mère et son fils, tous deux de nationalité juive polonaise.

— Notre petit village sans histoire et sans intérêt majeur se prête bien à la chose, n'est-ce pas?

Ces mots avaient été prononcés par François Nicolas, à la veillée, aussitôt approuvés par André Constantin qui, depuis peu, avait offert de l'aider sans la moindre hésitation.

— Tant qu'à être coincé ici, on va se rendre utile, avait-il allégué. Après tout, c'est pour ça que je suis venu du Canada. Pour vous aider. Le jour où on trouvera moyen de me rapatrier en Angleterre, on avisera. En attendant, si vous avez besoin de moi, je suis à votre disposition.

C'était une réalité incontestable, et André Constantin fut surtout très utile. Il parlait indifféremment et avec autant d'aisance l'anglais et le français. De ce fait, il fut décrété que sa place se trouvait devant le poste de radio.

— Vous prenez les messages, on vous aide à bien décrypter et on agit en conséquence par la suite.

Ce fut ainsi qu'en haut lieu, là-bas à Londres, on décida qu'André Constantin resterait en France. Pour le moment. Il serait un de ces jalons inconnus, anonymes mais essentiels, utilisés dans cette lutte dirigée à distance.

— Maintenant que je sais vraiment où j'en suis, je vais écrire à mon père. Il me sait vivant, on me l'a confirmé, mais c'est à peu près tout. Il y a aussi mon frère Raymond, stationné depuis peu en Angleterre. À lui aussi, je vais écrire.

Ce tout petit village en banlieue de Falaise était ainsi devenu un relais pour ceux qui cherchaient à fuir vers la France libre : des Juifs, en famille ou seuls ; des Canadiens parachutés qui devaient rentrer à Londres, ou des Anglais abattus qui avaient survécu et qu'on venait chercher la nuit sur une plage non surveillée…

Au village, il y eut des rencontres, des discussions et on s'organisa.

On connaissait les risques, on n'en tint pas compte.

C'était un tout petit village, n'est-ce pas, où tout le monde connaissait tout le monde, alors on se serra les coudes.

On avait peu de chose, mais on trouva moyen de partager : nourriture, vêtements, quelques pièces…

Une jeune secrétaire de Falaise, une certaine Martine surnommée Mati, jeune femme plutôt adroite dans l'art de l'écriture et de la confection des papiers officiels et surtout fiancée à un typographe allergique à tout ce qui venait de l'Allemagne, pouvait fournir de « vrais faux papiers » au besoin, pour ceux qui fuyaient vers un ailleurs qu'on souhaitait toujours meilleur.

— Bien qu'avec le gouvernement de Vichy, pour les Juifs, à tout le moins, la France libre, ça ne veut rien dire… Regardez ce qui s'est passé à Paris ! C'est toujours bien la milice française qui a arrêté tous ces pauvres gens, sous les ordres de Vichy ! Non, plus question de se contenter de la France libre. Mon instinct était le bon : on va continuer de chercher plus loin, en dehors du pays. C'est plus difficile, plus long et de ce fait plus risqué. Mais une fois arrivé à destination, c'est tellement plus sûr.

Souvent, François Nicolas prenait lui-même le relais de Brigitte qui, elle, venait de Paris parfois seule, parfois avec son marchand de farine, toujours aussi taciturne. En voiture, en calèche, en charrette. Tous ces anciens moyens de transport avaient été ressortis des hangars et des garages puisque l'essence était rationnée, voire réquisitionnée par les Allemands.

François Nicolas disait que s'il s'investissait autant, c'était à cause de son métier.

— Forcément! Je connais des gens partout. Jusqu'à Bordeaux, s'il le faut, précisait-il. Pour ceux qui repartent par la mer, ça peut servir. Même si les Allemands étendent leurs tentacules jusque-là, les plages y sont moins bien surveillées qu'ici. Du moins, c'est ce qu'on dit. De plus, en cas de besoin, j'ai réussi à obtenir les permissions nécessaires pour passer mon produit à la frontière entre les deux France… J'ai tous les papiers pour « exporter » mon calva. Exporter à Vichy ou à Lyon… C'est totalement ridicule.

Ce qu'il n'avait jamais dit, cependant, c'est que lui aussi possédait de « vrais faux papiers ». C'était une façon de garder sa famille à l'abri des représailles si jamais il se faisait arrêter.

Toutefois, Madeleine n'avait pas besoin de le savoir, tout comme François ne savait pas que sa femme n'était pas dupe. Si elle faisait semblant de croire à sa version des choses, elle savait fort bien que si son mari s'engageait ainsi, c'était pour l'indiscutable raison qu'il était français, bien avant d'être négociant en calvados.

Demain, justement, François prendrait la route pour rencontrer quelqu'un au Mans, qui lui connaissait quelqu'un à Bourges, ville située pratiquement sur la nouvelle frontière qui, lui, connaissait quelqu'un en zone libre…

On leur avait demandé de changer de trajet même si,

jusqu'à maintenant, tout semblait bien se passer.

— C'est peut-être plus en aval que ça va moins bien, allez donc savoir ! Chacun pour soi. Moins on en sait et mieux ça vaut, avait grommelé René, un peu frustré de se sentir utilisé parfois comme un pion. Pourvu qu'on finisse par arriver en zone libre.

Une fois de l'autre côté de la frontière, ça dépendait. C'était autre chose que de vivre en zone libre, un peu comme arriver dans un autre monde. En principe, on était libre de ses mouvements, justement, du moment qu'on avait des papiers en règle et qu'on les gardait toujours avec soi.

Dans la réalité, toutefois, il en allait souvent autrement.

C'est pourquoi plusieurs ne faisaient pas confiance à cette prétendue zone libre. Alors, pour certains, comme destination finale, il y avait la Suisse, et pour d'autres, c'était le franc sud de la France, pas trop loin des frontières italiennes ou espagnoles. Parfois, on choisissait carrément l'Italie parce que les chemises brunes des troupes de Mussolini étaient moins strictes que les SS d'Hitler, puis restait l'Espagne en dernier recours, difficilement accessible, car on devait traverser les Pyrénées. Passer par la Normandie n'était ainsi pas de tout repos et surtout pas plus court. Au contraire, c'était tout un détour quand on partait de Paris ou des régions du Nord, mais comme personne ne pouvait se douter que leur petit village était devenu un point de départ parmi tant d'autres vers une certaine liberté, c'était plus sûr.

On ne se méfiait pas, du moins pas encore, le « on »

faisant ici référence à la milice, aux troupes allemandes, aux vigiles, aux policiers français... Il y en avait de plus en plus, de toutes allégeances.

— Pétain s'est vraiment rallié, entendait-on souvent râler.

Toutefois, d'aucuns disaient encore que Philippe Pétain allait ainsi sauver la France, mais ils étaient de plus en plus nombreux à grogner. Comme au village qui avait choisi de combattre à sa façon, même s'il se sentait parfois un peu loin de tout. Néanmoins, comme l'avait dit une dame âgée, la semaine précédente, en s'adressant à François:

— Plus long? Vous dites que passer par chez vous est plus long, mon bon monsieur? Et alors? Je vous répondrai que c'est sans importance. J'ai tout mon temps! Voyez-vous, plus personne ne m'attend nulle part...

— Personne?

— Non, personne, à l'exception d'une sœur un peu plus jeune que moi. Une fameuse tête dure, celle-là, je ne vous dis que cela! Quant au reste...

La vieille dame au visage flétri avait fermé les yeux un instant, et François Nicolas avait cru voir les rides se creuser un peu plus, tandis qu'elle semblait s'enfoncer dans ses souvenirs.

— C'est moi qu'ils auraient dû emmener l'autre nuit, avait-elle finalement murmuré, sans ouvrir les yeux. Pas mon fils et sa famille.

Puis elle avait laissé échapper un long soupir tremblant, et elle était revenue à François.

— Mais je n'étais pas à la maison, voyez-vous. J'étais

chez ma sœur à l'autre bout de la ville, et on n'a pas été incommodées. Ni elle ni moi. N'empêche qu'elle n'aurait pas dû faire confiance à ce qu'elle a appelé sa bonne étoile... Sa bonne étoile, quelle dérision! Elle est jaune, notre étoile, et elle n'est pas bonne du tout. Voilà ce que j'en pense, et ma sœur aurait dû me suivre. Point à la ligne! Mais elle n'en fait toujours qu'à sa tête, la vieille mule. Moi, je suis plus raisonnable. Sans doute parce que je suis l'aînée. C'était ce que ma mère disait, dans le temps: Michla est la plus sage parce qu'elle est l'aînée.

Elle avait l'air si déterminée, cette grand-mère, alors qu'elle était pourtant beaucoup plus proche du terminus que du point de départ, il y avait un éclat si farouche dans son regard que François avait eu envie de s'incliner devant elle. Malgré les rides et le grand âge, malgré la fuite qu'elle s'était imposée et la perte de tous les siens, elle transpirait du désir de vivre!

François Nicolas pensait à elle avec émotion, avec respect, quand Brigitte fit son apparition en haut du sentier menant à la maison.

— Elle arrive!

Cette fois, il n'y avait que deux petits garçons avec elle. L'air perdu, effarouché, ils avaient, tous les deux, un même regard effroyablement triste.

Ce fut André, le premier, qui se dirigea vers eux. Dès la fin du repas, il s'était mis à surveiller la route depuis la fenêtre, sans trop savoir si quelqu'un se présenterait puisque la plupart des arrivées se faisaient à l'improviste. Néanmoins, tous les soirs, il s'installait ainsi pour surveiller la route et la cour de la ferme avant de reprendre sa place à la cave, devant le poste de radio, jusque tard dans la soirée. Aussi, dès qu'il aperçut la vieille auto, probablement ressortie du fond d'un garage parisien, il se précipita à la rencontre de Brigitte.

— Que deux gamins, aujourd'hui, annonça cette dernière, d'une voix épuisée, alors qu'elle ouvrait la portière pour libérer deux jeunes enfants qui semblaient aussi chétifs et méfiants que des petits chats de gouttière. Ils ont trois et quatre ans. Joshua, le plus vieux, et Jehuda, le plus jeune. Ils n'ont pas dit un mot de toute la route. Que des signes pour m'expliquer ce qu'ils voulaient, et encore fallait-il que je pose des questions ! Je crois qu'un bon repas ne leur fera pas de tort…

Tout en parlant, Brigitte s'affairait autour des gamins, les rassurait d'un sourire, rassemblait trois ou quatre paquets contenant tous les effets qu'ils avaient pu emporter. Quand elle leva enfin la tête, elle se heurta au regard inquisiteur d'André, alors elle ajouta :

— C'est une voisine qui s'est inquiétée quand elle a compris que les parents ne reviendraient pas du travail. C'était avant-hier, je crois… Ce qui s'est passé exactement, on l'ignore, sauf qu'on s'en doute un peu. Personne n'a osé se rendre aux nouvelles à Drancy… Ni même à l'usine où ils travaillaient. S'il fallait qu'on remonte jusqu'aux petits à cause de cela… Hier matin, on m'a demandé si je pouvais m'en occuper, et me voilà, puisque la voiture était disponible et que, pour une fois, on avait un coupon pour l'essence. Je crois qu'ils seront bien mieux ici qu'à Paris, même si ma logeuse était prête à les garder.

— Je connais quelqu'un, fit alors François venu à leur rencontre, suivant ainsi André de peu. Quelqu'un qui pourra voir à eux un long moment, s'il le faut. Allez, entrez… Il y a de la soupe pour tout le monde. J'ai tué une poule, ce matin, et le jardin regorge de légumes. Ces derniers mois, une chaudronnée de soupe frémissait en permanence sur la plaque arrière de la cuisinière de Madeleine Nicolas. Au cas où…

Repus, les deux gamins tombèrent comme des souches dès le repas terminé tandis qu'André était déjà dans la cave. François, et René qui venait d'arriver, durent les porter jusque dans une chambre, à l'étage.

— Je vais demander à ce que l'on joigne Mati, déclara René lorsqu'il fut redescendu à la cuisine. Si ces deux mioches veulent avoir une vie normale malgré tout ce bouleversement, il leur faut des papiers. Même à nous, bordel, on les demande de plus en plus souvent. C'est comme si on était des intrus dans notre propre patelin.

— J'ai quand même leur nom de famille, le nom de leurs parents et leur adresse à Paris, précisa Brigitte… Bien que pour l'instant, ça ne servirait pas à grand-chose, n'est-ce pas ? Mais je vais les garder, pour plus tard, sait-on jamais… Les parents finiront bien par revenir, non ?

Brigitte, René et François échangèrent un regard sans oser se prononcer, mal à l'aise. Il se disait tant de choses sur ces camps de travail dont personne n'était jamais revenu.

Personne.

Mais la guerre n'était pas finie. Alors…

On passa à autre chose. On parla de Paris et de ses

manifestations. On parla des restrictions et des coupons de rationnement, puis Brigitte déclara qu'elle était fatiguée et qu'elle voulait causer un moment avec ses parents avant la nuit.

Le lendemain, très tôt le matin, Brigitte se fit un devoir de venir embrasser son filleul et Françoise avant de retourner à Paris, comme elle le faisait à chacun de ses voyages. Cette fois, il y aurait aussi deux enfants à rassurer avant de partir.

Quand elle entra dans l'immense cuisine des Nicolas, seul André était installé à la table en train de manger.

— Où sont les autres ?

— Partis... Françoise et sa mère sont au verger, la cueillette commence bientôt et il y a beaucoup de travail. Quant à François, il est au village avec les deux garçons.

— Ah !

Brigitte avait l'air déçu.

— J'aurais voulu tous les embrasser avant de partir. Les mioches, surtout. Ils doivent se sentir désemparés.

— Vous les verrez à votre prochain voyage ! Je ne crois pas qu'ils s'en aillent bien loin. Du moins, c'est ce que j'ai cru comprendre hier, quand François en parlait avec sa fille et René. Si j'ai bien compris, ils vont devenir les neveux d'une famille au village.

— Bien si c'est ainsi, je me reprendrai...

Sur cette promesse qu'elle pourrait facilement tenir, Brigitte regarda autour d'elle, déjà prête à changer de sujet, pressée qu'elle était de reprendre la route. Ces longs voyages entre Paris et la Normandie la rendaient nerveuse alors il lui tardait d'être arrivée chez madame

Foucault, en sécurité devant une soupe aux choux, en train de raconter son périple.

— Et Nathan, lui ? demanda-t-elle alors. Ne me dites pas qu'il a déjà commencé à travailler au verger !

À ces mots, André éclata de rire.

— On dirait bien ! En fait, c'est tout comme, parce qu'il suit sa grand-mère comme son ombre... En fait, s'il suit sa grand-mère, c'est bien parce qu'il a les jambes plus courtes, mais en réalité, je pense que c'est plutôt elle qui ne le lâche pas d'une semelle. Où elle va, Nathan suit !

— Eh ben... Françoise ne m'avait pas dit ça.

— Pourquoi en aurait-elle parlé ? Elle court du matin au soir, mademoiselle Françoise. Sans relâche. Avec son père souvent absent, elle n'a pas le choix de voir à tout. De la même manière que madame Madeleine, par ricochet, n'a pas le choix de s'occuper du petit Nathan.

— En effet... Dans ce cas, je fais un saut au verger pour saluer tout ce beau monde, et je repars. À bientôt, monsieur André. Il me...

— Un moment s'il vous plaît !

André avait repoussé son assiette et il était déjà debout.

— J'aurais un service à vous demander, mademoiselle Brigitte. Si vous voulez bien m'attendre un instant.

En quelques enjambées, André avait rejoint l'escalier et il montait à l'étage deux marches à la fois, pour en revenir quelques instants plus tard. De sa main droite, il tendit deux lettres.

— Je sais bien que l'enveloppe n'est pas la bonne, que l'armée exige qu'on utilise son papier officiel sous peine de voir nos lettres refusées, mais que voulez-vous que je fasse ? Tous mes effets sont restés en Angleterre.

Sur ce, André eut un petit rire.

— Il n'était pas du tout prévu que je m'écrase ainsi et que j'atterrisse sur un pommier…

Brigitte regarda les lettres avec une lueur d'incompréhension au fond des prunelles.

— Et qu'attendez-vous de moi ? demanda-t-elle en levant les yeux vers André. La poste du village n'est pas sur mon chemin, et je…

— Je sais où est la poste, interrompit André avec une pointe d'impatience dans la voix. Sans connaître vraiment votre village, on me l'a expliqué, et je l'imagine assez bien, mais je peux pas m'y présenter. En fait, je sors jamais d'ici. Je vais même pas au verger. Et laissez-moi vous dire que j'ai les jambes qui me démangent à rien faire comme ça… Mais ai-je le choix ? C'est pourquoi ces deux lettres-là, j'aimerais bien que vous les postiez à Paris. Les confier à la poste du village, ça serait comme envoyer un signal lumineux en pleine nuit et, voyez-vous, je tiens pas du tout à être repéré. D'aucune façon. Seul René et la famille Nicolas savent que je suis ici. Plus vous, plus quelques personnes en Angleterre, jointes par radio, et qui m'ont assuré avoir prévenu mon père et mon frère de pas s'inquiéter.

— C'est vrai. Désolée, je n'avais pas pensé à ça…

— Ça va… On peut pas toujours penser à tout… Alors, mes lettres ?

Brigitte leva les yeux vers André.

— Pas de souci, je m'en occupe, assura-t-elle d'une voix évasive.

Comme en filigrane aux quelques propos qui venaient d'être échangés, la jeune femme venait d'avoir une pensée pour son père qui vouait un véritable culte aux soldats canadiens. Elle entendait même sa voix qui répétait :

— J'ai peut-être laissé ma face dans cette satanée guerre, disait-il parfois, mais je suis toujours vivant, merde ! Et ça, c'est grâce à un petit Canadien qui a risqué sa vie pour moi, là-bas, à Amiens. Si Dieu le veut, un jour je leur rendrai la pareille !

Voilà certains des mots échappés par Maurice Lacroix quand il avait trop bu, car c'était uniquement dans ces moments-là qu'il parlait de la Grande Guerre, celle de 1914-1918. Des mots que Brigitte entendait depuis l'enfance. Elle jugea que le jour de la reconnaissance était peut-être venu.

— D'accord, je m'en occupe, de vos lettres, répéta-t-elle tout en secouant vigoureusement la tête comme il arrive parfois qu'on le fasse au sortir d'une intense réflexion et qu'on ait besoin de revenir rapidement à la réalité du moment. C'est ce que mon père voudrait que je fasse.

— Votre père ?

— Oui, mon père. Il a été gravement blessé lors de la Grande Guerre, et c'est grâce à l'un des vôtres s'il a eu la vie sauve. Alors, ce n'est que justice que je porte vos lettres jusqu'à la poste à Paris.

Esquissant un sourire malicieux, Brigitte ajouta :

— Si vous le désirez, à l'avenir, je serai la marraine de vos lettres.

Un fin silence flotta alors dans la cuisine, et André eut

l'impression que la jeune femme dont il admirait le courage depuis le tout premier jour où il l'avait rencontrée pourrait entendre les battements de son cœur, tant ils étaient forts et désordonnés.

Il se détourna, embarrassé par la découverte qu'il était en train de faire. Mais qu'étaient ces émotions extravagantes alors qu'on était en pleine guerre ?

N'empêche…

André inspira profondément.

Qu'importe la guerre. Il n'avait pas encore trente ans, la jeune femme était fort jolie, toute grande comme il les préférait, et l'occasion était trop belle pour pouvoir y résister.

André reporta donc les yeux sur Brigitte et, inclinant galamment la tête, il répondit :

— Je pourrais pas confier mon courrier à un plus joli facteur que vous, mademoiselle Brigitte. Mes lettres seront entre bonnes mains, j'en suis persuadé.

C'était bien la première fois que la grande Brigitte réagissait à un quelconque boniment et elle se mit à rougir comme un coquelicot.

Mais qu'est-ce que c'était que ça ? Une basse flatterie ?

Et qu'est-ce qui lui prenait tout d'un coup de se mettre à rougir comme une gamine prise en faute ?

Jamais, jusqu'à ce jour, les compliments n'avaient touché Brigitte Lacroix.

Car on parlait bien de baratin, n'est-ce pas ? De rien d'autre.

— D'accord pour être le facteur, confirma-t-elle précipitamment pour cacher son embarras.

Elle fit deux ou trois pas avant de tendre la main pour se saisir des lettres d'un geste vif.

— C'est comme si c'était déjà fait ! promit-elle en glissant les enveloppes dans un cabas de toile qu'elle portait en bandoulière à l'épaule gauche. Maintenant, vous allez devoir m'excuser, mais je file au verger. Je tiens à voir Françoise, je veux embrasser mon filleul et je suis déjà en retard. Au revoir, monsieur André.

CHAPITRE 16

Grenoble, dans l'est de la France, plus précisément à Échirolles, le mardi 11 août 1942

Dans un modeste appartement de deux pièces, sans salle de bain

Le voyage avait pris fin, le matin de la veille, aux portes de Grenoble, la capitale dauphinoise, située en zone libre. Par choix, purement et simplement, parce qu'on avait dit à Bertha, en cours de route, que les chemises brunes du duce étaient plus laxistes que les pointilleux nazis et qu'en cas de revirement de situation, Grenoble restait relativement proche de l'Italie, qui était la destination projetée.

— Au besoin, l'Italie est à côté, avait-on allégué. Grenoble n'est qu'à tout juste deux cents kilomètres de Turin.

— Alors, ça suffit, avait déclaré Bertha, au bord de l'épuisement. Vous dites que ça pourrait aller, dans cette ville ? Vous dites aussi que je pourrais y trouver du travail assez facilement ? Alors c'est ici que le voyage va s'arrêter. Terminus, tout le monde descend !

Bertha Reif, pour la première fois de sa vie, avait atteint la limite de son endurance et de sa patience. Pétrie d'inquiétude pour son mari dont elle n'avait aucune nouvelle puisque tout au long de son séjour en Normandie, Brigitte n'était pas revenue une seule fois, cela faisait maintenant près d'un mois qu'elle pinçait les lèvres pour taire ses angoisses, pour ne pas hurler son désespoir, et elle était exténuée.

Ce fut donc ainsi que mère et filles se retrouvèrent toutes trois à Échirolles, une banlieue ouvrière et industrielle de Grenoble.

Avant d'en arriver là, il leur avait fallu attendre plus d'une semaine dans le village des Nicolas afin d'obtenir les faux papiers qui, en principe, devaient leur ouvrir les portes de la liberté.

— Désormais, vous vous appelez Berthe Dumontier.

Bertha avait aussitôt affiché un air interdit. Toute une semaine à se ronger les sangs pour finalement se voir affublée d'un nom proche parent du sien ?

Elle avait jeté un regard sceptique à François Nicolas qui, lui, semblait plutôt satisfait du résultat et confiant en l'avenir.

— Plus le nom s'apparente au vôtre, et moins grand est le danger de vous compromettre.

Au bout du compte, François Nicolas devait avoir raison puisque, au cours des jours suivants, le nom choisi et la facture employée pour fabriquer cette fausse identité, avec photo et tampon officiel, bien entendu, n'avaient fait sourciller personne quand Bertha et ses filles avaient été obligées de montrer leurs papiers.

Par la suite, il y avait eu une autre longue semaine à revenir vers l'est, à descendre vers le sud, en voiture, en charrette et à pied. Marcher, encore et toujours marcher, d'un point à l'autre. Les filles n'en pouvaient plus.

— Oui, c'est ici que le voyage prend fin, avait alors signifié Bertha Reif d'un ton péremptoire, quand

Grenoble avait été en vue alors qu'on venait justement d'annoncer, une pointe de fierté dans la voix, que la ville était plutôt calme et sûre.

Une Bertha Reif qui, malgré tout, avait encore bien de la difficulté à se faire à l'idée de son nouveau patronyme, ce qui ajoutait grandement à l'angoisse ressentie quand elle pensait à Jacob qui, lui, n'avait de papiers que ceux donnés en toute légalité à la préfecture de Paris et qui spécifiaient qu'il était juif.

— Berthe Dumontier, chuchotait-elle souvent quand elle se savait à l'abri d'oreilles indiscrètes. Je m'appelle Berthe Dumontier et je suis française d'origine. Surtout ne pas l'oublier. Jamais.

Quant aux filles, elles s'appelleraient dorénavant Claire et Anne Dumontier. Bertha avait présenté la chose comme une sorte de jeu, espérant de tout cœur que ça serait ainsi plus facile pour elles de se faire à ces nouveaux noms. Les gamines, qui n'en étaient plus vraiment, bousculées qu'elles étaient par le quotidien difficile que la vie leur imposait, avaient vite compris que plus rien pour l'instant ne ressemblerait à un divertissement. C'était plutôt une course contre la montre qu'elles avaient entreprise à Paris, et si leur mère tenait absolument à y voir un jeu, celui du chat et de la souris serait le plus approprié. Cela, les filles de Jacob Reif l'avaient aisément compris, à l'aube du matin où elles avaient quitté Paris en catastrophe. Néanmoins, elles avaient fait semblant de croire leur mère qui prétendait jouer, puisque cela semblait lui faire plaisir.

Par ailleurs, leur français impeccable les mettrait

probablement à l'abri d'éventuelles suspicions. Du coup, le nouveau nom tenait la route et cela aidait grandement à la détente, rendant tout contact avec les autorités plus facile, plus naturel.

Vendôme, Vierzon, Mâcon, Lyon…

En quelques jours à peine, Bertha et ses filles avaient eu droit à un cours accéléré sur la géographie française. Enfin, ce fut Grenoble.

Le jour même de leur arrivée, elles rencontrèrent un certain Georges, un homme entre deux âges portant une moustache impressionnante qui tremblotait à la moindre parole.

— Tant que le danger restera aux limites de la zone libre, c'est tout juste ici, à côté, un peu plus loin, qu'il faut vous diriger.

Ce monsieur Georges était catégorique.

— Dans la région, même s'il faut vous méfier de la police de Vichy qui effectue des rafles de temps en temps, vous pouvez oublier la Gestapo. Pour l'instant, du moins. Je le répète: avec vos papiers, chez nous, vous devriez pouvoir vivre tranquilles.

Bertha avait été soulagée d'entendre que son choix était ainsi entériné. Elle n'aurait rien à regretter ou à se reprocher.

Dans l'heure, Bertha, Klara et Anna se retrouvèrent donc en banlieue de Grenoble, dans cette cité attenante aux usines de la viscose.

Échirolles…

La résistance, ici, était efficace.

Dès leur arrivée, elles furent prises en charge par un

jeune couple français, Estelle et Étienne. Ce dernier guiderait Bertha dans ce qui ressemblait, à ses yeux, à un dédale de tracasseries, elle qui, jusqu'à tout récemment, s'en était toujours remise à son Jacob pour ce genre de contrariétés.

— Échirolles est assurément le meilleur endroit pour trouver du travail et dégoter un toit, lui souligna Étienne, à l'instar de Georges. Aux usines de la viscose, on embauche tous les jours. Si vous avez des papiers en règle, ça devrait bien se passer. Suivez-moi !

Laissant Klara et Anna aux bons soins d'Estelle, Bertha, même épuisée, se fit donc un devoir de suivre Étienne en prêtant une attention toute particulière aux quelques explications qu'il lui donna : la viscose était cette soie artificielle que l'on tirait des fibres du bois. Découvert récemment, ce tissu faisait les délices des dames de la haute société.

— Des bourgeoises, comme le précisa Étienne, sur un ton de dédain, quand il parla de celles qui semblaient évoluer dans un monde parallèle, à l'abri de la guerre.

Bas fins, sous-vêtements soyeux…

Bertha partagea d'emblée le point de vue d'Étienne et leva les yeux au ciel. Comme si c'était là une priorité alors que, à peine un peu plus loin, les soldats mouraient sous les balles de l'ennemi et les gens crevaient de faim.

Qu'à cela ne tienne, il n'en fallut pas plus pour que Bertha arrête sa décision : si la viscose semblait essentielle pour certaines et qu'il y avait du travail dans le domaine, elle serait donc tisserande, et les filles, par la force des choses, continueraient de s'instruire toutes seules.

— Mais maman !

— A-t-on le choix ? Pensez à votre père, jeunes filles, et plus un mot.

Klara baissa les yeux, contrite.

— Je vous trouverai des livres, promit Bertha sur un ton plus conciliant, plus tendre. Le soir quand je serai de retour du travail, nous regarderons ensemble ce que vous avez lu durant la journée et nous en discuterons. Je compte sur toi, Klara. Tu es l'aînée…

— Oui, maman.

— Et dès demain, il n'y aura plus ici qu'une mère appelée Berthe et ses deux filles, Claire et Anne… Dumontier…

Étienne et Estelle, tout comme Georges d'ailleurs, avaient été on ne peut plus catégoriques sur le sujet : elles devraient mettre en veilleuse, et très loin dans leurs souvenirs, cette vie qui avait été la leur jusqu'à maintenant.

— Même dans l'intimité de votre appartement, avait déclaré Estelle en faisant les honneurs d'un très modeste pied-à-terre situé dans un non moins modeste bâtiment. Dites-vous bien qu'ici, les murs ont des oreilles.

Voilà pourquoi Bertha se montrait aussi insistante, mais sur un ton de confidence, pour ne pas être entendue.

— Dumontier, c'est notre nom et c'est celui de votre père… Jacob Dumontier, non, Jacques Dumontier ! Oui, voilà ! Jacques Dumontier. C'est plausible et, surtout, facile à retenir. Cette vie qui était la nôtre, on doit l'oublier. Vous m'avez bien comprise ? Tout oublier. Nous venons de Paris comme le veut la vérité, certes, mais là s'arrête toute ressemblance avec notre passé. Nous sommes françaises d'origine, toutes les trois. Parisiennes de naissance. C'est important de toujours déclarer la même chose. Même à ceux qui deviendront peut-être nos amis. Si on vous demande dans quel lycée vous étiez, répondez que vous faisiez vos classes à la maison, par choix. Après tout, voilà une seconde vérité que l'on peut dévoiler sans crainte de se tromper. Si on vous demande quelque chose au sujet de votre père, vous dites qu'il est un soldat français fait prisonnier en juin 1940, à la signature de l'armistice, et nous, eh bien, nous tentons de nous en sortir sans lui. Si on est venues ici depuis Paris, c'est pour le travail. Uniquement pour le travail. Vous avez bien compris ce que je viens de vous dire, les filles ?

— Oui, maman.

— Et comment vous appelez-vous ?

— Moi, c'est Claire et ma petite sœur, c'est Anne… Dumontier.

C'était la hantise de Bertha de voir l'une d'entre elles s'embrouiller quant au nom, quant à la raison véritable de leur présence ici.

— Bonne idée, Claire, ce réflexe que tu as eu de prendre la parole de la sorte au nom de vous deux, approuva la nouvellement nommée Berthe Dumontier. Il y aura ainsi moins d'occasions de commettre une erreur.

C'était en grande partie pour cette raison que Bertha, d'entrée de jeu, avait refusé d'inscrire ses filles à l'école. S'il fallait que l'une ou l'autre se fourvoie en lançant son nom !

Ce fut ainsi qu'à partir de ce jour-là, la vie retrouva une certaine signification pour les membres de la famille de Jacob Reif. Un sens qui n'avait rien de profond, certes, puisque leur destinée se vivait un jour à la fois et que celle-ci était entièrement tournée vers les petits détails du quotidien. Néanmoins, Berthe Dumontier apprit à ressentir une grande fierté devant le fait banal de pouvoir subvenir aux besoins des siens. Chichement, bien sûr, mais au moins y avait-il un peu de pain sur la table, des légumes dans les assiettes, des œufs ou de la viande à l'occasion et un lit qu'elles partageaient à trois pour la nuit.

Quant aux deux filles, elles furent très heureuses de voir qu'en fin de compte, ce n'était pas si difficile de poursuivre leur instruction toutes seules. Elles arrivaient même à progresser de façon tout à fait acceptable, de telle sorte que chaque jour, elles acquéraient des connaissances nouvelles, glanées au fil des pages des différents livres que Berthe Dumontier arrivait à dénicher pour elles. Le soir venu, elles en discutaient toutes les trois avant de se mettre au lit. De plus, au moment où leur mère revenait de l'ouvrage, le repas était prêt et leur modeste logis bien rangé.

Claire et Anne se faisaient une réelle fierté de voir seules à l'entretien de l'appartement.

Le mois d'août était presque terminé et Paris s'estompait dans la brume quand elles y pensaient encore parfois. Même la Normandie et ses vergers ainsi que le long trajet jusqu'à Échirolles prenaient la forme d'un mirage, d'un rêve qu'on finirait peut-être par oublier. C'était ce que Berthe Dumontier espérait de toute son âme.

Sous les ordres du gouvernement de Vichy, en accord avec sa politique de collaboration avec l'Allemagne, une rafle visant les Juifs non français eut lieu à Grenoble, le 26 août, tout comme ailleurs en France libre. Mais à Échirolles, du moins à la connaissance de Berthe Dumontier, personne ne fut poursuivi. Elle avait donc décrété au grand soulagement de ses filles que cette opération policière ne serait pas suffisante pour se précipiter vers l'Italie.

Tant que le danger et les nazis se tiendraient ainsi à distance, elles continueraient de vivre ici, à Échirolles, jour après jour.

« Serrer les dents malgré le travail harassant et continuer, jour après jour.

Sourire pour les filles et continuer, jour après jour. »

Voilà le mantra que se répétait inlassablement l'épouse de Jacob Reif.

Mais quand venait la nuit, toutes les nuits, quand Berthe Dumontier pouvait se permettre de redevenir Bertha Reif, le temps trop bref de quelques souvenirs émus, elle laissait couler silencieusement ses larmes en pensant à cet homme extraordinaire qu'elle avait pour mari.

Bertha se disait alors que s'il existait quelque part dans l'univers un monde intemporel et sans frontière où pensées et souvenirs pouvaient se retrouver, où inquiétudes et prières s'entremêlaient dans l'espérance d'une vie meilleure, elle serait avec Jacob toutes les nuits puisqu'elle était persuadée que son mari était toujours vivant et que, lui aussi, il pensait à elle.

Jamais elle n'aurait pu imaginer qu'un jour la vie ferait en sorte que son Jacob lui manquerait à ce point.

Bertha n'aurait pu mieux supposer, car ses prières adressées au Ciel et cet ennui irrépressible étaient effectivement partagés, puisque c'était là tout ce qu'il restait à Jacob Reif.

En ce milieu du mois d'août, le 17 pour être précis, il venait enfin de quitter Drancy, comme s'il avait été oublié là, durant toutes ces semaines. Depuis la rafle du 16 juillet dernier, Jacob Reif avait vu bien des hommes arriver et repartir de Drancy. Mais pas lui. De constitution plutôt délicate, il se disait, avec une pointe d'humour, qu'il passait à ce point inaperçu que la guerre finirait sans qu'on ait songé à l'envoyer dans ces camps de travail où, avouons-le, il ferait piètre figure. Il ne se voyait vraiment pas assigné à la construction d'une maison ou condamné à casser des cailloux le long d'une route.

Puis, un matin, son nom avait été prononcé comme par inadvertance, par un gardien français venu le chercher dans sa chambre du troisième étage où il passait le plus clair de son temps à la fenêtre pour oublier qu'ici, à Drancy, on mangeait une bouchée à la fois et qu'on devait se contenter de quelques gorgées d'eau par jour. Une eau saumâtre, de surcroît, qui rendait souvent malade.

En voyant cet homme en uniforme qui le toisait, Jacob Reif s'était dit qu'il y aurait enfin un aboutissement à cette interminable attente, et il reprit sa petite valise où on avait consenti à ce qu'il transporte l'essentiel d'une vie un peu décente : rasoir, sous-vêtements, gilets de corps... Il s'était cependant refusé à apporter la moindre photo. Même à la blanchisserie où il avait vécu les dernières semaines avant d'être emmené, il n'y avait rien qui puisse suggérer qu'il n'était pas célibataire, comme il l'avait officiellement déclaré.

Sait-on jamais jusqu'où le moindre détail oublié pourrait mener !

C'était ce que Jacob Reif avait trouvé de mieux pour protéger sa famille : si on s'intéressait à lui, si on s'acharnait sur lui, on oublierait les autres. Sans aucune nouvelle de sa femme et de ses filles, il s'en remettait au Ciel pour que le meilleur soit à venir pour elles. Jacob ne pouvait rien faire de plus, sinon prier, encore prier, et toujours prier...

En compagnie de nombreux autres prisonniers, Jacob Reif fut emmené en autobus jusqu'à la gare du Bourget. Un train crachant déjà son panache de fumée sale attendait le long d'un quai d'embarquement.

Ils furent entassés dans des wagons à bestiaux barricadés et, au moment où il entendit la clé tourner dans le cadenas, Jacob Reif commença à mettre sérieusement en doute cette allégation stipulant qu'ils partaient tous pour des camps de travail.

Tout ça n'avait aucun sens.

Pas très grand, Jacob Reif fut bousculé non tant par mauvaise volonté de la part de ses frères juifs qu'à cause des SS qui voyaient à maximiser l'espace libre dans chacun des wagons. Il se retrouva tout au fond du contenant en bois brut, écrasé contre la cloison. C'est à peine s'il pouvait rester debout ou se recroqueviller, les jambes enserrées entre ses bras malingres.

C'est à peine s'il avait assez d'air pour respirer.

Le trajet lui parut interminable, même si le train s'arrêta deux fois en rase campagne.

Surtout parce que le train s'arrêta deux fois en rase campagne.

Au premier arrêt, un des prisonniers qui arrivait à distinguer le paysage entre deux planches disjointes annonça qu'on débarquait des corps qui furent laissés à l'abandon le long des rails.

Au second arrêt, il y eut deux prisonniers du wagon occupé par Jacob Reif qu'on dut abandonner de la sorte, empilés sur plusieurs autres corps.

Quand le train reprit de la vitesse, une prière s'éleva du wagon. Une prière en yiddish.

Ils arrivèrent au village d'Auschwitz à l'aube du troisième matin, alors que le ciel se teintait de lueurs blafardes. Le train s'arrêta dans une gare de marchandises.

Épuisé, affaibli par le manque de nourriture, encombré par sa valise bien petite mais bien lourde tout à coup, Jacob Reif arriva à tenir bon et il réussit à marcher au même rythme que les autres prisonniers tout au long du kilomètre qui les séparait de Birkenau.

C'était le nom du camp où s'arrêterait son voyage. Il l'avait appris à force d'entendre les SS en parler entre eux.

Après tout, Jacob Reif était allemand tout comme eux, et maîtrisait parfaitement la langue.

Tandis qu'il marchait, les noms de Bertha, de Klara et

d'Anna passaient en boucle dans sa tête. Ils étaient devenus sa prière, son unique incantation, et c'était là que Jacob Reif puisait toute sa force.

Puis ils virent le camp se profiler devant eux, entouré de marécages. Un grand portail double ouvrait sur de nombreux baraquements et un barbelé entourait le tout. Cette clôture électrifiée devait faire plus d'une quinzaine de kilomètres.

Le soleil se levait et, par réflexe ou tout bêtement par amour de la vie, Jacob se dit alors que la journée serait belle.

Quand il entra dans le camp, il dut se séparer de sa petite valise et ce fut comme si on lui enlevait un morceau de lui-même. Le peu qui restait de son passé venait de lui être arraché et il eut envie de crier.

— Vous les reprendrez plus tard, avait-on dit aux prisonniers.

Jacob Reif n'y croyait plus du tout.

Le scénario qu'il vivait depuis son départ de Paris ressemblait à une mise en scène trop bien orchestrée pour qu'un amoncellement de valises faites à-la-va-comme-je-te-pousse en soit partie prenante. Ces valises, ils ne les retrouveraient jamais parce que ces valises, ils n'en auraient probablement plus besoin. Voilà ce que pensait lucidement Jacob Reif alors qu'il attendait dans la cour avec les autres prisonniers.

Autour de lui, venus d'ailleurs, il y avait aussi des femmes et des enfants qui furent vite conduits vers un autre endroit du camp. Les familles furent séparées dans des pleurs et des cris déchirants.

Une femme qui s'entêtait à rester accrochée au bras de son mari fut tout simplement abattue.

L'image fut à ce point insoutenable que Jacob Reif détourna les yeux, le cœur au bord des lèvres, lui qui pourtant ne se souvenait plus du dernier repas complet qu'il avait pris.

Tous debout, tous épuisés, ils attendaient que leur nom soit prononcé, car les SS venus au-devant d'eux consultaient scrupuleusement une liste.

Les officiers se mirent à répartir les hommes selon ce qui semblait être des catégories. Certains allaient à droite, d'autres à gauche.

C'est alors que Jacob Reif remarqua un SS en particulier. La joue enflée, le jeune homme semblait souffrir le martyre, à tel point que la feuille qu'il avait à la main en tremblait.

Pour Jacob, ce fut comme si le Ciel avait enfin écouté ses prières et qu'Il daignait après tout répondre à ses espoirs.

Jacob Reif en oublia tout ce qui n'était pas le moment présent.

Sans attendre que son nom soit prononcé, il fit quelques pas.

— Mein Herr, eure Wange...[1]

Interpellé dans sa langue, l'officier se retourna brusquement. Visiblement, il était mal en point et son humeur logeait à la même enseigne.

Sans attendre une quelconque réponse qui, à première

1 Monsieur, votre joue...

vue, risquait de ne pas lui être favorable, Jacob fit aussitôt un pas de plus pour ajouter en allemand :

— Vous avez mal, n'est-ce pas ? Je vous comprends. Néanmoins, si vous me procurez quelques instruments, je pourrais vous soulager rapidement. Je suis dentiste.

À suivre...

À paraître en 2015 :

L'amour au temps d'une guerre

Tome 2

1942-1945

À cette famille qui est la mienne et que j'aime tant,
à travers les rires, les jours de tempête et les embellies...

« Les livres nous obligent à perdre notre temps
d'une manière intelligente. »

Mircea Eliade

NOTE DE L'AUTEUR

Ça y est ! J'ai réussi à terminer le premier tome de cette histoire qui m'a emportée, je vous l'avoue, aux limites de ma zone de confort. Ouf, que de travail ! Parler d'une époque comme celle de la Seconde Guerre mondiale n'est pas chose facile. Tous ces détails à respecter, ces dates incontournables, ces pays découpés et remodelés, ces personnages réels qu'on a envie de glisser dans la trame d'une fiction... J'ai beaucoup travaillé, c'est vrai, mais j'y ai pris un plaisir infini. Finalement, j'ai vite compris que je ne connaissais pas grand-chose à ce conflit qui fut le plus meurtrier de l'histoire de l'Humanité et que j'avais tout à apprendre avant de pouvoir raisonnablement m'en inspirer.

Mais, plus important encore que tout ce temps consacré à la recherche et à la compréhension d'un pan de l'Histoire qui ressemble par moments à une visite en enfer, il y a eu Françoise et Brigitte, la famille Reif et Rémi, ma merveilleuse Gilberte et ses deux hommes, Ernest et ses fils, la belle Alexandrine et son ennui... Si vous saviez le plaisir ému que je ressens, chaque matin, quand je les retrouve, tous autant qu'ils sont. Je les trouve beaux, ces personnages faits de générosité, de sensibilité, d'inquiétude, de curiosité, d'espoir. De courage aussi. Alors si l'histoire que je raconte est inscrite sur un fond de guerre insensée, il n'en reste pas moins que l'amour, la compassion et la grandeur d'âme dominent. C'est là le plus important, je crois. L'Homme, aussi petit soit-il à l'échelle de l'univers, sera toujours capable de belles et grandes choses. J'en suis intimement convaincue. Alors, tout comme vous j'espère, j'ai hâte de voir ce que l'avenir réserve à tous ces gens qui partagent mon quotidien depuis près d'un an maintenant. Je sais que leur vie ne sera pas rose, comment pourrait-elle l'être en ces temps troublés ? Si mes personnages ne le savent pas encore, moi j'ai appris il y a longtemps qu'en 1942 le monde s'apprêtait à basculer dans l'horreur. Alors, tous ne seront pas épargnés, j'en ai bien peur. C'est pourquoi il me tarde de reprendre la plume, de les retrouver chaque matin dans mon bureau et de prêter l'oreille à ce qu'ils ont à me raconter, à me confier.

Je tremble pour eux devant cet avenir sombre, incertain, mais je vais quand même aller jusqu'au bout de leur histoire, de leur vie peut-être, en vous demandant, bien humblement, de rester à mes côtés, au cas où j'aurais envie de tenir la main de quelqu'un.

LISTE DES PERSONNAGES

SECTEUR FRANÇAIS

André Constantin, pilote canadien, fils d'Ernest (voir secteur québécois).

Anna Reif, fille de Jacob et de Bertha.

Bertha Grosmann-Reif, épouse de Jacob.

Berthold, prisonnier.

Brigitte Lacroix, grande amie de Françoise.

Estelle et Étienne, ils accueillent les femmes Reif à Échirolles.

François Nicolas, propriétaire d'un grand verger, producteur de calvados.

Françoise Nicolas, fille de François et de Madeleine, amoureuse de Rémi.

Gaspard Truchon, prisonnier.

Georges, passeur.

Jacob Reif, ancien dentiste berlinois, propriétaire de la blanchisserie à Paris.

Jasmin Nicolas, fils de François et de Madeleine, décédé.

Klara Reif, fille de Jacob et de Bertha.

Madeleine Nicolas, épouse de François et mère de Françoise.

Martine, « Marti », secrétaire à Falaise.

Maurice Lacroix, père de Brigitte. A été sauvé par des soldats canadiens à la Grande Guerre.

Nathan Chaumette, fils de Françoise et de Rémi.

Rémi Chaumette, mécanicien, amoureux de Françoise.

René, propriétaire du bar-tabac en Normandie.

Simone Foucault, logeuse de Brigitte à Paris.

SECTEUR QUÉBÉCOIS

Alexandrine Tremblay, mère de Paul.

Célestin Bouchard, frère de Gilberte.

Docteur Girard, médecin d'Hubert.

Ernest Constantin, ingénieur civil spécialisé dans les sols, père de 4 garçons (Raymond, André, Hubert et Gérard).

Germain Bouchard, neveu de Gilberte, adopté par celle-ci.

Gilberte Bouchard, « vieille fille » du village de Pointe-à-la-Truite qui vit avec son frère Célestin et son neveu Germain.

Hubert Constantin, fils d'Ernest Constantin placé en institution.

Julien Bouchard, fils de Lionel.

Justine, fille d'Alexandrine.

Léopold Tremblay, navigateur, fils d'Alexandrine.

Lionel Bouchard, médecin et frère de Gilberte.

Marie Constantin, femme d'Ernest, décédée.

Marguerite Bouchard, femme de Lionel.

Paul Tremblay, propriétaire de l'auberge de la Mère Catherine à Pointe-à-la-Truite.

Prudence Lavoie-Bouchard, deuxième épouse de feu Mathieu Bouchard (père de Gilberte, de Lionel et de Célestin).

Réginald, copain de Paul.

Achevé d'imprimer chez
Imprimerie Norecob
en septembre 2015